„Man kann den
zu denke

„你不能否认别人
思考他们想要什么。"

Friedrich von Schiller

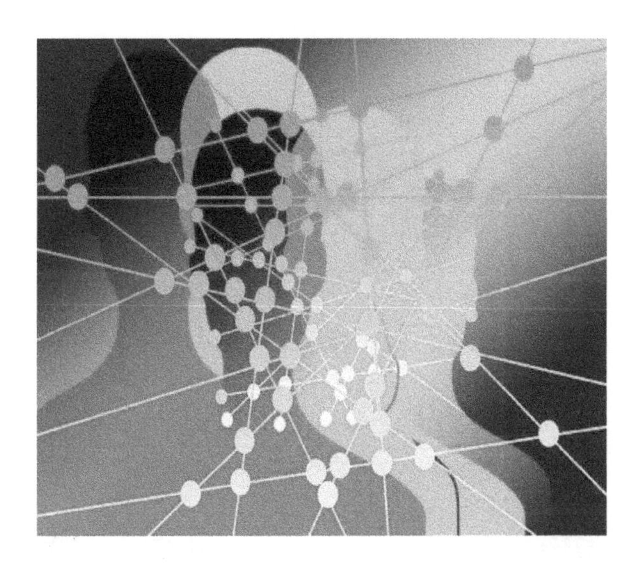

In Liebe
für Barbara, Alexandra, Kai, Timon, Nele und Isabelle.

Dietmar Dressel

那个想法

Was ist ein Gedanke

What is a thought?

Bilingual in German and Chinese

德文和中文双语

幻想小说

Inhaltsbeschreibung/内容描述

Das Denken der Gedanken ist grundsätzlich erst einmal ein energetischer, ablaufprozessualer Prozess. Einmal völlig losgelöst davon, was ihn möglicherweise ausgelöst haben könnte, oder ausgelöst hat. Aus dem wissenschaftlichen Verständnis von Teilen der Menschheit wäre allerdings das menschliche Gehirn sein Denkzentrum. Es besteht unstrittig zu etwa sechzig Prozent aus Gehirnfett und zu vierzig Prozent aus Proteinen. Dieser Analyse folgend bedeutet das, dass für das Denken der Gedanken und alle damit im Zusammenhang stehenden mentalen Prozesse aus dieser biologischen Masse energetisch entwickelt, organisiert und gespeichert werden sollen? Respekt! Es gibt auch andere Begründungen für das Denken der Gedanken. Jedenfalls so, wie ich sie als Autor dieses Romans verstehe. Der Text des Buches ist in chinesischer Sprache.

Thinking the thoughts is basically an energetic, procedural process. Once completely detached from what could possibly have triggered it, or has triggered it. From the scientific understanding of parts of humanity, however, the human brain would be his thinking center. It is indisputably made up of about sixty percent brain fat and forty percent protein. Following this analysis, does this mean that for thinking the thoughts and all related mental processes should be energetically developed, organized and stored from this biological mass? Respect! There are other justifications for thinking the thoughts. At least as I understand you as the author of this novel. The text of the book is in Chinese.

思考思想基本上是一个充满活力的程序性过程。
一旦完全脱离可能触发它的东西，或者已经触发它。
但是，从对人类各个部分的科学理解来看，人脑将是其思维的中心.
毫无疑问，它约占百分之六十的脑脂肪和百分之四十的蛋白质。
经过这种分析，这是否意味着在思考时，应该从这种生物体中大力开发，组织和存储思想和所有相关的心理过程？**尊重！思考思想**还有其他理由。**至少据我了解，您是**这本小说的作者。

Bibliografische Information der Deutschen Nationalbibliothek.
Die Deutsche Nationalbibliothek verzeichnet diese Publikation in der Deutschen Nationalbibliografie;
detaillierte bibliografische Daten sind im Internet über http://dnb.d-nb.de abrufbar.

Herstellung und Verlag: BoD -Books and Demand Norderstedt.

Gestaltung: Alexandra Dressel und Barbara Dressel
Layout: Kai Hintzer
Printed in Germany
ISBN 9 783753 423555

Inhaltsverzeichnis/目录

Das Denken, ein Gespräch zwischen Geistwesen 9
思考，精神之间的对话 10

Das Gehirn der Spezies Mensch 27
人类的大脑 28

Was ist eine Nervenzelle 43
什么是神经细胞 44

Wenn der Mensch und sein Gehirn sterben 51
当这个人和他的大脑死亡时 52

Nervenimpulse und elektromagnetische Impulse 67
神经冲动与电磁冲动 68

Die Sprache als Dolmetscher für das Denken 175
语言作为思考的口译员 176

Kann man ohne Sprache denken 207
没有语言就可以思考 208

Gedanken und spirituelle Energie 261
思想和精神能量 262

Das geistige Sein und das Denken der Gedanken 271
思维的精神能量和思考 272

Der Kreis des Denkens der Gedanken schließt sich 307
El círculo de pensar en pensamientos se cierra 308

Vor geraumer Zeit wurde auf Facebook und Twitter die Frage gestellt:

Who ist Dietmar Dressel about?

Es ist für einen Buchautor und Schriftsteller nicht ungewöhnlich, dass er mit zunehmender Aktivität im Lesermarkt das Interesse der Öffentlichkeit weckt und diese natürlich neugierig darauf ist, um wen es sich dabei handelt. Natürlich könnte ich dazu selbst etwas sagen. Ich denke, es ist vernünftiger, eine Pressestimme zu Wort kommen zu lassen.

Nachfolgend ein Artikel von Michel Friedmann: Jurist, Politiker Publizist und Fernsehmoderator.

Pressestimme von Michel Friedman am 3. Juni 2016:

'Wanderer, kommst Du nach Velden". Wer schon einmal im kleinen Velden an der Vils war, der merkt gleich, dass an diesem Ort Kunst, Kultur und Literatur einen besonderen Stellenwert genießen. Der Ort platzt aus allen Nähten vor Skulpturen, Denkmälern und gemütlichen Ecken die zum Verweilen einladen. So ist es auch ganz und gar nicht verwunderlich, dass sich an diesem Ort ein literarischer Philanthrop wie Dietmar Dressel angesiedelt hat.

Dressel versteht es wie wenige andere seines Faches, seinen Figuren Leben und Seele einzuhauchen. Auch deswegen war ich begeistert, dass er sich an das gewagte Experiment eines historischen Romans gemacht hatte. Würde ihm dieses gewagte Experiment gelingen?

Soviel sei vorweg genommen: Ja, auf ganzer Linie! Aber der Reihe nach. Historische Romanautoren und solche, die sich dafür halten, gibt es jede Menge. Man muß hier unterscheiden zwischen den reinen 'Fiktionisten' die Magie, Rittertum und Wanderhuren in eine grausige Suppe verrühren und historischen „Streberautoren“, die jedes noch so kleine Detail des Mittelalters und der Industrialisierung studiert haben und fleißig aber langatmig wiedergeben. Dressel macht um beide Fraktionen einen großen Bogen und findet zum Glück schnell seinen eigenen Stil. Sein Werk gleicht am ehesten einem Roman von Ken Follett mit einigen erfreulichen Unterschieden!

Follett recherchiert mit einem großen Team die Zeitgeschichte genauestens und liefert dann ein präzises, historisches Abbild. Ein literarischer und unbestechlicher Kupferstich als Zeugnis der Vergangenheit. Dressel hat kein Team und ersetzt die dadurch entstehenden Unklarheiten gekonnt mit seiner großartigen Phantasie. Das Ergebnis ist, dass seine Geschichten und Landschaften 'leben' wie fast nirgendwo anders. Follett packt in seine Geschichten stets wahre Personen und Figuren der Zeitgeschichte hinein, die mit den eigentlichen Helden dann interagieren und sprechen. Das nimmt seinen Geschichten immer wieder ein wenig die Glaubwürdigkeit. Dressel hat es nicht nötig, historische Figuren wiederzubeleben. Das Fehlen echter historischer Persönlichkeiten gleicht er durch menschliche Gefühle und lebendige Geschichten mehr als aus.

Folletts Handlungen sind zumeist getrieben von Intrige, Verrat und Hinterhältigkeit. Er schreibt finstere Thriller, die ihren Lustgewinn meist aus dem unsäglichen Leid der Protagonisten und der finalen Bestrafung der 'Bösen' ziehen. Dressel zeigt uns, dass auch in einer so finsteren Zeit wie der frühen, industriellen Neuzeit Freundschaft, Liebe und Phantasie nicht zu kurz kommen müssen. Er wirkt dabei jedoch keinesfalls unbeholfen sondern zeigt uns als Routinier, dass er das Metier tiefer Gefühle beherrscht, ohne ins Banale abzugleiten. Folletts Bücher durchbrechen gerne die Schallmauer von 1000 und mehr Seiten. Er beschreibt jedes Blümchen am Wegesrand. Dressel kommt mit viel weniger Worten aus. Substanz entscheidet!

In der linken Ecke Ken Follett aus Chelsea, in der rechten Ecke Dietmar Dressel aus Velden. Zwei grundverschiedene Ansätze und Herangehensweisen an ein gewaltiges Thema. Wer diesen Kampf wohl gewinnt? Keiner von beiden, in der Welt der Literatur ist zum Glück Platz für viele gute Autoren!

Das Denken, ein Gespräch zwischen Geistwesen

„Alles was von denkenden körperlichen Lebewesen der höheren geistigen Ordnung je gedacht wurde, ist ohne Zweifel bereits mental abgehandelt worden. Man muss sich nur der Mühe unterziehen, es nochmals denken zu wollen.“

Dietmar Dressel

Behutsam lösen sich Estries Gedanken aus ihren Träumen, die sich noch mit den gemeinsamen Gesprächen mit dem Geistwesen „ES“ beschäftigen und davon wohl auch nicht so ohne weiteres loslassen wollen. Soweit sie sich beim Abschied vom Geistwesen „ES“ noch daran erinnern kann, würde sich vermutlich ihre neue, gemeinsame Diskussion mit dem Thema:

„Das Denken der Gedanken“

auseinandersetzen. Ein sehr wissenschaftliches und philosophisch geprägtes Thema aus dem Entwicklungsprozess von denkenden körperlichen Lebewesen der höheren geistigen Ordnung bis zurück zu den voraussichtlich ersten mentalen, ablaufprozessualen Denkprozessen im geistigen Sein, eingebettet in der geistigen Energie. Bei ihrem letzten Besuch auf dem Planeten Erde, einer kleinen und bewohnbaren Planetenkuller am Rande einer spiralförmigen Galaxis in der kosmischen Nähe des Andromeda Nebels, konnte sie mit dem Geistwesen „ES“ bereits einen ersten, nachhaltigen Eindruck davon gewinnen, wie sich möglicherweise ablaufprozessuale Denkprozesse entwickelt haben könnten. Nur äußerst ungern erinnert sie sich in diesem Zusammenhang an das teilweise entsetzliche und vor allem von der Gewalt geprägtem Denken und dem daraus resultierendem Verhalten und Handeln von vielen Männern, Frauen und zum Teil auch schon von Kindern der Menschen.

思考，精神之间的对话

“**通**过思考更高的精神秩序的物质存在，人们所想到的一切无疑已经在精神上发生了。
被删除。
一个人只需要承担麻烦
想要再考虑一下。”
Dietmar Dressel

埃斯特里的思想从梦中谨慎地释放出来，梦中仍然充斥着以“
ES”为精神的普通对话，并且可能不想轻易放开它们。
就她在向“
ES”**精神**说再见时仍然记得的时候，她的新的共同讨论可能始于以下主题：

„Das Denken der Gedanken“ - “思考思想”

处理。
这是一个非常科学和哲学的话题，从思考高级精神秩序的实体的发展过程回到埋藏在精神能量中的大概第一个精神，程序性思维过程在精神存在中。
在她最后一次造访地球时，一颗小小的可居住的行星子弹位于仙女座星云宇宙附近的螺旋形星系边缘，她获得了第一印象，即“
ES”**关于程序流程如何运作的思考流程可能已**经发展。
在这种情况下，她非常不愿回忆起有时令人恐惧的，尤其是暴力的思想，以及许多男人，女人甚至在某些情况下甚至是人们的孩子所产生的行为和举止。

Einer Spezies von denkenden körperlichen Lebewesen der höheren geistigen Ordnung, besonders gegen ihre eigene Art und überhaupt gegen alle Lebewesen der pflanzlichen und tierischen Gattung. Das allein als Geistwesen mit ansehen zu müssen, sprengt die Grenzen des Erträglichen. Dabei soll ja angeblich ihr himmlischer und liebenswerter Gott, der all das pflanzliche, tierische und menschliche Leben auf diesem Planeten Erde, und natürlich auch den Planeten Erde selbst, in wenigen Erdtagen erschaffen hatte, großen Wert darauf gelegt haben, dass seine Schöpfung, also die Pflanzen, die Tiere und vor allem die Menschen, sich grundsätzlich und ohne Ausnahme liebevoll und friedliebend zueinander verhalten sollten. Diese Verhaltenseigenschaften, jedenfalls so wie sie ihnen dieser Gott im Imperativ vorgegeben hatte, mussten wohl an den Ohren, also dem Hörorgan und dem direkten Zugang zum Denkzentrum, selbst bis in die Geschichte der Spezies Mensch in der Neuzeit, grüßend an den Empfangsorganen der vielen Männer, Frauen und Kinder dieser Spezies vorbei gerauscht sein, und nach wie vor scheinbar völlig unbeachtet bleiben. Natürlich sehr zum Leidwesen ihres liebevollen Gottes, der sich das selbst als himmlische Machtperson gefallen lassen muss, wie gegen seine An-ordnung ständig verstoßen wird. Aber gut, es gibt ja noch die Hölle, mit dem bösen Teufel. Wie es dort zugehen soll, weiß man allerdings bei dieser Spezies Mensch nicht so im Detail, weil von dort noch kein menschliches Wesen je zurückkam. Und der Herr im Himmel hat sich dazu angeblich noch nicht zutreffend geäußert. Jedenfalls konnte ich bei unserem letzten Aufenthalt auf dem Planeten Erde in den Archiven nichts Lesbares dazu finden. Soweit so gut. Wieder gedanklich zurück zu unserem neuen Thema: „Das Denken der Gedanken“ .Ich bin zwar Astrophysikerin, trotz alle-dem, so überlegt Estrie, könnte ich, gemeinsam mit dem Geistwesen „ES“, auch aufgrund seiner außergewöhnlichen geistigen Gabe, wertvolle Erkenntnisse über den grundsätzlichen Entwicklungsprozess des Denkens gewinnen.

一种具有较高精神层次的有思想的有生命的生物，特别是针对他们自己的生物，一般而言是针对所有动植物物种的生物。只需将其视为精神存在即可打破可忍受事物的界限。**据**说他们的天上可爱的上帝创造了地球上所有植物，动物和人类的生命，当然也有地球在几天之内创造了地球，这一事实对他的创造，因此，植物，动物以及最重要的是人民，原则上应该毫无例外地彼此相爱和相处。这些行为特征，至少就像这位神在命令中给他们的那样，必须在耳边，即听觉器官，可以直接进入思维中心，甚至可以追溯到近代人类的历史，并向他们致意。这种物种的许多男性，女性，儿童和儿童的接受器官都匆匆而过，似乎仍然被完全忽略了。当然，他们深爱着上帝的人非常cha恼，作为天上的大权者，他不得不忍受这一点，因为他的命令不断受到侵犯。**但是**，**邪**恶的魔鬼仍然存在地狱。然而，对于这种人类来说，如何去那里还不为人所知，因为从来没有人从那里回来过。据说天上的主还不正确。无论如何，在我们最后一次访问地球时，我在档案中找不到任何可读的信息。到现在为止还挺好。回到我们的新主题：**“思想的思考”**，**尽管有一切**，**我**还是一个天体物理学家，所以埃斯特里认为，我可以和精神为“
ES”**的人一起**，**也可以因**为他非凡的精神天赋而有价值掌握有关知识的基本发展思路。

Letztlich sollten wenigstens wir Geistwesen, so überlegt Estrie, schon zum besseren Verständnis heraus verstehen wollen, was sich wann, also in welcher kosmischen Zeitebene wo, also in welcher interstellaren Raumordnung und mit welchen mentalen und energetischen Kräften bei dem eigentlichen „Was“ und dem eigentlichen „Wie“ sich bei dem Denken an sich entwickelte und gegebenenfalls sich auch veränderte. Nicht zuletzt wäre es möglicherweise wichtig zu wissen, um eventuell dabei auch zu erkennen, warum das so und nicht anders geschah und immer wieder aufs Neue sich qualitativ modifiziert. Unerwartet fühlt sie eine sanfte, geistige Stimme und weiß sofort, dass das Geistwesen „ES“ wieder in ihrer gemeinsamen mentalen Welt angekommen sein muß. „Ich freue mich, liebe Estrie, wieder in deiner Nähe zu sein. Ich denke, wir können unseren Besuch auf dem Planeten Erde beenden und uns von seinen Menschen vorerst verabschieden. Das Thema, mit dem wir uns jetzt beschäftigen wollen, also: „Das Denken der Gedanken“, dürfte wohl die meisten Männer und Frauen auf dem Planeten Erde überfordern oder kein Interesse finden. Sie haben es wohl mit dem Konsum und mit dem ständigen „Mehr“ und „Mehr“ zu tun. Wie sie mit der Gewalt, mit den Machtgelüsten und mit der Gier umgehen, darüber haben wir uns ja bereits ausführlich unterhalten. Ich denke, die liebevollen und wissbegierigen Bewohner vom Wasserplaneten Azerohn werden sich über einen Besuch von uns beiden sicherlich freuen. Sie sind ein sehr lernfreudiges Volk und verfügen über außergewöhnliche, mentale Fähigkeiten. Jeder Gedanke, den man mit ihnen gefühlvoll austauscht, ist eine wertvolle Bereicherung für das eigene Wissen und für das eigene Empfinden. Soweit so gut! Wenden wir uns dem neuen Thema zu, wie wir es bereits bei unserem Abschied kurz besprochen haben:

„Das Denken der Gedanken“

埃斯特里（Estrie）认为，最终，至少我们是精神存在者，应该已经想要了解以便更好地理解什么时候发生，即在哪个宇宙时间平面中，即在星际空间秩序中，在实际的"
"什么"和实际的"如何"发展起来，并且在考虑自身时也会改变（如有必要）。最后但并非最不重要的一点是，重要的是要知道，以便能够识别为什么以这种方式发生并且没有不同之处，以及为什么一次又一次地对其进行定性修改。出乎意料的是，她感到一种温柔而属灵的声音，并立即知道作为"
IT"的精神必须回到他们共同的精神世界中。
"我很高兴，亲爱的埃斯特里，再次回到你身边。我认为我们可以结束对地球的访问，暂时向地球人民告别。我们现在要处理的主题是："思想的思考"，很可能使地球上的大多数男人和女人不知所措，或者使他们不感兴趣。您可能正在处理消费，并且需要不断处理"更多"和"更多"。我们已经详细讨论了他们如何处理暴力，对权力的渴望和贪婪。我认为水上星球Azerohn充满爱心和好奇心的居民一定会对我们俩的来访感到高兴。他们非常渴望学习并且具有非凡的智力-与他们进行情感交流的每一个想法都是对自己的知识和自己的感觉的宝贵丰富。到现在为止还挺好！让我们转到新主题，就像我们离开时简要讨论的那样："思考思想"

Liebe Estrie, mein Kenntnisstand zum Thema „Denken“ sagt mir, dass die Gehirnforschung, damit meine ich das Fachgebiet über das Speicherzentrum für ablaufprozessuale Denkprozesse und verwandte Fachbereiche zu dieser Thematik, bei den meisten mir bekannten Völkern aus der Spezies der denkenden körperlichen Lebewesen der höheren geistigen Ordnung noch in den Anfängen steckt. Derzeitiges Hauptziel ihrer Bemühungen bestehen darin wissenschaftlich zu untersuchen, welchen Regeln das Denken folgen sollte, um Wahrnehmungen sinnstiftend zu verarbeiten, zu wahren Überzeugungen zu gelangen oder um Probleme aller Art lösen zu können. Ich habe mich in den Archiven der Bewohner vom Planeten Azerohn über ihre Kenntnisse des Denkens informiert. Die Bedeutung des Denkens reicht vom Denken an etwas Bestimmtes im Sinne von sich möglicherweise erinnern können, über das Nachdenken im Sinne von etwas abwägen, vergleichen oder widersinnig gegenüberstellen, bis hin zu über etwas so und so nachdenken im Sinne von eine bestimmte Meinung von einer Sache haben wollen. In der Kognitions- oder Denkpsychologie bezeichnet man das Denken der Gedanken auch als einen Prozess der Informationsverarbeitung, insbesondere die Verarbeitung bildlicher oder sprachlicher Symbole. Dabei wird davon ausgegangen, dass die Symbole in der Form so genannter Netzwerke gespeichert werden können. Diese Netzwerke weisen unter anderem auch eine hierarchische Gliederung auf. So die Meinung einiger Wissenschaftler dieser von mir genannten Spezies denkender körperlicher Lebewesen der höheren geistigen Ordnung, so dass innerhalb eines aktuellen Denkprozesses und ähnlich ablaufender Denkprozesse auf Begriffe innerhalb solcher Gliederungen zugegriffen werden könnte. Das Denken allein für sich betrachtet besteht jedoch nicht nur im Abarbeiten vorhandener Wort- und Bildstrukturen, sondern vor allem im möglichen Aufbau neuer Verbindungen zwischen den einzelnen Elementen des Denkprozesses.

亲爱的埃斯特里，我对“**思考**”**主**题的了解程度告诉我，大脑研究是我所认识的大多数人的大脑，即过程思维过程的存储中心领域和该主题的相关领域。高等的精神秩序仍处于起步阶段。他们目前工作的主要目标是科学地研究应该遵循哪些规则，以便以**有意**义的方式处理看法，达成真正的信念或能够解决各种问题。我在艾泽伦星球居民的档案中找到了他们的思想知识。思维的含义范围从从可能会记住的角度考虑某件事，从权衡某件事，以一种荒谬的方式比较或对比某件事到某某某某点某某事某某某某某某某某某某某某某某某某某某某某某某某某某某某某某某某某深思想拥有东西的意见。在认知或思想心理学中，思想的思考也被称为信息处理的过程，特别是图形或语言符号的处理。假定可以以所谓的网络的形式保存符号。这些网络除其他外还具有分层结构。这是我已将思想命名为该物种的某些科学家的观点-

较高精神**秩序的物理存在，因此可以在当前的思想**过程和相似的思想过程中访问此类分类中的术语。独自思考不仅在于研究现有的单词和图像结构，而且首先在于可能在思维过程的各个要素之间建立新的联系。

Denken allein kann daher auch als ein intuitiver und kreativer ablaufprozessualer mentaler Vorgang verstanden werden, indessen weiterem Verlauf neue Erkenntnisse entwickelt und hervorgebracht werden können, in deren Zielsetzung nach etwas Neuem oder etwas völlig „Anderem" die Sehnsucht und die Neugierde eine entscheidende Rolle spielt. Auf das Thema Sehnsucht und Neugierde im Kontext mit dem intuitiven und kreativem Denken, liebe Estrie, werden wir ganz sicher zu einem später Zeitpunkt noch ausführlich zu sprechen kommen.

„Wer sich nicht von der Sehnsucht und der Neugierde aufmerksam berühren lässt, wird im Stumpfsinn seiner einfältigen Gedankenwelt versinken."

Dietmar Dressel

Aus Aufzeichnungen von einigen Wissenschaftlern der von mir genannten Spezies von denkenden körperlichen Lebewesen der höheren geistigen Ordnung kann man unter anderem auch entnehmen, dass die so genannte künstliche Intelligenz, so die einhellige Meinung der Wissenschaft, möglicherweise auch ein Teilgebiet der Informatik wäre, welches sich mit der Automatisierung intelligenten Verhaltens befassen würde.

因此，单独思考也可以理解为与过程相关的直觉和创造性思维过程，而在进一步的过程中，可以开发和产生新的见解，其目的是对于新事物或完全**“不同”的事物**产生渴望和好奇心。决定性的角色扮演。亲爱的埃斯特里（Estrie），**我**们当然会在直觉和创造性思维的背景下回到渴望与好奇的话题。

“那些不愿被渴望和好奇感所打动的人，将陷入他们思想简单的世界的愚蠢之中。”

Dietmar Dressel

从我已经命名的该物种的一些科学家的记录中，他们认为具有较高精神秩序的物质存在，除了科**学以外**，还可以推断出，根据科学的一致观点，所谓的人工智能也可能是一种计算机科学领域将涉及智能行为的自动化。

Der Begriff ist aus meiner Überzeugung heraus, liebe Estrie, insofern nicht eindeutig abgrenzbar, als es bereits an einer genauen Definition von dem Begriff Intelligenz mangelt. Also bitte, liebe Estrie, was bedeutet eigentlich Intelligenz? Und bitte, mit welchen Inhalten befasst sich dieser Begriff?

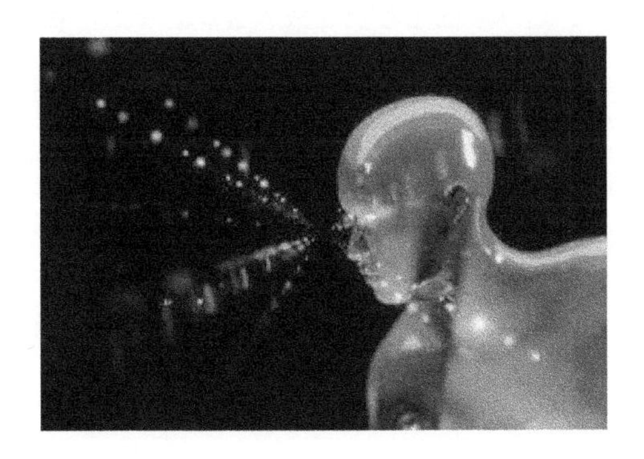

Ich bin dieser Geistreichelei sterbensüberdrüssig. Jeder ist heutzutage geistreich. Du kannst nirgendwohin gehen, ohne geistreiche Leute zu treffen. Das ist förmlich zu einer öffentlichen Plage geworden. Ich wünschte zum Himmel, wir hätten noch ein paar Dummköpfe übrigbehalten.

Oscar Wilde

Oder etwas leicht banal, also im alltäglichen Umgangston ausgedrückt: Sind denkende körperliche Lebewesen der höheren geistigen Ordnung grundsätzlich intelligent genug, den Wortinhalt von Intelligenz zu definieren? In einigen Aufzeichnungen bei meinen Besuchen von Völkern aus der Spezies von denkenden körperlichen Lebewesen der höheren geistigen Ordnung auf bewohnbaren Planeten, las ich zu dem Begriff Intelligenz, etwas kurz gefasst, die Erklärung:

出于我的信念，亲爱的埃斯特里（Estrie），该术语无法明确定义，因为已经缺乏对“**智力**”**一**词的精确定义。
所以，亲爱的埃斯特里，请问，情报实际上是什么意思？
拜托，这个术语的内容是什么？

我厌倦了所有这些机智。这些天每个人都很机智。**没有**见识风趣的人，您无处可去。这**从字面上看已**经成为公众的麻烦。**我希望基督**，. **我**们会留下一些傻瓜

Oscar Wilde

还是有些平庸的东西，换句话说，就是日常用语：思维能力更高的物质世界的思考者是否从根本上足以确定智力的词义？
在我访问各国人民的一些记录中，我在某种程度上简要地读了对智力这个术语的解释：

。

„Das der Begriff Intelligenz so etwas wie ein Sammelbegriff für die kognitive beziehungsweise geistige Leistungsfähigkeit eines Mannes, einer Frau oder der eines Kindes diese von mir genannten Spezies wäre. Da einzelne kognitive Fähigkeiten bei dieser Spezies unterschiedlich stark ausgeprägt sein können und keine Einigkeit darüber bestehen würde, wie diese zu bestimmen und zu unterscheiden sein könnten, gibt es verständlicherweise auch keine allgemeingültige Definition für den Begriff Intelligenz. Es herrscht wohl eher die Meinung vor, die verschiedenen Intelligenztheorien durch unterschiedliche Operationalisierungen in alltagssprachlichen Begriffen zu nutzen."

Was ich bei meinen Besuchen bei intelligenten Völkern auf bewohnbaren Planeten in Bezug auf das Denken der Gedanken grundsätzlich vermisste und immer noch vermisse, ist die mangelnde Fähigkeit das alltägliche Denken und dessen Denkprozesse, und das intuitive und kreative Denken und die dazu gehörenden Denkprozesse im Zusammenhang zu beurteilen. Konkret meine ich damit, wo und wie findet das Denken, gleich welcher Art, tatsächlich seinen energetischen Raum? Das sich solche Prozesse in einem so genanntem Gehirn bei körperlichen Lebewesen abspielen könnten, ist ausgeschlossen. Als Geistwesen wissen wir das. Das sich solche geistigen, energetischen Fähigkeiten, nur so als Beispiel, in der Fett- und Proteinmasse eines Gehirns, als dem so genannten Denkzentrum von denkenden körperlichen Lebewesen der höheren geistigen Ordnung nicht entwickeln können, ist zu mindest in der Wissenschaft bei den von mir besuchten Völkern unstrittig. Die Forschung darüber steckt natürlich noch in den Anfängen. Kausale geistige, energetische und materielle Gesetzmäßigkeiten entwickeln sich grundsätzlich aus intuitiven und kreativen Denkprozessen der Gedanken, die sich zum Teil auch denkende körperliche Lebewesen und denkende körperliche Lebewesen der höheren geistigen Ordnung, wie zum Beispiel die Spezies Mensch vom Planeten Erde, gelegentlich zunutze machen.

“我曾提到过，**“智力”一**词类似于对男人，女人或儿童的认知或心理表现的统称。
由于该物种的个体认知能力可以得到不同程度的发展，并且在如何确定和区分它们方面尚无共识，因此可以理解，术语**“智力”没有通用定**义。
普遍的看法更有可能通过日常语言方面的不同操作来使用各种情报理论。”

在访问关于宜居星球上的智障人士的思想时，我从根本上想念并且仍然想**念的是日常思考的能力不足**，**思**维方式，直觉和创造性思维以及在上下文中评估相关思维方式的能力不足。
具体来说，我的意思是说，无论在哪种类型的思考中，如何以及在何处真正找到其充满活力的空间？这样的过程不可能在物理有机体的所谓大脑中发生。作为精神存在者，我们知道，这种精神，精力充沛的能力不能在大脑的脂肪和蛋白质中发展，正如所谓的思考更高精神层次的物质存在的思维中心一样。至少在我所拜访的人民中，科学是无可争议的。当然，对此的研究还处于起步阶段。因果的精神，能量和物质定律基本上是从直觉和创造性的思想思维过程发展而来的，这些过程有时还利用思想的生物和具有较高精神秩序的思想的生物，例如来自地球的人类。

Die Wissenschaft dieser Spezies Mensch ist zum Beispiel fest davon überzeugt, dass ihr Gehirn, also ihr Denkzentrum, das auf dem Rumpf ihres Körpers in einem so genannten Kopf seinen festen Halt hat, die eigentliche Schlüsselstelle für das Denken der Gedanken sei. Dieses Organ, das, wie bereits von mir erwähnt, zu sechzig Prozent aus einer Masse von Fett und zu vierzig Prozent aus einer Masse von unterschiedlichen Proteinen, also aus Eiweißstrukturen besteht, soll demnach zweifelsfrei dafür zuständig sein, wo und wie sich das Denken der Gedanken begründen würde, und sich alle damit erforderlichen ablaufprozessualen Denkprozesse während der relativ kurzen körperlichen Lebensspanne so eines Mannes, einer Frau oder das eines Kindes vollziehen. Dieses Denken der Gedanken und die damit erforderlichen mentalen Prozesse erlöschen mit dem körperlichen Tod eines Menschen. Schon deshalb, weil die Wissenschaft auf diesem Planeten fest davon überzeugt ist, dass sich eben dieses Denken ausschließlich in ihrem Gehirn, also in dieser Masse von Fett und Proteinen vollziehen würde. Mit dem körperlichen Tod stirbt alles Materielle, und damit natürlich auch das Gehirn. Es besteht ja aus Materie und ist kein energetisch geistiges Konstrukt, wie zum Beispiel das Ichbewusstsein von Männern, Frauen und Kindern dieser Spezies. Aber auf das Thema kommen wir bestimmt noch zu sprechen. Ich habe so eine Erkenntniswissenschaft bezüglich des Denkens der Gedanken auf den von mir besuchten Planeten und deren Bevölkerung so noch nicht erfahren können. Würde man den wissenschaftlichen Ausführungen von Angehören dieser Menschheit folgen, könnte das möglicherweise bedeuten, dass das Denken der Gedanken und die damit in Verbindung zu bringenden ablaufprozessualen Denkprozesse einschließlich des intuitiven und kreativen Denkens, sich in Eiweißstrukturen entwickeln würden. Oder etwas simpel formuliert sollte das bedeuten, dass Eiweißstrukturen mit Unterstützung von Fett denken könnten?

这种人类的科学被坚定地认为，例如，大脑（即他们的思维中心）被牢固地支撑在所谓的头部的身体躯干中，而大脑即思维中心是思考思想的实际关键点。正如我已经提到的，这个器官由**60%的脂肪和40%的不同蛋白**质（即蛋白质结构）组成，因此毫无疑问应该负责思考的地点和方式。证明是正确的，并且由此所需的所有过程性思考过程都在这样的男人，女人或孩子的相对较短的物理寿命内进行。对这种思想和思想过程的这种思考随着一个人的身体死亡而终止。如果仅仅是因为这个星球上的科学坚定地相信这种思维将仅在您的大脑中发生，即在大量脂肪和蛋白质中发生。**随着肉体的死亡，所有物**质都会死亡，当然还有大脑也将死亡。它由物质组成，而不是能量上的精神建构，例如该物种的男人，女人和孩子的自我意识.**但是我**们一定会在稍后再讨论这个话题。关于我所访问过的行星及其种群的思想思考，我还尚未经历过这样的认识论科学。如果要遵循这一人类成员的科学解释，这可能意味着在蛋白质结构中将发展出与思维相关的思维以及与过程相关的思维过程，包括直觉和创造性思维。或者，简单地说，这是否意味着蛋白质结构可以在脂肪的支持下进行思考？

Entschuldige bitte, liebe Estrie, ich muß darauf immer wieder zurückkommen, weil so eine wissenschaftliche Feststellung derartig abstrus ist, dass man sich schon wundern muss, wie gebildete körperlich denkende Lebewesen der höheren geistigen Ordnung, wie zum Beispiel von Männern und Frauen aus der Spezies Mensch, von der wir gerade sprechen, so einfältig denkend Schlussfolgerungen ziehen können, ohne sich dabei ihren Bauch vor Lachen halten zu müssen. „Bitte, lieber „ES", lass mich zu diesem höchst skurrilen Thema etwas sagen. So du einverstanden bist." „Kein Problem, liebe Estrie, ich höre dir sehr gern zu!"

„In einem mit zu viel Wissen gefüllten Kopf ist kein Platz mehr für eigene Gedanken."

Ina Batz

亲爱的埃斯特里，对不起，我必须再说一遍，因为这样的科学说法太荒谬了，以至于人们不得不怀疑，诸如男性和女性等具有较高精神素养的人的身体受过良好教育能够从我们正在谈论的人类物种中得出如此简单的结论，而不必嘲笑它。
“请亲爱的” IT“，让我谈谈这个高度奇怪的话题。
如果你同意的话。”“没问题，亲爱的埃斯特里，我喜欢听听你的声音！”

“在一个拥有太多知识的头脑中，您自己的思想不再有空间。”

Ina Batz

Das Gehirn der Spezies Mensch

Jeder Menschenkopf ist eine Sonne und seine Gedanken sind die überall hin dringenden unsichtbaren Strahlen. Könnten wir sie, wie bei der Sonne, mit unseren leiblichen Augen schauen, so würden sie uns in ihrer Gesamtheit erscheinen wie ein großer Lichtkreis, an dessen Ausdehnung und Leuchtkraft leicht zu erkennen wäre, einen Stern wievielter Größe wir vor uns haben.

Christian Morgenstern

Lieber „ES“, ich möchte, bevor ich mit meinen Ausführungen zum Thema: „Das Gehirn der Spezies Mensch“, meinen Gedanken noch kurz deine Worte bezüglich des menschlichen Gehirns voranstellen. Das Gehirn, sowie du das formuliertest, wäre das Denkzentrum des Menschen aus der Spezies von denkenden körperlichen Lebewesen der höheren geistigen Ordnung. Es besteht in seiner inhaltlichen Masse zu etwa sechzig Prozent aus Gehirnfett und zu vierzig Prozent aus Protein, also einer Eiweißstruktur. Dieser klaren und unstrittigen Analyse dieser Spezies Mensch folgend bedeutet das, dass für das Denken der Gedanken und aller damit im Zusammenhang stehenden mentalen Prozesse vom Gehirneiweiß entwickelt, organisiert und gespeichert werden. Aus und Punkt. Respekt! Wie die Menschen zu so einer Feststellung kommen hat vermutlich weniger mit wissenschaftlichem Forschen etwas zu tun, sondern findet wohl eher einen möglichen Bezug im Schöpfungsakt ihrer göttlichen Glaubensdoktrin. Darin ist zu lesen, dass einige göttliche Herrscherfiguren für die Entstehung und Entwicklung der Menschheit die Verantwortung tragen. Aber gut, darauf möchte ich nicht weiter eingehen. Wieder zurück zum Aufbau des menschlichen Gehirns.

人类的大脑

每个人的头都是太阳，他的思想是无处不在的看不见的光芒。**如果可以的**话，就像太阳一样**用我**们的肉眼看，他们会**天**鹅绒看起来像是一大圈光**膨**胀和光度容易看到**将是我**们有多少伟大的明星**在我**们面前。

Christian Morgenstern

亲爱的“IT”，**在我开始**谈论“人类的大脑”这个话题之前，我的想法是关于人类大脑的。正如您所阐述的那样，大脑将成为具有较高精神秩序的思维生物的种类的人的思维中心。就其含量而言，它由大约百分之六十的脑脂肪和百分之四十的蛋白质，即蛋白质结构组成。在对这个人类物种进行了明确而毫无争议的分析之后，这意味着通过思考，思想和所有相关的心理过程是由脑蛋白开发，组织和存储的。断点。尊重！人们如何得出这样的结论可能与科学研究没有多大关系，而是在创建他们神圣的信仰学说的过程中找到了可能的参考。它说，一些神圣的统治者对人类的起源**和**发展负有责任。但是好吧，我不想再讨论了。回到人脑的结构。

Der zweite feste Masseanteil im Gehirn, wie von dir schon erwähnt lieber „ES“, besteht zu sechzig Prozent aus Fett, was die Bedeutung für eine gesunde und leistungsfähige Gehirnfunktion bei dieser Spezies Mensch mehr als deutlich unterstreicht. Etwas salopp formuliert könnte man auch dazu sagen: Intelligente Menschen sind innerliche Fettköpfe. Das bedeutet, dass der Mensch ohne Energie nicht existieren kann. Gleiches gilt natürlich auch für andere Lebensformen, wie zum Beispiel pflanzliches oder tierisches Leben, die nicht zur Spezies von denkenden körperlichen Lebewesen der höheren geistigen Ordnung gehören. Der menschliche Körper gewinnt die erforderliche Energie durch verschiedene energetische Umwandlungsprozesse aus pflanzlichen und tierischen Produkten, die er bei der Nahrungsaufnahme über seine Verdauungsorgane zu sich nimmt. In den Nährstoffen dieser pflanzlichen und tierischen Produkte ist die ursprüngliche Energiequelle bei jeder Lebensform, damit meine ich die aktive Strahlung einer Sonne, um die so ein lebensfähiger Planet eine möglichst optimale Kreisbahn einnehmen sollte, in umgewandelter Form chemisch gespeichert. Damit diese Energie genutzt werden kann, muss der Körper zuerst aus den Nährstoffen diese Energie wieder freisetzen, um sie dann, nur so als Beispiel, in kinetische Energie für die muskuläre Bewegung umzuwandeln. Energie benötigt der menschliche Körper natürlich auch für die Grundfunktionen der Lebenserhaltung, wie zum Beispiel für die inneren Organe, den Herzschlag, die Atmung, die Verdauung, die Aufrechterhaltung der Körpertemperatur und für alle anderen möglichen körperlichen Aktivitäten. Nicht zu vergessen und passend zu unserem Thema, die Aufrechterhaltung der unterschiedlichen Gehirntätigkeiten. Diese außerordentlichen und komplexen Vorgänge der prozessualen Energieumwandlung im Körper von einem Mann, einer Frau und dem eines Kindes von einer Form, wie zum Beispiel aus Gehirnfett, in eine andere Energieform, wie zum Beispiel Wärme oder elektromagnetische Energie, bezeichnet man bei der Menschheit auch als Energiestoffwechsel.

正如您已经提到的，大脑中的第二个固定质量分数更喜欢“ES”，**它由60%的脂肪**组成，这显然清楚地说明了健康和有效的大脑功能在此人类物种中的重要性。简单地说，人们也可以说：聪明的人是内在的胖子。这意味着人不能没有能量而存在。这自然也适用于其他形式的生命，例如植物或动物生命，它们不属于具有较高精神秩序的有思想的生物种类。人体通过动植物产品的各种能量转化过程获得所需的能量，并在进食时通过消化器官摄取。在这些动植物产品的营养中，每种生命形式的原始能量，从化学意义上讲，是指太阳的主动辐射，在这种辐射下，这样一个可行的**行星**应该尽可能地处于圆形轨道，在化学上以转换形式存储。为了利用这种能量，人体必须首先从营养中释放出这种能量，然后例如将其转换为用于肌肉运动的动能。人体自然也需要能量来维持生命的基本功能，例如内部器官，心跳，呼吸，消化，维持体温以及所有其他可能的体育活动。不要忘记和适合我们的主题，即各种大脑活动的维持。将男性，女性和儿童体内的过程能量从一种形式（例如脑脂肪）转换为另一种形式的能量（例如热能或电磁能）的特殊过程和复杂过程也称为能量代谢。

Dieser ablaufprozessuale Verdauungsvorgang beginnt bei den Menschen im Mund, wo die Nahrung zu einem Speisebrei zerkleinert wird, der dann im Verdauungstrakt in die einzelnen Bestandteile zerlegt, über die Schleimhaut aufgenommen und von der Leber gefiltert wird. Der Blutkreislauf besorgt die Verteilung der Nährstoffe im Körper, wo sie entweder gespeichert oder verbraucht werden. Soweit so gut. Uns interessiert ja das Gehirn und wie und was es erarbeitet oder eben nicht erarbeiten kann. Wie schon erwähnt, besteht der Masseanteil von etwa sechzig Prozent im menschlichen Gehirn aus Fett als Energielieferant. Durch einen entsprechenden ablaufprozessualen Umwandlungsprozess von Fett, wird durch dessen Aufspaltung Fettsäure. Also eine organische Säure, die in der Natur in Form von tierischem und pflanzlichem Fett und Öl vorkommt. Etwas exakter formuliert, sind Fettsäuren aliphatische Monocarbonsäuren mit einer zumeist unverzweigten Kohlenstoffkette. Die Bezeichnung Fettsäuren fußt auf der Erkenntnis, dass natürliche Fette und Öle aus den Estern langkettiger Carbonsäuren mit Glycerin bestehen. Aus dieser Sichtweise werden Fettsäuren auch zu den Lipiden gezählt. Damit sind Fett oder fettähnliche Substanzen gemeint. Im Laufe der Entwicklung im Bereich der Forschung wurden auch alle anderen Alkylcarbonsäuren und deren ungesättigte Vertreter der Fettsäuren gewonnen. Die daraufhin dem Fettstoffwechsel zugeführt wurden und dem menschlichen Körper, insbesondere dem Gehirn für dessen Energieumsatz zur Verfügung stehen. Damit ist die ablaufprozessuale Fettoxidation im menschlichen Körper und im Gehirn ein ständig ablaufender prozessualer Vorgang, dessen Ausmaß vom jeweiligen Grad der körperlichen und geistigen Betätigung und Belastung, und damit vom notwendigen Energiebedarf natürlich abhängig ist. Das Gehirn von der Spezies Mensch, natürlich unterschiedlich bei Männern, Frauen und Kindern, hat das Gewicht von etwa zwei Prozent der Körpermasse, verbraucht etwa fünfzehn Prozent des Ruhe-Herzzeitvolumens und benötigt etwa zwanzig Prozent des gesamten Energieumsatzes.

这种与过程有关的消化过程始于人的口腔，将食物切碎成食糜，然后在消化道中分解成食糜的各个成分，通过粘膜吸收并被肝脏过滤.血液负责营养物质在体内的分布，这些营养物质既可以存储也可以使用。到现在为止还挺好。我们对大脑以及大脑如何工作以及什么无法工作感兴趣。正如已经提到的，人脑中约有**60%的**质量由脂肪作为能量供应者。通过相应的与过程相关的脂肪转化过程，脂肪通过分解而变成脂肪酸。换句话说，以动物和植物油**脂的形式天然存在的有机酸。更精确地配制，脂肪酸是具有大部分无支**链碳链的脂族一元羧酸。术语脂肪酸基于以下知识：天然油脂由长链羧酸与甘油的酯组成。从这个角度来看，脂肪酸也算在脂质中。这意味着脂肪或类脂肪物质。在研究领域的发展过程中，还获得了所有其他烷基羧酸及其脂肪酸的不饱和代表。然后将其喂给脂肪新陈代谢，并为人体（尤其是大脑）提供能量代谢。因此，在人体和大脑中与过程有关的脂肪氧化是一个持续不断的过程，其程度当然取决于各自的身心活动程度和压力，并因此取决于所需的能量需求。人的大脑，当然在男人，女人和儿童中有所不同，**其重量**约为体重的**2%，消耗**约**15%的静息心**输出量，并需要约**20%的**总能量消耗。

Diesen bemerkenswerten Satz las ich bei meinen Recherchen auf dem Planeten Erde zum Thema: „Denken der Gedanken“.

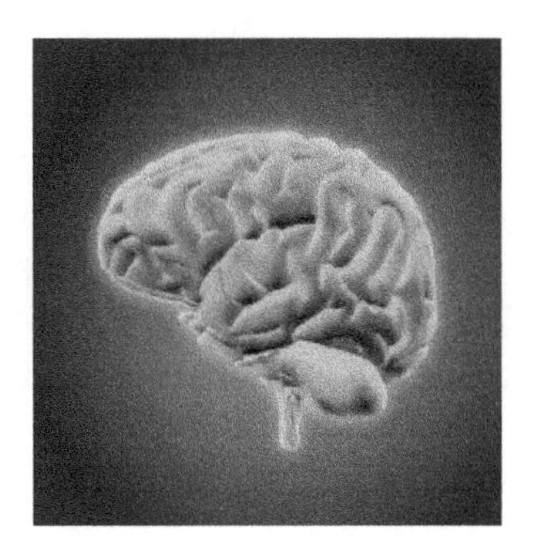

Lieber „ES“, unstrittig auch von uns Geistwesen ist die Tatsache, dass das Gehirn von Angehörigen der Spezies denkender körperlicher Lebewesen der höheren geistigen Ordnung, einschließlich der Menschheit, zweifelsfrei ein energieintensives Organ ist. Zumindest für die Dauer ihres körperlichen Lebens. Aus täglich etwa einhundertzwanzig Gramm Glukose, welches zu den Kohlenhydraten gehört und eine wichtige Energiequelle für die von mir genannten Spezies ist, bezieht allein nur das Gehirn etwa zwanzig Prozent des Ruhe-Energieumsatzes für den gesamten Organismus eines Mannes, einer Frau oder den eines Kindes dieser Spezies. Dazu empfängt es mit rund siebenhundert Milliliter pro Minute etwa fünfzehn Prozent des Ruhe-Herzminutenvolumens und schöpft das arterielle Sauerstoffangebot zu einem Drittel aus einer arterio - venösen Sauerstoff Differenz sechs bis sieben Milliliter pro einhundert Milliliter Blut. Im Durchschnitt beträgt der spezifische Sauerstoffverbrauch des Gehirns rund vier Milliliter pro einhundert Gramm pro Minute und die spezifische Durchblutung rund fünfzig Milliliter pro einhundert Gramm pro Minute.

在研究行星地球这一主题：**“思想思考”**时，我读到了这句话。

亲爱的“
IT”，**也是我**们无可争议的一个事实，那就是，包括人类在内的具有较高精神秩序的思想型生物的成员的大脑无疑是一个能量密集的器官。至少在他们的身体寿命期间。每天从大约**120克葡萄糖**（这是一种碳水化合物，也是我命名的物种的重要能量）中摄取的葡萄糖，只有大脑才能为整个人类机体获得大约**20%的静息能量消耗，女人或**该物种的孩**子的女人**。为此，它以每分钟约**700毫升的速度接收大约15%的静息心**输出量，并从每**100毫升血液中六到七毫升的**动静脉氧差中抽取三分之一的动脉供氧量。平均而言，大脑的单位氧气消耗量约为每分钟每百克四毫升，而特定的血流量约为每分钟每百克五十毫升。

Insgesamt ist die zerebrale Perfusion ziemlich konstant. Regional unterliegt sie natürlich auch funktionsabhängiger Umverteilung je nach Belastungsgrad des Gehirns. Die optimale Funktionsfähigkeit des menschlichen Gehirns kann natürlich auch gefährdet werden dadurch, dass die Hirndurchblutung um mehr als fünfzig Prozent unter den Normalwert absinken kann. Das hätte möglicherweise zur Folge, dass Symptome der Unterversorgung, wie zum Beispiel Schwindelgefühle auftreten können, die im schlechtesten Fall in einer Synkope enden können. Damit meine ich eine plötzlich auftretende und meist nur kurz andauernde Bewusstlosigkeit, die mit einem Verlust der Haltungskontrolle einhergeht und in den meisten Fällen ohne besondere Behandlung wieder aufhören kann. Bei unserem letzten gemeinsamen Besuch auf dem Planeten Erde der Neuzeit, kam ich bei meinen Recherchen, in Bezug auf die gesundheitliche Situation der vielen Männer, Frauen und Kinder zu der Erkenntnis, dass es kaum noch Menschen geben kann, die als absolut gesund zu bezeichnen wären. Sie haben möglicherweise schon lernen müssen, mit ständigen Krankheitssymptomen, beziehungsweise mit Anomalien zu leben. Damit bezeichnen die Menschen auf dem Planeten Erde der Neuzeit im Bereich der gesamten Medizin so genannte Normabweichungen und Unregelmäßigkeiten. Die Abgrenzung zu den Begriffen Fehlbildung und Varietät wird in der medizinischen Literatur dieser Spezies leider nicht einheitlich gehandhabt. Zumeist werden nur geringgradige Fehlbildungen als Anomalie bezeichnet und Varietäten nur dann, wenn sie möglicherweise notgedrungen klinische Erscheinungen hervorrufen. Anomalien sind zumeist angeboren und entstehen aus genetischen Defekten, durch Störungen in der Organogenese, Zerstörung oder Veränderung von Organen während der Fetalentwicklung und gegebenenfalls durch toxikologische oder mechanische Einwirkungen auf das ungeborene Kind.

总体而言，脑灌注是相当恒定的。当然，根据地区的压力，它还会受到依赖于功能的重新分配的影响，具体取决于大脑的压力程度。当然，人脑的最佳功能可能因以下事实而受到损害：大脑的血流量可能会比正常值下降百分之五十以上。这可能会导致供应不足的症状，例如头晕，在最坏的情况下可能会导致晕厥。我的意思是突然的（主要是短期的）意识丧失，伴有姿势控制的丧失，在大多数情况下，无需特殊治疗即可停止。在我们最近一次对地球的访问中，我在研究许多男人，女人和儿童的健康状况时得出的结论是，几乎没有人被认为是绝对健康的。您可能不得不学习不断出现疾病或异常症状的生活。因此，现代地球上的人们指的是与整个医学领域中规范和不规范行为的所谓背离。不幸的是，在该物种的医学文献中，术语畸形和品种的区分没有得到统一处理。在大多数情况下，只有轻微的畸形可能不可避免地引起临床症状，才被称为异常和变种。异常大多是先天的，并且是由异常引起的

遗传缺陷，是由于胎儿发育过程中器官发生失调，器官破坏或改变，以及可能对未出生婴儿的毒理或机械作用所致。

"Ich beginne nun die Reise, die mich zum Sonnenuntergang meines Lebens führt."

Ronald Reagan

Am stärksten belastend für die Gesellschaft, hier bezogen auf die Bevölkerung der Erde in der Neuzeit, sind aus meiner Sicht, lieber „ES“, sicher die Krankheiten am und im menschlichen Gehirn. Damit meine ich konkret eine Gehirngefässverkalkung, Demenz, Alzheimer und Parkinson meist bei älteren Männern und Frauen und Autismus gegebenenfalls bei jüngeren Menschen. Bei solchen betroffenen Menschen spielt für ihren Zustand ohne Zweifel die Erkrankung oder Minderung der Funktionsfähigkeit von Zellen und Gefäßen in ihrem Gehirn eine entscheidende Rolle. Eigentlich eine wichtige Erkenntnis für die Wissenschaft in Bezug auf die Gehirnforschung bei der Menschheit dafür, das sich das Denken der Gedanken keinesfalls in Fettzellen und Proteinen entwickelt und abwickelt. Das Denken der Gedanken entwickelt und abwickelt sich unstrittig auf der Basis von geistiger Energie in energetisch prozessualen Prozessabläufen, und die können zweifelsfrei nicht verkalken, erkranken oder absterben. Aber gut, auf das Thema kommen wir noch ausführlich zu sprechen. „Liebe Estrie, lass dich bitte an dieser Stelle kurz unterbrechen.“ „Kein Problem, lieber „ES“. Interessant zu unseren Gedanken über die mögliche Denkfähigkeit von Proteinen im menschlichen Gehirn sind in diesem Zusammenhang die Strahleneinwirkungen von elektromagnetischen Wellen und allen anderen möglichen elektrischen Frequenzen und elektrischen Schwingungen, wie zum Beispiel die so genannten Schumannchen Frequenzen.

“我现在开始的旅程将带领我走向人生的日落。”

Ronald Reagan

在我看来，亲爱的“
IT”对现代社会而言，对当今社会地球压力最大的当然是人脑内部和内部的疾病。我的意思是特别是老年男性和女性的脑血管钙化，痴呆，阿尔茨海默氏症和帕金森氏症，年轻人则是自闭症。在这种患病人群中，大脑中细胞和血管功能的疾病或损害无疑对他们的病情起决定性作用。实际上，人类思想研究绝不是在脂肪细胞和蛋白质中发展和加工的，这是与人类大脑研究有关的科学的重要发现。思想的思想无疑在与能量有关的过程中的精神能量的基础上发展和展开，而这些无疑无疑不会变得钙化，生病或死亡。但是，我们稍后将详细讨论该主题。
“亲爱的Estrie，**在**这一点上，请允许我打扰您。”“**没**问题，亲爱的”
IT”。**在**这种情况下，有趣的是我们对人脑中蛋白质可能的思维能力的思考，这是电磁波以及所有其他可能的电频率和电振动（例如所谓的舒曼频率）的辐射效应。

Eine Entdeckung von Wissenschaftlern des Planeten Erde der Neuzeit. Bei dieser Entdeckung wurde man sich dessen unter anderen auch bewusst, dass elektromagnetische Wellen von bestimmten Frequenzen entlang des Umfangs der Erde eine so genannte stehende Welle bilden und auf das menschliche Gehirn möglicherweise Einfluss nehmen könnten. Unter einer stehenden Welle versteht die Wissenschaft auf dem Planeten Erde der Neuzeit eine Welle, deren Auslenkung an bestimmten Stellen immer bei dem Werteteiler Null verbleibt. Sie kann auch gegebenenfalls als Überlagerung zweier gegenläufig fortschreitender Wellen gleicher Frequenz und gleicher Amplitude aufgefasst werden. Die ausreichend leitfähige Erdoberfläche, wie zum Beispiel die großen Salzwasserflächen der Ozeane und die gute leitfähige Ionosphäre darüber begrenzen einen kugelschalenförmigen Hohlraumresonator, aus dessen Abmessungen sich mögliche Resonanzfrequenzen berechnen lassen. Diese können auch durch Blitze angeregt werden, sind allerdings von so geringer Amplitude, dass sie nur mit sehr empfindlichen Instrumenten nachgewiesen werden können. Durch starke elektrische Entladungen in der Erdatmosphäre, und anderen ähnlichen Vorgängen, wird in der Atmosphäre und der Ionosphäre ein breites Spektrum elektromagnetischer Wellen ausgesendet, die auch als Sferics, also eine Art atmosphärische Impulsstrahlung, ihren natürlichen Ursprungs innerhalb der Erdatmosphäre hat. Soweit so gut, liebe Estrie. Wir wollen uns ja mit dem Gehirn des Menschen auseinandersetzen und nicht mit den elektromagnetischen, prozessualen Vorgängen in der Atmosphäre oder Ionosphäre des Planeten Erde. Nach Ansicht einiger Wissenschaftler der Erde der Neuzeit, die ich bei Völkern auf anderen bewohnten Planeten so nicht erkennen konnte, würde der Mensch, im Zusammenhang mit meinen Vorbemerkungen zum Thema von Wellen, insbesondere von elektromagnetischen Wellen, die Schumannwellen benötigen. Die Frequenz dieser Wellenlänge entspräche einer Frequenz des menschlichen Gehirns. So die Feststellung von Wissenschaftlern.

现代行星科学家的一项发现。在这一发现过程中，人们还意识到以下事实：沿着地球圆周的某些频率的电磁波会形成所谓的驻波，并有可能影响人脑。科学将驻波理解为现代地球上的驻波，其驻点在某些点处的偏移始终保持为分频器零。如果**必要，也可以理解**为两个相同频率和相同振幅的反向传播的波的叠加。地球表面具有足够的导电性，例如海洋中较大的咸水区域以及其上方的良好导电性电离层，限制了球形壳形空腔谐振器，从中可以计算出可能的谐振频率。这些也可以被雷电激发，但是幅度很小，只能用非常灵敏的仪器才能检测到。由于地球大气层和其他类似过程中的强放电，大气层和电离层中会发射出广谱的电磁波，这也称为Sferics，**即一种大气脉冲**辐射，其自然起源是地球的大气层。亲爱的埃斯特里，到目前为止一切顺利。我们要处理人的大脑，而不是处理地球大气层或电离层中的电磁，程序过程。根据一些现代地球的科学家（我在其他有人居住的星球上的人们无法识别的）的说法，与我对电波特别是电磁波的初步论述有关，人类将需要舒曼波。该波长的频率将对应于人脑的频率。因此，科学家的声明。

Durch entsprechende Messungen von Gehirnströmen bei Menschen mittels eines Elektro-Enzephalographen konnte man feststellen, dass das Gehirn eines Menschen elektromagnetische Wellen produzieren kann. Wo und wie das energetisch ablaufprozessual sich abwickelt, konnte allerdings nicht nachgewiesen werden. Allein nur der Messvorgang stellte unter Beweis, dass diese elektromagnetischen Wellen im Gehirn messbar wären. Das Denkzentrum des Menschen, damit meine ich das Gehirn, aus der Spezies von denkenden körperlichen Lebewesen der höheren geistigen Ordnung, besteht zu etwa sechzig Prozent aus Gehirnfett und zu vierzig Prozent aus Proteinen, also einer Eiweißstruktur. Wir haben ja beide bereits darüber diskutiert. Dieser klaren und unstrittigen Analyse folgend bedeutet das, dass für das Denken der Gedanken und aller damit im Zusammenhang stehenden mentalen Prozesse vom Gehirnfett und vom Gehirneiweiß entwickelt, organisiert und gespeichert werden. Aus und Punkt. Respekt vor so einer Überzeugung von bestimmten Wissenschaftlern des Planeten Erde der Neuzeit! Das Gehirn des Menschen, also sein angebliches Denkzentrum, wiegt etwa eintausendfünfhundert Gramm, gemeint ist damit eine Maßeinheit auf dem Planeten Erde der Neuzeit, und sieht aus wie eine gallertartige, runzelige Masse. Es besteht aus vielen Nervenzellen und Hilfszellen. Geschützt wird das Gehirn vom Schädel, ein Hohlraum aus Plattknochen.

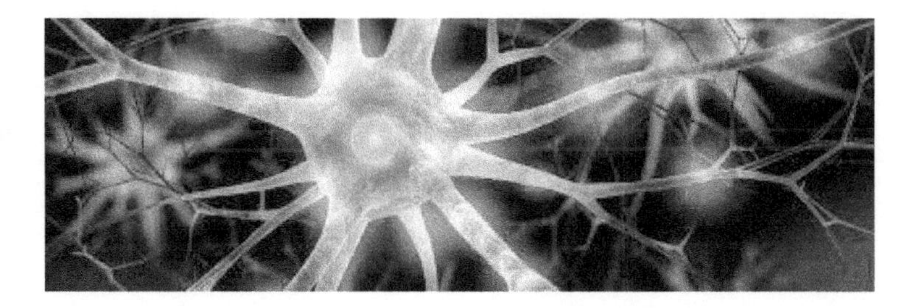

使用脑电图仪对人的脑电波进行相应的测量表明，人的大脑会产生电磁波。但是，尚不能证明能量过程在何处以及如何发展。单独的测量过程证明了可以在大脑中测量这些电磁波。人类思维中心（我的意思是大脑）来自具有较高精神秩序的思维生物物种，由大约60**%的大**脑脂肪和40**%的蛋白**质（即蛋白质结构）组成。我们之前都讨论过。经过这一清晰而毫无**争**议的分析，这意味着通过思考，思想和所有相关的心理过程是由脑脂肪和脑蛋白发展，组织和存储的.断点。尊重某些现代地球科学家的这种信念！人脑，即所谓的思想中心，重约一千五百克，是现代行星地球上的度量单位，看起来像果冻状，起皱的团块。它由许多神经细胞和辅助细胞组成。大脑受到头骨的保护，头骨是由扁平骨头构成的空腔。

Menschen ohne Rückgrat haben auch keine Nerven.

Gerhard Uhlenbruck

Was ist eine Nervenzelle

Liebe Estrie, lass mich bitte noch etwas zum „Inneren“ des Denkzentrums, also dem Gehirn sagen, denn das „Denken der Gedanken“ soll sich ja nach Aussagen der Wissenschaft vom Planeten Erde in diesem Bereich entwickeln und organisieren. Behaupten sie jedenfalls.“ „Kein Problem, lieber „ES“, ich werde dir sehr aufmerksam zuhören.“ Die Nervenzellen sind in ihrer Gesamtheit und Vielfältigkeit die wichtigsten „Bausteine“ des so genannten Denkzentrums. Angesiedelt sind sie in der etwa vierzig prozentigen Eiweißstruktur der gesamten menschlichen Gehirnmasse. Die ebenfalls vorhandene Fettmasse, mit einen circa sechzig prozentigen Masseanteil am Gehirn, dient lediglich der Energieversorgung für die ablaufprozessuale Gehirntätigkeit. Die Hauptaufgabe dieser Nervenzellen besteht darin, die Reizreflexe und Reizimpulse aus der unmittelbaren und mittelbaren Umwelt eines Mannes, einer Frau oder der eines Kindes dieser Spezies Mensch, und aus den ablaufprozessualen Prozessen am und im inneren des menschlichen Körpers an das Gehirn zu übertragen und von diesem wiederum mögliche Reaktionen aufzunehmen. Das alles geschieht natürlich über elektrische Impulse. Sie sind es, die eine funktionierende Kommunikationssprache für das menschliche Gehirn gewährleisten. Damit möchte ich sagen, dass die elektrischen Feldpotenziale, die ja letztlich Gehirnströme widerspiegeln, nicht durch die elektrische Leitfähigkeit des Gehirns beeinträchtigt werden und möglicherweise die Kommunikatiosprozesse falsch wiedergeben könnten. Unstrittig ist in diesem Zusammenhang, dass das menschliche Gehirn, also die darin enthaltenen Eiweißstrukturen, elektrische Ströme und Impulse, ähnlich wie mit Salzwasser, weiterleiten könnten.

没有骨干的人也没有神经。

Gerhard Uhlenbruck

什么是神经细胞

亲爱的埃斯特里，请让我说说思想中心的“**内部**”，**即大**脑，因为根据地球科学，“**思想思**维”应该在这一领域发展和组织起来。他们反正说：“**没**问题，亲爱的“IT”，**我会仔**细听你说的。”**神**经细胞的整体和多样性是所谓思维中心最重要的“**基**础”。**它**们位于整个人脑中大约**40%的蛋白**质结构中. 脂肪也存在，大约占大脑质量的**60%**，仅用于为与过程**相关的大**脑活动提供能量。这些神经细胞的主要任务是将这种人类的男人，女人或孩子的直接和间接环境以及人体内部和内部的程序传递的刺激反射和刺激冲动传递给大脑并由此记录可能的反应。当然，所有这些都是通过电脉冲发生的。正是它们确保了人脑正常工作的交流语言。我想说的是，最终反映脑电波的电场电势不会受到大脑电导率的损害，并且可能会错误地重现通信过程。在这种情况下，毫无疑问，人脑，即它所包含的蛋白质结构，可以传输电流和冲动，类似于盐水。

Unter Einbeziehung dieser Tatsache bedeutet das, nur so als Beispiel, dass die aufgenommenen Signale aus der Umwelt eines Menschen die Eigenschaften der Nervenzellen korrekt wiedergeben und nicht durch passive elektrische Eigenschaften der Hirnsubstanz möglicherweise verfälscht werden könnten. Soweit so gut, liebe Estrie. Noch ein paar Gedanken zu der eigentlichen Funktionalität dieser Weiterleitung von elektrischen Impulsen für die gesamten Kommunikationsprozesse im menschlichen Gehirn. Also, wie funktioniert eigentlich die Reizweiterleitung mittels elektrischer Impulse? Dafür eignet sich ein einfaches praktisches Beispiel von Einflüssen auf die menschliche Haut. Damit meine ich Einwirkungen von Kälte- und Wärmetemperaturen, oder Temperaturschwankungen, unterschiedliche Druckeinwirkungen und Schnittverletzungen werden über die unterschiedlichen Rezeptoren der Haut aufgenommen und für die Weiterleitung zum Gehirn in elektrische Impulse umgewandelt. Das bedeutet, dass die Rezeptoren, wir können auch Sinneszellen dazu sagen, die entscheidende Aufgabe haben, den Umweltreiz, also zum Beispiel den Wärmeeinfluss auf der Haut, in eine verständliche „Sprache" für das zuständige Nervenzentrum zu übersetzen. Während die auf den menschlichen Körper einwirkenden Reize verschiedene Energieformen, also zum Beispiel mechanische Energie, optische Energie, chemische Energie, thermische Energie oder elektromagnetische Energie aufweisen, ist die elektrische Energie grundsätzlich die einzige Energieform, in der alle Reize innerhalb des gesamtem Nervensystems weitergeleitet, verarbeitet und abgespeichert werden können. Auf die vielen unterschiedlichen Einflüsse aus der Umwelt von Männern, Frauen und Kindern dieser Spezies Mensch reagiert der menschliche Körper mit unterschiedlich ausgeprägten Reaktionen. Der Mensch ist körperlich und geistig reizbar. Reizbarkeit ist, etwas banal formuliert, liebe Estrie, das Gegenteil von Gemütsruhe und dem möglichen Maß an Gelassenheit. Reizbarkeit ist, so betrachtet eine Eigenschaft aller lebender Organismen.

考虑到这一事实，例如，这意味着从人的环境记录的信号正确地再现了神经细胞的特性，并且不可能因大脑物质的被动电特性而被伪造。亲爱的埃斯特里，到目前为止一切顺利。关于电脉冲在人脑中整个通信过程中传输的实际功能的更多思考。那么，通过电脉冲进行的刺激传递实际上是如何工作的呢？一个简单的影响人的皮肤的实际例子就适合于此。我的意思是指寒冷和温暖的温度或温度波动，不同的压力影响和割伤的影响会被皮肤的不同受体吸收，并转化为电脉冲以传输到大脑。这意味着受体，我们也可以说是感觉细胞，具有决定性的任务，将环境刺激（例如热量对皮肤的影响）转化为负责的神经中枢的可理解的"语言"。虽然作用在人体上的刺激具有不同形式的能量，例如机械能，光能，化学能，热能或电磁能，但电能基本上是所有刺激在整个神经内传递的唯一形式的能量。系统，已处理并保存。人体对这种人类的男人，女人和儿童的许多不同环境影响做出不同的反应。人在身体和精神上都很烦躁。烦躁的是，亲爱的埃斯特里（Estrie），**从某种程度上**讲是平庸的，这与平静和可能的宁静程度相反。从这个角度来看，烦躁是所有活生物体的财产。

Hier bezogen auf den Planeten Erde, die auf alle möglichen Einwirkungen aus der Umwelt und aus dem Innenleben eines lebenden Körpers mit bestimmten Reaktionen, unterschiedlich in ihrer Art, reagieren. Die aus der Umwelt und dem Inneren eines menschlichen Körpers kommenden Reize sind sehr verschiedenartig. Es können, nur so als Beispiel, akustische, optische, chemische, mechanische, geistig gefühlte oder auch Temperaturreize sein. Die Reizaufnahme erfolgt, wie bereits von dir liebe Estrie gesagt, durch einzelne Sinneszellen oder auch Rezeptoren, wie man sie auch als solche bezeichnen kann, die in allen Sinnesorganen von körperlich denkenden Lebewesen, hier in unserem Beispiel die Spezies Mensch, konzentriert sein können, oder durch freie Nervenendungen, wie zum Beispiel in der Haut von Männern, Frauen und Kindern dieser Spezies Mensch dort ihren organischen Platz finden. Sinnesorgane sind spezielle Organe zur Aufnahme von bestimmten Reizen. Sie bestehen aus zahlreichen Sinneszellen, die von Schutz- und Hilfseinrichtungen umgeben sein können. Die Sinneszellen sind für die Aufnahme bestimmter Reize spezialisiert. Zum Bei-spiels nehmen die Sinneszellen im Innenohr akustische Reize und die Sinneszellen in der Netzhaut des Auges optische Reize auf und werden durch diese angeregt. Die Aufnahme dieser Reize führt in den Sinneszellen in der Regel zu unterschiedlichen physikalischen Veränderungen, so dass diese Änderungseinflüsse sich als Nervenimpuls über die ganze Sinneszelle ausbreiten können und dadurch auf die anschließenden Nervenzellen übertragen werden. Die Erregungen durch die Nervenimpulse werden durch das körpereigene Nervenleitsystem zum Rückenmark eines Mannes, einer Frau oder das eines Kindes dieser Spezies Mensch in sein Denkzentrum, also dem Gehirn, weitergeleitet. Im Gehirn oder gegebenenfalls auch schon im Rückenmark dieser Spezies, werden diese Nervenimpulse aufgenommen, soweit möglich verarbeitet und auf andere Nerven und Nervenkomplexe, die zu den ausführenden Organen führen, übertragen.

在此，以行星地球为基础，该行星通过各种类型的某些反应，对来自环境和活体内部运作的所有可能影响做出反应。来自环境和人体内部的刺激非常不同。仅作为示例，它可以是声音，光学，化学，机械，精神感觉甚至温度刺激。正如您所说的，埃斯特里（Estrie）刺激是由单个的感觉细胞或感受器（也可以称为感受器）吸收的，这些感觉细胞或感受器可以集中在具有物理思维的生物的所有感官器官中，在我们的示例中为人类，或者通过自由的神经末梢，例如在这种人类的男人，女人和儿童的皮肤中，在那里找到了有机的位置。感觉器官是用于接受特定刺激的特殊器官。它们由许多感觉细胞组成，这些感觉细胞可以被保护性和辅助性设备包围。感觉细胞专门用于接受某些刺激。例如，内耳中的感觉细胞吸收声刺激，而眼睛视网膜中的感觉细胞吸收光学刺激并被它们刺激。接受这些刺激通常会导致感觉细胞发生不同的物理变化，因此这些变化会随着神经冲动而扩散到整个感觉细胞上，并因此传播到后续的神经细胞.来自神经冲动的刺激通过人体自身的神经控制系统传递到其思维中心即大脑中的此类男人，女人或儿童的脊髓。这些神经冲动在大脑或必要时在该物种的脊髓中被接收，处理，并转移到其他神经和神经复合体中，从而导致执行器官。

Liebe Estrie, das sind nicht meine Gedanken, sondern Ergebnisse aus meinen Recherchen zum Thema Denkprozesse, die ich bei unserem letzten Besuch auf dem Planeten Erde gedanklich aufzeichnen konnte. Zur Ergänzung dieser Thematik noch ein praktisches Beispiel aus dem alltäglichen Leben dieser Spezies. Was würde im menschlichen Gehirn, in seinem Körper und an seinem Körper geschehen, sollte unverhofft oder altersbedingt der Tod eintreten?

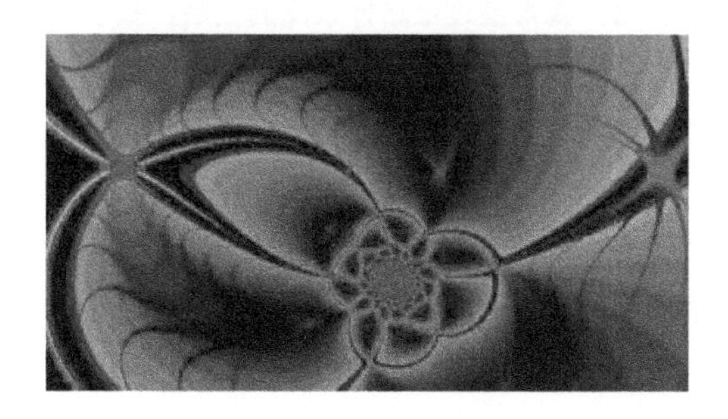

„Ich lebe, ohne in mir zu leben und ein so erhabenes Leben erhoffe ich, dass ich sterbe, weil ich nicht sterbe."

Teresa von Avila

„Ich soll sterben? Was heißt das anders als, ich werde nicht mehr krank sein können, werde nicht mehr gefesselt werden können, nicht mehr sterben können."

Lucius Annaeus Seneca

亲爱的埃斯特里，这些不是我的想法，而是我对思想过程主题的研究得出的结果，我在上次访问地球时就能够牢记在心。

为了补充这个话题，从该物种的日常生活中得到一个实际的例子。**如果死亡意外**发生或由于年纪大了，人脑，身体和体内会发生什么?

“我没有自己生活，我希望过上这样崇高的生活，我会死，因为我不会死。”

Teresa von Avila

**“我应该死吗？
这意味着什么，我将不再生病，不再被束缚，不再死亡能够。”**

Lucius Annaeus Seneca

Wenn der Mensch und sein Gehirn sterben

Das Gehirn ist wie der menschliche Verdauungstrakt, es kommt nicht darauf an, wie man es arbeiten lässt, sondern wie es ergebnisorientiert Gedanken aufnehmen kann, verarbeitet und abspeichert.

Dietmar Dressel

Liebe Estrie, ich habe bewusst dieses Beispiel: „*Was würde im menschlichen Gehirn, in seinem Körper und an seinem Körper geschehen, sollte unverhofft oder altersbedingt der Tod eintreten*, gewählt, weil es für alle denkenden körperlichen Lebewesen der höheren geistigen Ordnung, natürlich auch für die Spezies Menschheit, eine Schlüsselsituation in ihrem relativ kurzen materiellen Leben auf einem bewohnbaren Planeten sein kann. Gleiches gilt natürlich auch für andere Lebewesen, wie zum Beispiel der Pflanzenwelt und der Tierwelt. Ausgenommen sind wir Geistwesen, wir kennen ja den Tod nicht. Nicht weil wir geistige Wesen sind, sondern weil unsere Existenzgrundlage die geistige Energie ist, und Energie kann nicht sterben. Soweit so gut. Ich greife für das von mir genannte Beispiel auf einen Artikel zurück, den ich bei meinen Recherchen an einer bekannten Universität vom Planeten Erde lesen konnte. Eine Gruppe von Wissenschaftlern bemühte sich herauszufinden, wie sich der Tod, bezogen auf den Alterstod, wohl anfühlen würde. Wobei auf das Erfühlen des Todes als solches wissenschaftlich nicht Bezug genommen wurde. Ich nehme an, sie wollten herausfinden, inwieweit sich der Tod gefühlsmäßig bei einem Sterbenden bemerkbar machen könnte, und das war wohl das Ziel ihrer eigentlichen wissenschaftlichen Untersuchungen. Sie fanden ebenfalls dabei heraus, dass erstaunliche Parallelen zu einem Gefühl bestände, dass Menschen davor bewahren sollte überhaupt sterben zu müssen.

当这个人和他的大脑死亡时

大脑就像人体的消化道，它的工作方式无关紧要，但它的工作原理却无关紧要。**可以吸收，加工和保存。**

Dietmar Dressel

亲爱的埃斯特里，我特意选择了这个例子：“**如果死亡意外**发生或由于年龄增长，人脑，他的身体和他的身体中会发生什么，因为这是所有具有较高精神层面的思想者的思想，当然，对于人类而言，这也是人类在宜居星球上物质寿命相对较短的一个关键情况。当然，这同样适用于其他生物，例如动植物。我们免于灵魂存在，我们不知道死亡。不是因为我们是精神生命，而是因为我们的生计是精神能量，能量不会消亡。到现在为止还挺好。以我给出的示例为例，我将返回一篇在地球上著名大学研究期间能够阅读的文章。一群科学家试图找出与老年有关的死亡感觉。因此，没有关于死亡感的科学参考。我想他们想知道死亡在多大程度上会影响垂死的人，这可能是他们实际科学研究的目的。他们还发现，与人们应该免于首先死去而应该拯救的感觉有着惊人的相似之处。

Der Wunsch für ein Weiterleben, in welcher Form auch immer, fand in solchen Gefühlswehen ihre Wurzeln. Hinführender für ihre Untersuchungen wäre sicher gewesen, sie hätten den Tod als solches geteilt. Wenn schon ein denkendes körperliches Lebewesen der höheren geistigen Ordnung stirbt, und der Mensch gehört ja auch dieser Spezies an, dann stirbt der Körper, sein Gehirn und seine Seele. Wie sie von vielen Männern und Frauen bei dieser Spezies auch genannt wird. Was allerdings mit der Seele als solche gemeint sein sollte, bleibt bei näherer Betrachtung eher ungewiss. Zurück zu unserer Frage, liebe Estrie. Was vollzieht sich, wenn ein Mensch verstirbt? Oder etwas genauer formuliert. Was geschieht, wenn „Was“ bei einem Menschen sterben sollte? Liebe Estrie, ich stelle diese Frage bewusst, weil die im menschlichen Körper vorhandene Energie nach dem Energieerhaltungssatz, nur so als Beispiel, nicht sterben kann. Nimmt man die Aussage eines bekannten Physikers vom Planeten Erde sehr ernst: *„Die Materie sei nur eine bestimmte Form der Energie“*, müsste eigentlich das körperliche Sterben eines Lebewesen, hier in unserem Beispiel das eines Menschen, völlig neu überdacht werden. Anstatt sich dieser zukunftsweisenden Denkaufgabe zu widmen, schließen sie möglicherweise diese erkenntnisreichen Gedanken damit ab, dass sie sich in religiöse Glaubensdoktrin geistig versenken. Oder wie ich in diesem Zusammenhang auch nachlesen konnte in der Behauptung: *Dass das so genannte kosmisch religiöse und Gott gefällige Gefühl für das Sterben, das stärkste und edelste Motiv für wissenschaftliche Forschung sei.* Diese geistige Tiefe, die aus der kreativen Überzeugung von der Existenz einer höheren göttlichen Macht der Gedanken kommen kann und sich im unerforschlichen Universum offenbart, würde nach Auffassung der Wissenschaft die Definition von Göttern darstellen. Damit sind die so genannten himmlischen Herrscherfiguren gemeint, die für alles Entstehende und Existierende verantwortlich und zuständig seien. Wobei die Frage nach der Herkunft dieser himmlischen Figuren selbstverständlich im grauen Nebel der Unkenntnis verbleibt.

以任何形式生活下去的欲望根植于这种情感的痛苦之中。更可能导致他们进行调查的是，他们已因此分担了死亡。如果具有较高精神层次的有思想的有生命体死亡，而人也属于这个物种，那么身体，大脑和灵魂就会死亡。正如该物种中许多男人和女人所说的那样。但是，在仔细检查时，灵魂本身的含义仍然相当不确定。回到我们的问题，亲爱的埃斯特里。一个人去世会怎样？或更精确地制定。如果一个人死于**"什么"会怎**样？亲爱的埃斯特里，我有意识地问这个问题，因为作为例子，人体中存在的能量不能根据能量守恒定律而死亡。如果您非常认真地对待地球上一位著名物理**学家的**说法："**物**质只是某种形式的能量"，**那么**实际上应该完全重新考虑生物的物理死亡，在我们的例子中就是人类的物理死亡。

您可以将自己沉浸在宗教信仰学说中，而不用专注于这项具有前瞻性的思想任务，而总结出这些有见地的思想。或正如我在断言中在这种情况下所读到的那样：所谓的具有宇宙宗教性和令人愉悦的垂死感是科学研究的最强烈和最崇高的动机。这种精神上的深度来自对更高神性思想力量存在的创造性信念，并在莫名其妙的宇宙中展现出来，它将代表科学界对神的定义。这指的是所谓的天上统治者，他们对所有出现和存在的一切负责。因此，这些**天上人物的起源**问题自然仍然存在于无知的灰雾中。

Wieder zurück zum Sterben. Was genau geschieht, wenn der Körper eines Mannes, der einer Frau oder der eines Kindes stirbt?

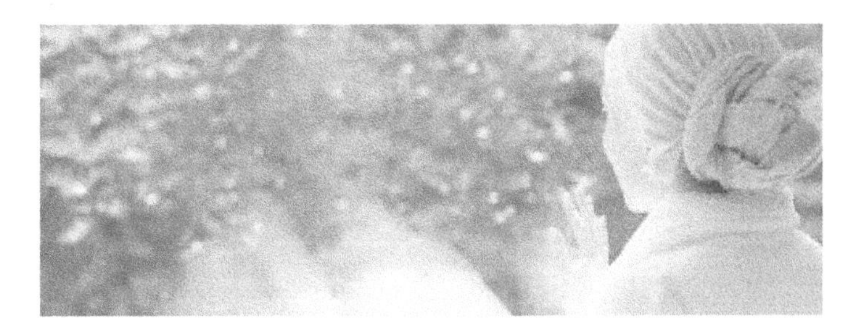

Das Sterben ist in letzter Konsequenz natürlich ein individueller Prozess, den man nicht so ohne weiteres verallgemeinern kann. Damit meine ich natürlich den Sterbeverlauf vor dem Eintritt des physischen, körperlichen Todes eines Mannes, einer Frau oder dem eines Kindes aus der Spezies der Menschheit. Der Zeitrahmen dieser Zeitspanne ist vermutlich von Mensch zu Mensch sehr unterschiedlich. Wenn allerdings das Herz eines Betroffenen seine Tätigkeit eingestellt hat, kommt der Tod ziemlich rasch. Zum allgemeinen Verständnis für unsere zuhörenden Geistwesen und den Bewohnern vom Planeten Azerohn noch eine kurze Bemerkung zum Herzen eines denkenden körperlichen Lebewesens der höheren geistigen Ordnung, hier bezogen auf die Spezies Mensch. Das Herz dieser von mir genannten Lebewesen ist der Grundstock ihres Lebens, wenn ich das einmal so bezeichnen darf.

„Ich habe da, wo mein Herz spricht, nicht das Bedürfnis, zu einem Engel zu sprechen, im Gegenteil, mich bedrücken Vollkommenhei -ten, vielleicht weil ich nicht an sie glaube. Mängel, die ich menschlich begreife, sind mir sympathischer, auch dann noch, wenn ich unter ihnen leide.“

Theodor Fontane

回到死亡。
当男人，女人或孩子的身体死亡时，会发生什么？

最终，当然，死亡是一个不容易概括的独立过程。
我的意思是，当然，是指人类从人类物种的肉体或肉体死亡之前的死亡过程。

这个时间跨度的时间范围可能因人而异。
但是，当一个人的心脏停止工作时，死亡很快就会到来。
为了使我们对聆听的精神生命和艾泽伦星球的居民有一个大致的了解，这里简短地介绍了一种以人类为基础的具有较高精神秩序的有思想的有生命的生物的心脏。

我命名的这些生物的心脏是它们生活的基础，如果我可以这样称呼的话。

“在我内心说话的地方，我不觉得需要和天使说话，相反，完美使我受压，也许因为我不相信她我人道地理解的缺陷是即使我遭受他们的折磨，我也更同情我。”

Theodor Fontane

Es ist der „Fürst" ihrer aller, in der kleinen Welt Sonne, von der natürlich alles Leben abhängt und alle Kraft und Energie ausstrahlt. In gleicher Weise ist es ein König und der Grundstock seines Reiches und das Licht seiner kleinen Welt des Staates Herz, von dem alle Macht ausstrahlt und alle Gunst ausgeht. Ein recht bekannter Philosoph vom Planeten Erde der Neuzeit meinte dazu: *Dass nicht das Herz die ihm zugesprochene Rolle als prozessuales Zentralorgan der Wahrnehmung und der Erkenntnis hat, sondern das menschliche Gehirn.* Soweit so gut. Wieder zurück zum Sterbeprozess, hier bezogen auf die Spezies Mensch vom Planeten Erde. Die Sauerstoffreserven des Gehirns sind, soweit man das korrekt nachweisen und beurteilen kann, relativ minimal. Schon nach wenigen Minuten kommt es zu irreparablen Schädigungen im Gehirn. Die Großhirnrinde, ein wichtiger Teil des Gehirns, beginnt nach und nach abzusterben, was man wohl auch zweifelsfrei nachweisen kann. Ist dieser Prozess einmal im Gange, so die wissenschaftliche Behauptung, würde das Ichbewusstsein eines jeden Menschen erlöschen. Diese Annahme, wird vermutet, kann allerdings nicht nachgewiesen werden und müsste zumindest gründlich hinterfragt werden. Damit meine ich konkret: *Was versteht die Menschheit eigentlich unter einem Bewusstsein? Wo hat es bei einem Mann, einer Frau oder einem Kind der Spezies Mensch ganz konkret sein Raum - Zeitkonstrukt? Aus was besteht es? Und, was hält seine Tätigkeit aufrecht?*

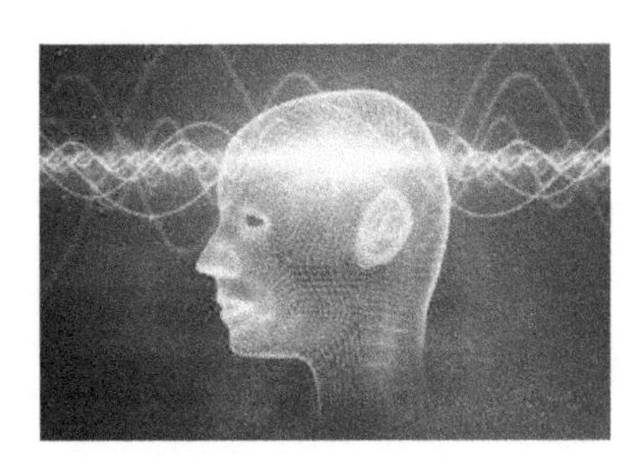

在小小的太阳世界中，这是所有人的“**王子**”，**当然**，**所有生命都取决于并散**发出所有的力量和能量。同样，它是国王，王国的基础，国家中心小世界的光芒，所有力量都在其中散发出来，所有宠爱都从那里散发出来。现代地球上一位著名的哲学家说：人的大脑不是分配其作为感知和知识的中央程序器官的作用的心脏。到现在为止还挺好。回到濒临灭绝的过程，这里与地球上的人类物种有关。据人们所能正确证明和评估的那样，大脑的氧气储备相对较少。几分钟后，对大脑造成了不可挽回的伤害。大脑皮层（**大**脑的重要组成部分）逐渐开始消失，这无疑是可以证明的。一旦这一过程开始进行，那么科学主张就将熄灭每个人的自我意识。但是，假定该假设无法得到证明，至少应该彻底质疑。具体来说，我的意思是：人类实际上是通过意识来理解什么？在一个男人，一个女人或一个人类的孩子中，它在哪里特别地具有时空结构？它是什么做的？是什么让它继续下去？

Im Blick auf den sternenverhangenen Himmel überschritt sie den Horizont der Nacht von einem Gefühl der Ungewissheit erfasst, ob wir nicht gleich-zeitig auch in anderen Welten leben und nur nichts davon wissen, so wie ein Schlafender nichts von seinem grundsätzlich vorhandenen Bewusstsein weiß.

Gerald Dunkl

Entschuldige bitte, liebe Estrie, zum Bewusstsein und seinen inhaltlichen Vorstellungen der Menschheit, möchte ich gern einiges sagen. Zumal die Kenntnisse der Menschheit zum Bewusstsein doch sehr weit von der Realität entfernt sind. " „Kein Problem, lieber „ES", dieses Thema ist sowieso nicht meine geistige Stärke, ich werde dir bestimmt sehr gern zuhören." „Danke liebe Estrie, ich greife dabei auf schriftliche Informationen zurück, die ich bei unserem letztem Besuch auf der Erde der Neuzeit nachlesen konnte. Wohl mit keinem Phänomen, oder einer sehr ungewöhnlichen Erscheinung im materiellen Universum, wie zum Beispiel mit dem so genannten Urknall ist, so die typische vorherrschende Meinung, die Menschheit so innig verbunden wie mit ihrem eigenen Ichbewusstsein. Ihr erlebtes und gefühltes Menschsein, ihre jeweilige Individualität als menschliche Bezugsgröße, ihre komplexen Interaktionen mit ihrer Umwelt, wären ohne dem Ichbewusstsein undenkbar. So ihre feste Überzeugung. Sie denken mit ihrer Umwelt, haben damit bestimmte Assoziationen, oder lassen sich zwischendurch auch von etwas ganz anderem ablenken. All das geschieht, so ihre Vorstellung, ganz nach ihrem Ichbewusstsein. Nichts in dieser Welt kann ihnen so gewiss sein, wie die Tatsache, dass sie bei Bewusstsein sind und zwar in dem Moment, in dem sie darüber nachdenken: *„Ich denke, also bin ich."* Auf diesem geistigen Denkfundament hat ein Philosoph der Erde, sein Name ist René Descartes, seine komplette Philosophie aufgebaut. Alles andere, so seine Meinung, dürfe man zunächst einmal in Zweifel ziehen. Alle Sinneseindrücke könnten zum Beispiel eine Täuschung sein.

**看着繁星点点的天空，她越过夜空，不确定我们是否可以生活在其他世界的早期，只是对它一无所知
像一个卧铺，根本没有什么可利用的
意识知道。**

Gerald Dunkl

亲爱的埃斯特里，请原谅，我想谈谈意识及其人性观念。特别是由于人类对意识的了解与现实相去甚远。 “”“没问题，亲爱的“IT”，无论如何，这不是我的精神力量，我一定会很乐意听您的。”参观现代地球。普遍的普遍观点认为，人类与人类自身的自我意识如此紧密地联系在一起，在物质宇宙中可能没有任何现象，也没有异常的外观，例如所谓的“大爆炸”。没有自我意识，他们将无法想象他们富有经验和感觉的人性，作为人类参考变量的各自个性，与环境的复杂互动。那是她坚定的信念。他们认为与自己的环境有关，或者与环境有某种联系，或者在两者之间允许自己被完全不同的事物分散注意力。他们想像所有这些都是根据他们的自我意识而发生的。在这个世界上，没有什么比您在思考时就意识到自己的事实更加确定的：“我认为，因此我就是。”在这种思想的精神基础上，哲学家拥有地球，他的名字叫雷内·笛卡尔特，他的整个哲学得以建立他认为，其他所有问题都应首先受到质疑。例如，所有感官印象都可能是一种幻觉。

Feste Überzeugungen stellen sich möglicherweise als Irrtum dar. Möglicherweise würde sich die ganze Umwelt als ein riesiger Schwindel herausstellen. Ebenfalls von Descartes stammt der zum Thema passende Satz: *„Eines der rätselhaftesten Charakteristika des Universums ist das menschliche Bewusstsein."* Nach dem zeitgenössischen Philosophen der Erde mit Namen John Searle, wäre das Bewusstsein: *„Der wichtigste Aspekt des menschlichen Lebens, weil das Bewusstsein eine notwendige Voraussetzung dafür ist, dass die Menschheit bestimmte Sachverhalte in ihrem zeitlich begrenzten Leben auf der Erde eine ganz konkrete Bedeutung beimisst"*. Wenn es allerdings ohne dem Bewusstsein, so die vorherrschende Meinung unter den Philosophen vom Planeten Erde, überhaupt nichts Wichtiges geben würde, könnte es nichts Wichtigeres geben, als das Bewusstsein selbst. So selbstverständlich und alltäglich das Bewusstsein für die Menschen sein mag, so muss man schon berücksichtigen, dass die ablaufprozessualen Zusammenhänge bei genauerer Beurteilung dennoch komplizierter erscheinen, als sie möglicherweise sein mögen. Nicht umsonst bemühen sich Philosophen vom Planeten Erde seit Jahrhunderten ihrer Zeitrechnung, das geheimnisvolle Rätsel „Bewusstsein" zu lösen. Allerdings gibt es auf diesem Planeten der Neuzeit noch keine anerkannte wissenschaftliche Definition für diesen Begriff. Auch in der normalen, alltäglichen Verwendung bei den Menschen erweist sich das Bewusstsein als ein schillerndes, nicht zu definierendes Geheimnis. Natürlich habe ich bei meinen Recherchen auf dem Planeten Erde der Neuzeit sinnverwirrende Begründungen für den Begriff Bewusstsein lesen können. Wie zum Beispiel: *„Ob jemand bei vollem Bewusstsein sei oder eben nicht, weil er oder sie möglicherweise gerade schlafen. Was geschieht mit dem Bewusstsein bei Vollnarkose, oder im Wachkoma? Und ähnliche Beispiele mehr."* Natürlich kann man solche Bewusstseinszustände bei den Menschen auf dem Planeten Erde der Neuzeit objektiv definieren und neurobiologisch zumindest teilweise erklären.

坚强的信念可能是一个错误，整个环境有可能变成一个巨大的骗局.笛卡尔还写了与主题相关的短语：“宇宙最令人困惑的特征之一就是人类意识。”根据当代地球哲学家约翰·塞尔·约翰所说，意识将是：“人类生活中最重要的方面是因为意识是一个必要的先决条件是，人类对它们在地球上生活中的某些事实具有非常具体的意义，这是有限的时间”。但是，如果没有意识，没有什么不重要，那么根据地球哲学家的普遍看法，没有什么比意识本身更重要了，因为自然的和日常的意识可能对人而言，因此必须考虑到这一点。与过程有关的相互关系似乎比可能需要更仔细评估的情况更为复杂。几个世纪以来，地球上的哲学家们一直在努力解决“意识”这一神秘谜题，这并非毫无道理。但是，在这个现代星球上，这个术语仍然没有公认的科学定义。即使在人类日常的日常使用中，意识仍然是一个令人眼花，乱，无法定义的秘密。当然，在我对现代地球的研究中，我能够理解“意识”一词的令人困惑的原因。例如：“某人是否因为他或她正在睡觉而处于完全清醒状态。在全身麻醉或植物生长状态下，意识会发生什么？还有更多类似的例子。“当然，人们可以客观地定义现代地球上人们之间的这种意识状态，并至少从神经生物学的角度对其进行部分解释。

Jedenfalls war das bei meinen Recherchen für mich erkennbar, liebe Estrie. Schwieriger wurden mögliche Definitionen mit dem Bewusstsein, das sich zum Beispiel auf einen Gegenstand, eine andere Person, eine Tatsache oder auf welches Objekt auch immer beziehen wollte. Also, nur wieder so als Beispiel. Wenn sich ein Mann, eine Frau oder ein Kind dieser Spezies Mensch sich eines Fehlers bewusst werden würde oder wird, dass ein unangenehmer Geruch in der Luft läge, dann wäre das ja ein höchst subjektiver geistiger Vorgang. Er spielt sich allein im Kopf so einer Person ab, und andere Menschen können davon nur dann etwas mitbekommen, wenn sie die Angelegenheit, bewusst oder unbewusst, etwa indem sie die Nase rümpfen, für ihre Umgebung deutlich kommunizieren. Soweit so gut. Auf das Thema „Ichbewusstsein", liebe Estrie, kommen wir beide ganz sicher noch ausführlich zu sprechen. Zurück zum Thema: Eintritt des Todes. Stehengeblieben waren wir bei den Gedanken, dass die Großhirnrinde, ein wichtiger Teil des Gehirns, beginnt nach und nach abzusterben, was man wohl auch zweifelsfrei nachweisen kann. Ist dieser Prozess einmal im Gange, so die wissenschaftliche Behauptung, würde das Ichbewusstsein eines Menschen erlöschen. Wenn dann auch die Atmung und die unbewussten Reflexe, damit meint man eine unwillkürliche, rasche und gleichartige Reaktion eines Organismus auf einen bestimmten Reiz, nach und nach ausfallen, was in einer letzten standardisierten Untersuchung überprüft werden müsste, erklären die Ärzte den Mann, die Frau oder das Kind für tot. Was geschieht nach dieser ärztlichen Entscheidung mit dem Körper des verstorbenen Menschen? Die Frage zum möglichen Leben nach dem Tod, kann die Wissenschaft auf dem Planeten Erde natürlich nicht erklären. Das überlässt man sehr gern den verschiedenen existierenden Glaubensreligionen und Sekten. Aber die Wissenschaft kann durchaus sachlich nachvollziehbar erklären, was mit einem verstorbenen Körper geschieht, nachdem das Herz für immer aufgehört hat zu schlagen.

无论如何，亲爱的埃斯特里在我的研究过程中对我来说是显而易见的。在想要引用例如一个对象，另一个人，一个事实或任何对象的意识中，可能的定义变得更加困难。因此，再次以此类推为例。如果这个物种的男人，女人或孩子意识到一个错误，即空气中有难闻的气味，那么那将是一个高度主观的心理过程。它仅在这样的人的头部中发生，并且其他人只有在他们有意识或无意识地（例如，抬起鼻子）清楚地将问题传达给周围的环境时，才能注意到某些东西. 到现在为止还挺好。亲爱的埃斯特里（Estrie），**关于"自我意**识"这个话题，我们两个肯定都会再谈详细。返**回主**题：死亡条目。我们停止了以为大脑皮层（大脑的重要组成部分）正在逐渐消失的想法，这可能毫无疑问地得到了证明。一旦这个过程发生，科学上的主张就是一个人的自我意识将被消灭。如果呼吸和无意识的反射逐渐消失，而这种呼吸和无意识的反射会导致有机体对某种刺激的非自愿，快速和类似的反应逐渐失败，而这需要在最终的标准化检查中进行检查，那么医生解释说，男人，女人还是孩子死了。在做出医疗决定后，死者的身体会怎样？当然，地球上的科学无法解释死后可能的生命问题。人们喜欢将其留给各种现有的信仰宗教和教派。但是科学可以用一种事实可以**理解的方式来解**释心脏永远停止跳动之后死者的身体会发生什么。

Nach Eintritt des körperlichen Todes nimmt die Gehirnaktivität ab und würde, so die Annahme der Wissenschaftler, seine so genannte ablaufprozessuale Denkarbeit vollständig beenden. Soweit so gut, liebe Estrie. Dazu noch einige Gedanken aus Sicht von uns Geistwesen.

Der Knoten

Als ich in den Jugendtagen
noch ohne Grübelei,
da meint ich mit Behagen,
mein Denken wäre frei.

Seitdem hab ich die Stirne
Oft auf die Hand gestützt
Und fand, dass im Gehirne
Ein harter Knoten sitzt.

Mein Stolz, der wurde kleiner,
ich merkte mit Verdruss:
Es kann doch unsereiner
nur denken wie er muß.

Wilhelm Busch

发生身体死亡后，大脑活动减少，根据科学家的假设，这种活动将完全结束所谓的程序思维。亲爱的埃斯特里，到目前为止一切顺利. **另外**，**从我**们灵魂存在的角度出发，有一些想法。

结

当我还年轻的时候
仍然没有沉思
我的意思是高兴
我的想法将是自由的。

从那以后我的额头
经常靠在手上
并发现在大脑中
硬结到位。

我的骄傲越来越小
我很烦恼地注意到：
我们一个人可以做到
只是想想就可以。
Wilhelm Busch

Nervenimpulse und elektromagnetische Impulse

Bekannte Hirnforscher der Menschheit vom Planeten Erde der Neuzeit sind sich wohl dessen bewusst und davon auch felsenfest überzeugt, dass dieser Bereich der Forschung in den letzten einhundert Jahren der Erdzeit beeindruckende Fortschritte erreicht hat. Mit so genannten bildgebenden Verfahren ließe sich bereits sehr gut beobachten, wie das Gehirn in seiner Gesamtheit auf gezielte Reizimpulse aus der Umwelt reagieren würde. Daraus könnte man, etwas leicht banal argumentiert, aus der Sicht von uns Geistwesen hinterfragen: *Wäre das menschliche Gehirn letztlich nur eine reine Reiz-Reaktions-Maschine?* Wäre das gegebenenfalls, und ganz praktisch beurteilt möglich, könnten ja Lebewesen, insbesondere denkende körperliche Lebewesen der höheren geistigen Ordnung, hier wieder bezogen auf die Spezies Mensch vom Planeten Erde, auf ein Bewusstsein, insbesondere auf ein Ichbewusstsein, möglicherweise völlig verzichten können? Die bloße Umsetzung eines wahrgenommenen Reizes in eine entsprechende Reiz-Reaktion findet ja bereits auf einem sehr niedrigen denkprozessualen Niveau der neuronalen Verknüpfung von Nervenzellen statt. Vorgänge, die ja schon bei einfachen Lebewesen zu beobachten wären. Eine wichtige Aufgabe des zentralen Nervensystems wäre es unter anderem ja auch, den unmittelbaren Reiz-Reaktions-Mechanismus zu unterbrechen, und einen Verarbeitungsmodus im gesamten menschlichem Gehirn zu involvieren, der den Abgleich zwischen dem aktuellen Reiz und früheren Reizerfahrungen zulässt, oder zu mindest zulassen würde. Das Gehirn könnte dadurch diese Vorgänge möglicherweise auch potenzieren, was letztlich dazu beitragen würde, die aktuelle Wahrnehmung in einen komplexen Gesamtzusammenhang zu konkretisieren.

神经冲动与电磁冲动

来**自近代地球的人**类知名神经科学家对此深有体会，并坚信这一研究领域在地球的最后一百年中取得了令人瞩目的进步。通过所谓的成像过程，已经可以很好地观察大脑作为一个整体如何对环境中的目标刺激做出反应。以此为基础，有些平庸的论点，可以从我们众生的角度提出质疑：人脑最终将仅仅是纯粹的刺激反应机器吗？如果这是可行的，并且以一种非常实用的方式进行判断，那么，尤其是具有更高精神秩序的生物，这里又基于地球上的人类，是否有可能完全没有意识，特别是自我意识吗？仅在神经细胞的神经连接的思维过程的非常低的水平上就已经发生了将感**知到的刺激**转化为相应的刺激反应的过程。在简单的生物中已经可以观察到的过程。中枢神经系统的一项重要任务也将是中断立即的刺激反应机制，并使整个人脑参与一种处理模式，从而使当前刺激与先前刺激经历之间的比较成为可能，或者至少是允许的。大脑还可能增强这些过程，最终将有助于在复杂的整体环境中具体化当前的感知。

Ergänzend dazu, liebe Estrie, noch ein paar hinführende Gedanken zum menschlichen Bewusstsein, so wie sich dass die Wissenschaftler vom Planeten Erde der Neuzeit vorstellen, oder zu mindest annehmen, dass es so wäre wie sie denken. Die von Wissenschaftlern der von mir genannten Spezies möglicherweise als solches erkannten Bewusstseinsfunktionen würden es wohl erlauben, verschiedene Handlungsoptionen durchdenken zu können. Was sie für das menschliche Bewusstsein halten, wäre für die aktuelle Hirnforschung von bestimmten Wissenschaftlern lediglich ein Produkt der neuronalen Schaltkreise im menschlichen Kopf. Ihr angenommenes, persönliches „Ich“ oder auch das „Sein“ wie es unter einigen Bevölkerungsgruppen auf der Erde der Neuzeit gern bezeichnet wird, wäre lediglich eine nebulöse geistige Fiktion. Ganz praktisch beurteilt, ein Traumgebilde des Gehirns. Daraus schließen sie kurz und bündig, nicht das persönliche „Ich“ oder das „Sein“, sondern das menschliche Gehirn hat einen Entscheidungsprozess herbeigeführt. Wäre dann der Glaube an den so genannten „freien Willen“ eines Mannes, einer Frau oder dem eines Kindes aus der Spezies Mensch nur eine Illusion? Ich denke, liebe Estrie, auf diese Frage kommen wir zurück, wenn wir uns etwas intensiver mit den unterschiedlichen Charaktereigenschaften von denkenden körperlichen Lebewesen der höheren geistigen Ordnung beschäftigen werden. Soweit so gut.

„Bedenke, was du bist: Vor allem ein Mensch, das bedeutet ein Wesen, das keine wesentlichere Aufgabe hat als seinen freien Willen.“

Epiktet

另外，亲爱的埃斯特里（Estrie），**关于人**类意识的一些介绍性思想，就像科学家们想象现代行星地球一样，或者至少假设它会如他们所想。我所命名的物种的科学家可能会意识到这种意识功能，这使人们有可能思考各种行动方案。对于某些科学家目前进行的脑研究，他们将其视为人类意识，只是人类大脑中神经回路的产物。您在现代地球上某些人口群体中经常提到的假设的个人**"我"或"存在"只会是一种模糊的精神小**说。实际上，这是大脑的梦想。由此，他们概括地说，不是个人的**"我"或"存在"，而是人的大**脑带来了决策过程。那么，相信人类中男人，女人或孩子的所谓**"自由意志"只是一种幻想**吗？亲爱的埃斯特里，我认为，当我们更加深入地研究具有更高精神秩序的物质存在的不同性格特征时，我们将回到这个问题。到现在为止还挺好。

"想想你是什么：首先，一个人意味着一个人的任务比自由意志更重要。"

Epiktet

Eine konkrete Untersuchung zum freien Willen, also zur freien Entscheidungsfindung, würde ihnen sicherlich die Erkenntnis vermitteln, dass eine bestimmte Ausführung von Handlungen, zum Beispiel mit Teilen ihrer Extremitäten, also zum Beispiel mit den Fingern, sich natürlich nicht allein nur auf so genannte Reflexe oder Nervenimpulse zurückführen lassen. Damit wäre eine unwillkürliche, rasche und gleichartige Reaktion eines Organismus, oder eines Teiles von ihm, auf einen bestimmten Nervenimpuls gemeint. Reflexe werden ja bekanntlich neuronal vermittelt. So beurteilt, wäre das sicherlich zu einfach gedacht. Würden Wissenschaftler vom Planeten Erde der Neuzeit, zum Beispiel mit einem Computer, einen Roboter digital steuern wollen, um durch ihn eine bestimmte Bewegung ausführen zu lassen, würden sie unschwer erkennen können, dass es mit elektrischen Impulsen allein nicht abgetan sein kann. Ich möchte mich dabei auf ein Gleichnis aus der Mathematik beziehen, um diese komplexen Handlungen beschreiben zu können. Die digitale Steuerung von Handlungen geschieht von einem Computer zu einer digital gesteuerten Maschine nicht viel anders als bei einem Menschen. Wie meine ich das?

„Er war ganz erstaunt, als er nach dem Münzeinwurf vom Ohrfeigenautomaten eine saftige Ohrfeige erhielt."

Alfred Selacher

对自由意志的具体调查，即自由决策，一定会使他们知道，一定程度的行动，例如用肢体的某些部位，例如用手指，当然不仅仅涉及以下方面：称为让反射或神经冲动恢复。这将意味着生物体或其一部分对某种神经冲动的非自愿，快速和类似的反应。众所周知，反射是神经元介导的。从这个角度来看，这肯定太简单了。如果来自现代地球的科学家想要用计算机对机器人进行数字控制（例如使用计算机），以便通过它进行一定的移动，他们将能够轻松地看到仅靠电脉冲就无法对其进行调整-
可以做到。我想提及一个数学寓言，以便能够描述这些复杂的动作。从计算机到数控机器的动作的数字控制与人类没有太大不同。我是什么意思

“当他插入硬币后，他给硬币加上日期时，他感到非常惊讶。打耳光的机子打了一巴掌。”

Alfred Selacher

Ich bin sicher, liebe Estrie, dass sich Männer und Frauen noch gern an ihre Schulzeit erinnern können. In den ersten zwei Jahren ihrer schulpflichtigen Kindheit lernen sie zum Beispiel in Mathematik, ein sehr wichtiges Lehrfach bei der Menschheit, wie durch logische Definitionen selbstgeschaffene abstrakte Strukturen mittels der Logik, als die Wissenschaft des folgerichtigen Denkens, auf ihre Eigenschaften und Muster untersucht werden können.

Eine mathematische Wahrheit ist an sich weder einfach noch kompliziert, sie ist.

Émile Lemoine

Dazu gehört auch unter anderem am Anfang ihrer Schulzeit das Erlernen des so genannten „kleinen Einmaleins“. Darunter versteht man, wie wir Geistwesen das natürlich auch wissen, eine Zusammenstellung aller Produkte, die sich aus der Kombination zweier natürlicher Zahlen von eins bis zehn ergeben. Das große Einmaleins ist die Erweiterung auf natürliche Zahlen von eins bis zwanzig. Das kleine Einmaleins gehört zum arithmetischen Grundwissen der Mathematik und wird meist schon, wie bereits von mir erwähnt, in den ersten Jahren der Schulzeit auswendig gelernt.

亲爱的埃斯特里，我敢肯定，男人和女人仍然可以怀念
自己的上学时间。
在学龄期的头两年，他们学习例如数学，这对人类来说是非常重要的一门学科，他们如何通过逻辑定义，通过逻辑（作为逻辑思维的科学）在自己的逻辑上创造出抽象结构可以检查属性和样式。

数学真理本身既不简单也不复杂，
她是。

Émile Lemoine

这还包括在上学之初学习所谓的"**乘法表**"。**当然，正如我**们众生所知道的那样，这是可以理解的，所有产品的汇编都是由两个自然（从1到10）**的**组合得出的。**曾**经的伟大一是将自然数从一扩展到二十。**乘法表是数学的基本算**术知识的一部分，并且正如我已经提到的那样，通常在上学的第一年就由内心学习

Auswendig lernen! Das ist für Schülerinnen und Schüler, besonders beim Beginn der Schulzeit nicht immer so einfach und nicht mit großer Freude verbunden. Was möchte ich an diesem Beispiel erklären, liebe Estrie? Schnell begreifen die Schülerinnen und Schüler, dass sie für diese relativ einfachen Rechenprozesse ihre Finger verwenden können. Sie haben ja an jeder Hand fünf davon. Mathematische Lösungsansätze über die Mithilfe ihrer Finger zu erwirken, erscheint auf den ersten Blick unkompliziert. Natürlich können die Schülerinnen und Schüler über gesteuerte Nervenimpulse ihres Gehirns in Richtung Finger, diese auch im Einzelnen bewegen. Verständlich, weil ein Nervenimpuls einen „Befehl" an den oder die Finger weiterleitet, aber eben nur einen „Befehl", der gleichzeitig nicht digital „erklärt", nicht erklären kann, was dem Finger und mit den Fingern für Rechenergebnisse erzielt werden sollen. Das interessiert die Kinder natürlich im Zusammenhang mit den unterschiedlichen Bewegungen des oder der Finger vorrangig. Liebe Estrie, lass mich dieses Beispiel, zum besseren Verständnis, auf die Arbeitsweise eines Computers übertragen. Wieder geht es um das Einmaleins, und für die Rechenprozesse verwenden wir selbstverständlich auch die nachgebildeten mechanischen Finger eines zugeschalteten Roboters. Soweit so gut. Würde das Rechenprogramm des Computers so programmiert sein, dass lediglich ein elektrischer Impuls, ähnlich dem eines Nervenimpulses, an den Finger oder die Finger des Roboters weitergeleitet wird, würde vermutlich nichts geschehen können. Allein Impulse, gleich ob als Nervenimpuls vom Gehirn eines Lebewesens, oder als digitaler elektromagnetischer Impuls eines Computers, führen eine so genannte „Ja" oder „Nein" Bewegung durch. Vergleichen kann man das mit einem Lichtschalter in einem Gebäude der dafür sorgt, dass eine Leuchtlampe aus ist oder leuchtet. Diesem Schaltvorgang muß man keinen digitalen oder einen mentalen Denkprozess auf der Basis der geistigen Energie, oder einen Denkprozesse auf der Basis der elektromagnetischen Energie zuordnen, weil es dafür kein Anforderungsprofil gibt.

用心学习！对于学童来说，这并不总是那么容易，尤其是当他们开始上学时，并没有带来极大的欢乐。亲爱的Estrie，**我想用**这个例子来说明什么？学生很快了解到，他们可以用手指来完成这些相对简单的算术过程。每只手有五个。乍一看，借助您的手指来获得数学解似乎很简单。当然，学生可以使用大脑控制的神经冲向手指的方向单独移动它们。可以理解，因为神经冲动将“**命令**”转发给一个或多个手指，但是只有一个不能同时进行数字“**解释**”**的**“**命令**”，**无法解**释手指和手指为计算结果应该达到的目的。孩子们当然对此感兴趣，因为它们与手指的不同运动有关。**尊敬的**Estrie，为了更好地理解，让我将此示例应用于计算机的工作方式。同样，它与乘法表有关，当然，我们还使用连接的机器人的模拟机械手指进行计算过程。到现在为止还挺好。如果以这样的方式对计算机程序进行编程，使得仅将类似于神经冲动的电冲动传递到机器人的一个或多个手指，则大概什么也不会发生。只有脉冲，无论是来自生物大脑的神经脉冲还是来自计算机的数字电磁脉冲，均会执行所谓的“**是**”**或**“**否**”**运**动。这可以与建筑物中的电灯开关进行比较，该电灯开关可确保关闭灯泡或点亮灯泡。不必为此切换过程分配基于精神能量的数字或心理思考过**程**，**或基于**电磁能的思维过程，因为没有要求配置文件。

Anders verhält sich das natürlich bei unserem Beispiel mit dem Einmaleins. Hier genügt eine „Ja“ oder „Nein“ Funktion nicht. Die gewünschten Rechenprozesse bei der Denkarbeit mit dem Einmaleins beinhalten ablaufprozessuale Denkprozesse, die man mit einem Nervenimpuls oder einem elektromagnetischen Impuls nicht allein steuern kann. Dafür bedarf es natürlich entsprechender Denkprozesse, die in unserem Beispiel, mathematische Operationen, mathematische Lösungsansätze und mathematische Ergebnisse zum Ziel haben sollten, und selbstverständlich erstmal gedacht und dann ablaufprozessual in das System eines Computers programmiert und gespeichert werden können. Dafür nutzen zum Beispiel die Menschen auf dem Planeten Erde der Neuzeit die so genannte Frequenzmodulation oder die Amplitudenmodulation. An einer Metapher lässt sich das gut erklären. Liebe Estrie, stell dir, nur so als Beispiel, einen Fluss vor, in unserem Fall der Nervenimpuls oder einen elektromagnetischen Impuls, auf dem verschiedene Gegenstände, also Schiffe, Boote und Baumstämme dahintreiben. Ähnlich verhält sich das, nur wieder so als Beispiel, bei der Frequenzmodulation. Natürlich bewegt man damit keine Schiffe.

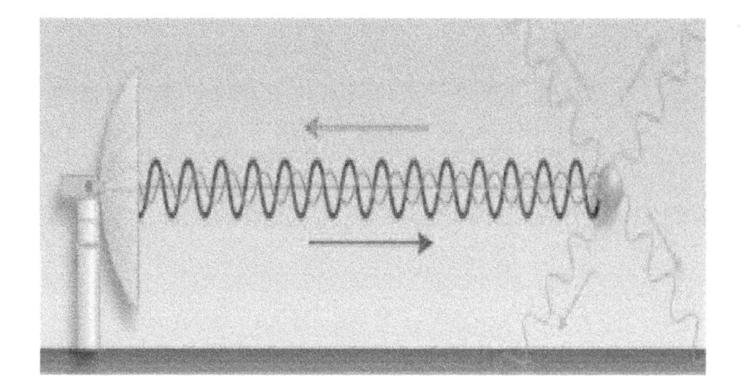

在我们的乘法表示例中，这当然是不同的。在此，**"是"或"否"功能是不**够的。一次性思考中所需的算术过程包含无法单独通过神经冲动或电磁冲动来控制的过程思维过程。为此，当然需要适当的思维过程，在我们的示例中，思维过程应针对数学运算，数学方法和数学结果，并且当然可以首先进行思考，**然后**进行编程并存储在系统的过程中。电脑。例如，现代地球上的人们使用所谓的频率调制或幅度调制。使用隐喻可以很容易地解释这一点。亲爱的埃斯特里，想像一下一条河流，在我们的例子中是神经冲动或电磁冲动，各种物体（例如船，船和树干）在上面漂流。举例来说，它的行为与调频类似。当然，您不会随船一起移动。

Mit dieser Frequenzmodulation kann man ein frequenzmoduliertes Signal bei hohen Frequenzen mit Hilfe einer Oszillatorschaltung erzeugen, deren frequenzbestimmender Schwingkreis eine spannungsabhängige Kapazität enthält, an welche das Modulationssignal, also in unserem Beispiel sind das ablaufprozessuale Daten, die man an die Finger einer Schülerin oder eines Schülers übertragen möchte, als Signalspannung angelegt wird. Dadurch ändern sich die Kapazität der Diode und damit auch die Resonanzfrequenz des Schwingkreises. Soweit so gut. Von dem was ich bis jetzt dazu sagte, liebe Estrie, lässt sich unschwer erkennen, dass mit einem Nervenimpuls zu den Fingern einer Schülerin oder eines Schülers keinerlei ablaufprozessuale Handlungen, und seien es nur einfache Bewegungen, vollziehen lassen. Wie schon von mir erwähnt, löst ein Nervenimpuls lediglich eine „Ja“ oder „Nein“ Funktion aus. Das würde bei der Mithilfe von mathematischen Rechenprozessen wahrlich nicht ausreichen. Also, wie kommen die erforderlichen Informationen, oder sagen wir Denkprozesse dafür zu den Fingern einer Schülerin oder eines Schülers? Diese Frage mag, auf den ersten Blick betrachtet, nur sehr schwer zu beantworten sein, ist es aber nicht. Die Menschheit auf der Erde der Neuzeit, aus der Spezies von denkenden körperlichen Lebewesen der höheren geistigen Ordnung, tritt in ihrer Forschungsarbeit, jedenfalls wenn es um ihr wichtigstes Körperorgan geht, damit meine ich ihr Denkzentrum, also ihr Gehirn, förmlich auf der Stelle. Das mag möglicherweise an ihrem eigenartig beschriebenen Entstehungsprozess, dem religiösen Schöpfungsakt von irgendwelchen himmlichen Gottheiten seine Ursachen haben. Vielleicht findet sich auch ein Bezug in ihrer etwas sonderlichen Theorie vom Urknall, der ja nach ihrer Meinung den Beginn des Lebens begründen soll.

通过这种频率调制，可以借助于振荡器电路在高频下产生频率调制的信号，该振荡器的频率确定谐振电路包含电压相关的电容，调制信号即在我们的示例中为该电压相关的电容。您可以用手指将要传输到瞳孔的与过程相关的数据作为信号电压施加。这改变了二极管的电容，并且因此也改变了振荡电路的谐振频率。到现在为止还挺好。到目前为止，亲爱的埃斯特里（Estrie）从我所说的话中不难看出，对学生手指的神经冲动不允许进行任何程序上的动作，即使这些动作只是简单的动作也是如此。正如我已经提到的，神经冲动只会触发“是”或“否”功能。在数学计算过程的帮助下，这还远远不够。那么，我们如何获得必要的信息，或者说出一个思考过程给学生呢？乍一看，这个问题可能很难回答，但事实并非如此。从研究具有较高精神秩序的有形生命的物种出发，近代地球上的人类在他们的研究工作中名副其实，至少在涉及他们最重要的身体器官时，我的意思是他们的思想中心，即他们的大脑。这可能是由他们描述得奇怪的创造过程引起的，这是某些天神的创造的宗教行为。也许还有一些关于他们的“大爆炸”理论的参考，他们认为这是确定生命的起点的。

Einmal losgelöste von solchen Überlegungen, liebe Estrie, lässt sich beim Durchlesen ihrer wissenschaftlichen Erkenntnisse zu diesem Thema leicht erkennen, dass sie dem wichtigsten Baustein im Universum, gleich ob im geistigen oder materiellen Universum, damit meine ich die Energie in ihrer unterschiedlichen Daseinsform und ihrer gesamten Wirkungsweise entweder keiner besonderen Beachtung beimessen, oder nur darauf Bezug nehmen, wenn sie für ihre Wirtschaft, für den Konsum und für ihre politischen Ziele davon Gebrauch machen müssen. Eigentlich müssten sie aufgrund ihres Bildungsstandes wissen, dass die Energie für alles Bestehende und sich alles Entwickelnde die Voraussetzungen dafür schafft. Allein schon der „Energieerhaltungssatz“ müsste ihnen doch zu denken geben:

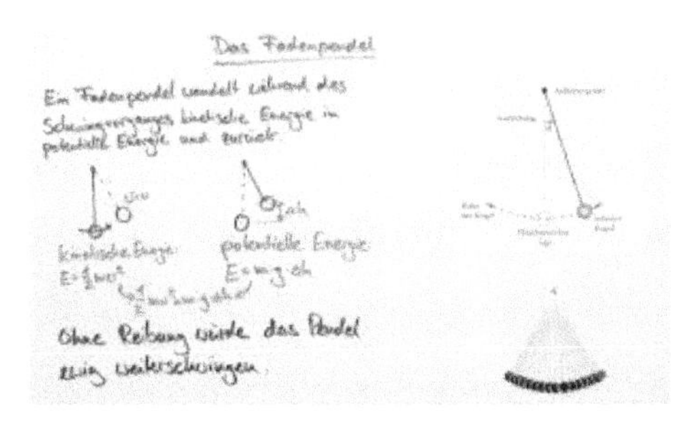

„Der Energieerhaltungssatz drückt die Erfahrungstatsache aus, dass die Energie eine Erhaltungsgröße ist, dass also die Gesamtenergie eines abgeschlossenen Systems sich nicht mit der Zeit ändert. Energie kann zwischen verschiedenen Energieformen umgewandelt werden, beispielsweise von Bewegungsenergie in Wärmeenergie. Außerdem kann sie aus einem System heraus oder in ein System hinein transportiert werden, es ist jedoch nicht möglich, Energie zu erzeugen oder zu vernichten. Die Energieerhaltung gilt als wichtigstes Prinzip aller Naturwissenschaften. Der Energieerhaltungssatz lässt sich theoretisch mit Hilfe des Noether-Theorems aus der Annahme ableiten, dass die für das System gültigen Gesetze der Physik nicht von der Zeit abhängen.“

亲爱的Estrie，**从**这些考虑中脱颖而出后，在阅读有关该主题的科学发现时，您可以轻松地看到它们是宇宙中最重要的构成部分，无论是在精神世界还是物质宇宙中，我的意思是：它的不同形式和存在形式要么不特别注意它们的整体运作方式，要么仅在他们必须出于经济，消费和政治目的而使用它时才提及它。实际上，由于他们的受教育程度，他们应该知道，能量为存在的一切和正在发展的一切创造了条件。仅“**能量守恒定律**”应该给您带来深思的地方：

“**能量守恒定律表示**经验这一事实，即能量是一个守恒量，也就是说封闭系统的总能量不会随时间变化。**能量可以在不同形式的能量之**间转换，例如从动能转换成热能。**也可以将其运**输出系统或将其运输到系统中，但是不可能产生或破坏能量。节约能源是所有自然科学中最重要的原则。**从理**论上可以适用于该系统的物理定律不依赖于时间这一假设，可以在Noether**定理的帮助下从理**论上推导出能量守恒定律。”

Das menschliche Gehirn besteht, wie wir das ja schon besprochen haben, liebe Estrie, zu sechzig Prozent aus Fett und zu vierzig Prozent aus verschiedenen Proteinen, umgangssprachlich werden sie bei den Menschen vom Planeten Erde der Neuzeit auch als Eiweißverbindungen bezeichnet. Sie sind biologische Makromoleküle, die unter anderem aus Aminosäuren durch Peptidbindungen aufgebaut werden. Sie spielen im Gehirn und im gesamten Nervensystem als Neurotransmitter eine wichtige Rolle und sind wohl, nach neueren Forschungsergebnissen auf dem Planeten Erde der Neuzeit, auch für die Lern- und Gedächtnisleistung von einer gewissen Bedeutung. Allerdings können sie keinesfalls, so viel ist sicher, ablaufprozessuale Denkprozesse entwickeln. Dafür existiert bei allen denkenden körperlichen Lebewesen der höheren geistigen Ordnung, die Spezies Mensch vom Planeten Erde gehört natürlich auch dazu, implementiert in den kleinsten Teilchen des Lebens, das Ichbewusstsein, das auf der Basis einer rein geistigen Energie existiert. Es kann im menschlichen Gehirn nicht entwickelt werden und stirbt nicht, wenn der Körper eines Menschen sein befristetes Leben auf dem Planeten Erde beendet. Gleiches gilt natürlich für alle anderen denkenden körperlichen Lebewesen der höheren geistigen Ordnung im materiellen Universum. Und weil das so ist, werden alle ablaufprozessualen Gedanken und die daraus resultierenden Handlungen und Tätigkeiten über das Ichbewusstsein mental entwickelt und, so erforderlich, mit Hilfe des Gehirns, hier bezogen auf die Spezies Mensch, organisiert und weitergeleitet. Aus und Punkt. Um das gedanklich zu unterstreichen, liebe Estrie, wiederhole ich gern das von uns beiden bereits Gesagte. Die notwendigen ablaufprozessualen Denkprozesse, gespeichert in den Charaktereigenschaften des Ichbewusstseins eines Menschen, nur so als Beispiel, den linken Unterarm im rechten Winkel ganz zaghaft auszurichten, dabei zwei Finger der linken Hand auszustrecken und drei Finger der gleichen Hand zu beugen, wäre mit einer reinen Steuerung durch einen Nervenimpuls nicht umsetzbar.

正如我们已经讨论过的，亲爱的Estrie，**人**脑由**60%的脂肪和40%的各种蛋白**质组成，通俗地说，在现代，它们也被地球上的人们称为蛋白质化合物。它们是生物大分子，除其他外，是由氨基酸通过肽键构成的。它们作为大脑和整个神经系统中的神经递质发挥着重要作用，根据现代行星地球上的最新研究结果，它们对于学习和记忆表现也具有一定的重要性。但是，可以肯定的是，他们绝不能发展程序性思维过程。对于所有具有较高精神层面的思想型生物而言来自地球的人类自然也属于该物种，它们存在于生命的最小微粒中，即自我意识，而生命意识是基于纯粹**的精神能量而存在的。它不能在人**脑中发育，并且当一个人的身体在地球上暂时结束生命时也不会死亡。当然，这同样适用于物质宇宙中所有其他具有较高精神秩序的思维物质。因为是这种情况，所有与过程有关的思想以及由此产生的行动和活动都是通过自我意识在心理上发展起来的，并且在必要时借助大脑（与人类有关）进行组织和传递。断点。为了强调这一点，亲爱的埃斯特里，我要重复我们两个人已经说过的话。举例来说，存储在一个人的自我意识特征中的必要的过程性思维过程，将是非常临时地使左前臂以直角对齐，伸出左手的两个手指并弯曲三个手指。仅凭神经冲动无法控制同一只手的手指。

Allein die Vorstellung, wie unendlich vielseitig die Bewegung eines Armes ausgeführt werden könnte, so es ein Mensch will, also über sein Ichbewusstsein denkt, lässt eine Übermittlung über reine Nervenimpulse über die Nervenbahnen hin zum Arm nicht zu. Das kann man ausschließen.

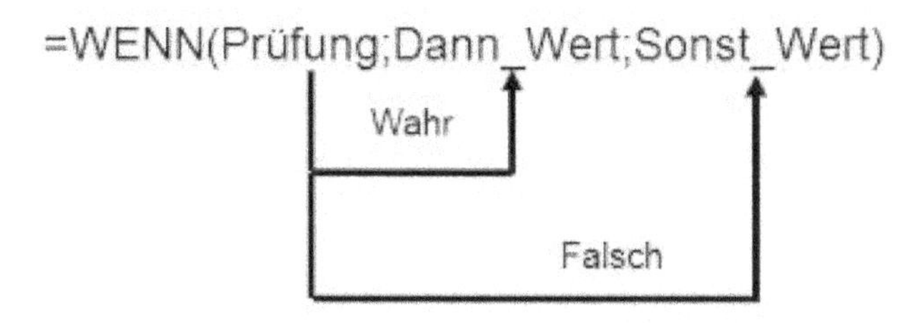

Die „WENN-Funktion“ im Bereich der Mathematik eignet sich besonders, um zum Beispiel die damit verbundenen logischen Denkprozesse zwischen einem aktuell bestehendem Wert und einem erwarteten Wert zu ziehen. Mit der WENN-Funktion lässt sich also überprüfen, ob eine bestimmte Bedingung besteht und ob ein erwartetes Ergebnis herauskommt, wenn man den Wert „Wahr“ oder „Falsch“ untersucht. Erwartet man aber beispielsweise mehrere Ergebnisse, kann es durch mehrere Verschachtelungen in der Formel selbst zu fehlerhaften Ergebnissen führen. Soweit so gut. Ein menschliches Gehirn wäre, ohne dem Ichbewusstsein, damit völlig überfordert und würde zu keiner Lösung fähig sein. Muss es auch nicht! Dafür besitzen alle denkenden körperlichen Lebewesen der höheren geistigen Ordnung im materiellen Universum, einschließlich der Spezies Mensch, ein Ichbewusstsein. Soweit so gut, liebe Estrie. Auf das Thema Ichbewusstsein werden wir noch zu sprechen kommen, dessen bin ich sicher. Entschuldige bitte, lieber „ES“, das ich an dieser Stelle kurz unterbrechen möchte.

如果一个人想要的话，只是手臂运动如何无限变化的想法，即如果他考虑他/**她的自我意**识，就不允许通过纯净的神经冲动通过神经通路传递到大脑。手臂。**可以排除。**

数学领域中的“
IF**函数”特**别适合于例如在当前存在的值和期望值之间绘制相关的逻辑思维过程。　**IF函数可用于**检查某个条件是否存在以及在检查值“true”**或**“
false”时是否获得了预期结果。但是，例如，如果期望多个结果，则公式本身中的多个嵌套会导致错误的结果。到现在为止还挺好。如果没有自我意识，人的大脑将完全不知所措，并且将无法找到任何解决方案。也不必！作为回报，在物质宇宙中，包括人类在内的所有具有较高精神秩序的思想物质都具有自我意识。亲爱的埃斯**特里**，**到目前**为止一切顺利。我相信，稍后我们将谈到自我意识。亲爱的“ES”，请原谅，在此我想简单地打扰一下。

Ich habe bei unserem letzten Besuch auf der Erde in einer Zeitschrift einige interessante Gedanken zum Thema von ablaufprozessualen Bewegungsabläufen bei menschlichen Extremitäten von Männern, Frauen und auch bei Kindern lesen können, die eine sonderbare Beachtung in meinem Denkzentrum auslösten.“ „Du machst mich neugierig, liebe Estrie. Bitte lass dich nicht aufhalten, ich höre dir sehr gern zu.“ Bestimmte praktische als auch rein theoretische Experimente in Bezug auf motorische und mentale prozessuale Abläufe, die allerdings, so konnte ich das nachlesen, doch sehr interpretationsbedürftig und noch heftig umstritten seien, bewegte zu dieser Zeit der Veröffentlichung große Teile der Menschheit auf der Erde der Neuzeit. Bei diesen Experimenten sollte unter anderem aufgezeigt werden, dass das motorische Zentrum eines menschlichen Gehirns mit der mentalen Vorbereitung einer motorischen Bewegung eines Muskels bereits begonnen hat, bevor man sich dessen angeblich bewusst sei, dass sich ein Mann, eine Frau oder ein Kind sich für die sofortige Ausführung dieser Bewegung entschieden haben soll. Der zeitliche Abstand zwischen der mentalen Vorbereitung im Gehirn und der motorischen Ausführung, etwa eine halbe Sekunde betragen würde. Wie ich nachlesen konnte, war die Bedeutung dieser Experimente für die Philosophie des Geistes oft Gegenstand lebhafter Diskussionen in Bezug auf die menschliche Willensfreiheit. Man würde wohl daraus schließen können, so die Meinung einiger Wissenschaftler, dass das Bewusstsein sozusagen zu spät kommt und dass der neuronale Bewegungsimpuls nicht vom Bewusstsein ausgeht. Aber dieses Bereitschaftspotenzial ist offensichtlich unspezifisch. Es tritt nämlich bereits auf, wenn angeblich Versuchspersonen sich darauf vorbereiten, einen von zwei Knöpfen zu bewegen, noch bevor sie erfahren konnten, welcher es wohl sein sollte. Vor allem aber ist der Nervenimpuls, den Finger zu bewegen, keine wirklich freie Entscheidung. Die hatten vermutlich die Versuchspersonen schon vorher getroffen.

在我们上一次访问地球的过程中，我能在杂志上读到一些有趣的想法，这些主题涉及男女肢体和儿童肢体中的程序性运动顺序，这引起了我思维中心的奇怪注意。
亲爱的埃斯特里。请不要停下来，我很乐意听你说。“**与运**动和心理过程有**关的某些**实际以及纯粹的理论实验，但是，我能够阅读，仍然需要解释，并且仍然引起强烈争议的是，此书出版之时移至了当今地球上人类的大部分。这些实验的目的是表明，除其他外，人脑的运动中心已经开始在心理上准备肌肉的运动，然后才应该知道男人，女人或儿童应该决定这样做。立即执行此动作。大脑的心理准备和运动执行之间的时间间隔约为半秒。正如我所读到的，这些实验与心灵哲学的相关性经常是关于人类自由意志的热烈讨论的主题.根据一些科学家的说法，可以得出结论，意识来得太晚了，可以这么说，并且神经元运动冲动并非来自意识。但是，这种准备**潜力**显然是不明确的。当据称测试人员准备移动两个按钮之一，然后才知道应该选择哪个按钮时，已经发生了这种情况。最重要的是，动动手指的神经冲动并不是真正的自由决定。他们可能事先会见了测试对象。

Der zeitliche Rahmen des Experiments, also Bruchteile von Sekunden, ist viel zu eng, um den Prozess einer freien Willensentscheidung abzubilden. Die Auslösung einer Motorik mag ja teilweise aus ihrer Sichtweise unbewusst ablaufen. Doch das auf komplexe ablaufprozessuale Denkprozesse zu übertragen, ist völlig haltlos. Es fehlt aus meinem Verständnis heraus die Hinwendung zur Erforschung des Denkens selbst, und zwar nicht im Gehirn sondern im Ichbewusstsein. Das macht diese Experimente eigentlich so uninteressant und wertlos. Danach gefragt, inwieweit all die Debatten auf dem Planeten Erde der Neuzeit zum Thema über die Grenzen der menschlichen Willensfreiheit eigentlich nur heiße Luft wären, fände sich die Antwort von uns Geistwesen sehr schnell. Solang sich die Wissenschaft auf dem Planeten Erde der Neuzeit in Bezug auf die Hirnforschung nicht ernstlich damit beschäftigt, „Wie" und „Wo" sich das Denken der Gedanken entwickelt, werden sie nur mit heißer Luft handeln, und vermutlich bei ihren Göttern Zuflucht und Rat suchen wollen. „Danke, liebe Estrie, deine Gedanken fühlen sich in meinem Denkzentrum sehr gut aufgehoben. Magst du mit unserem Thema über das Sterben des menschlichen Körpers fortfahren? Oder soll ich das übernehmen?" Bitte, lieber „ES", lass mich dazu noch ein paar Gedanken ausführen." Dann möchte ich dich nicht aufhalten, liebe Estrie." Die letzten Gedanken zu diesem Thema beschäftigten sich damit, dass nach Eintritt des körperlichen Todes die Gehirnaktivität abnimmt, und würde wohl, so die Annahme der Wissenschaftler, seine ablaufprozessuale Denkarbeit vollständig beenden. Soweit so gut, lieber „ES". Dazu noch einige Gedanken aus Sicht von uns Geistwesen.

„Ruhe sanft und schlaf in Frieden, hab vielen Dank für deine Müh,
wenn du auch bist von uns geschieden, in unseren Herzen
stirbst du nie."

实验的时间范围（即几分之一秒）太狭窄，无法描述自由意志决策的过程。从您的角度来看，运动功能的触发可能在不知不觉中发生. 但是，将其转移到复杂的过程性思维过程中是完全没有根据的。根据我的理解，没有研究可以转向思考本身，而不是大脑，而是自我意识。这实际上使这些实验变得毫无趣味和毫无价值。当被问及近代关于人类自由意志的话题，关于行星地球的所有辩论实际上在多大程度上只是热空气时，就会很快找到我们灵魂的答案。只要现代地球上的科学不严重关注大脑研究，思想思维的
“如何”和“何处”发展它们就只会在热空气中传播，大概是与神灵一起寻求庇护和建议。
“谢谢您，亲爱的埃斯特里，您的想法在我的思维中心得到了很好的照顾。您想继续我们关于人体死亡的话题吗？还是我应该接管它？“亲爱的，”
IT，让我解释一些想法。”亲爱的埃斯特里，我不想阻止你。进入身体死亡后，大脑活动减少，根据科学家的假设，大脑活动将完全结束其程序性脑力劳动。到目前为止，一切顺利，亲爱的“
IT”。另外，从我们灵魂存在的角度来看一些想法。

“小憩片刻，安然入睡，非常感谢您的麻烦，即使你与我们离婚，在我们心中你永远不会死。”

Die Körpertemperatur fällt von Minute zu Minute, bis sie die Raumtemperatur annimmt, indem der Tode liegt, erreicht hat. Das unterschiedliche Zellgewebe stirbt wegen des Sauerstoffmangels ab und die Zellmembranen werden durchlässig, so dass der Zellinhalt auslaufen kann. Damit meine ich Bestandteile, wie zum Beispiel den Zellkern, in dessen Mitte der Nucleolus liegt. Es beginnt der Prozess der Fäulnis. Unter diesem Begriff, hier bezogen auf das Ableben eines Menschen, versteht die Menschheit eine Vielzahl an Prozessen, allerdings eng zusammengefasst, die nach dem Tod eines menschlichen Organismus, oder nach dem Absterben von Teilen eines Organismus, ablaufen. Im medizinischen Kontext gehört der Vorgang der Gewebefäule zum Symptomenkomplex der Nekrose, also eine pathologische Reaktion auf be-stimmte Einwirkungen. Kalzium sammelt sich in den Muskeln an, was letztlich zur Verstarrung führt. Der Körper wird in der Folge steif, entspannt sich allerdings nach einigen Stunden, sodass die restlichen Körperflüssigkeiten austreten können. Die Haut beginnt spürbar auszutrocknen und schrumpelt förmlich zusammen. In der Folge beginnt, je nach Bestattungsart, hier bezogen auf die so ge-nannte Erdbestattung, für viele Arten von Insekten und Gewürm, ein förmliches Festmahl. Sie zersetzen die verbliebenen Weichteile des toten Körpers meist innerhalb weniger Wochen. Bei einer Umgebungstemperatur von etwa zehn Grad Wärme, dauert dieser Prozess zirka vier Monate. Übrig bleibt für eine längere Zeit nur das Knochenskelett.

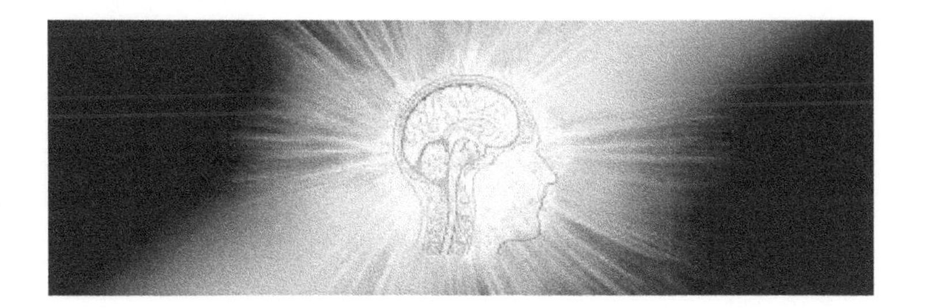

体温每分钟下降一次，直到达到死亡的室温。由于缺氧，不同的细胞组织会死亡，并且细胞膜变得可渗透，因此细胞内含物可能会泄漏出去。我的意思是指核仁位于其中的组件，例如细胞核。腐败过程开始。用这个术语，这里是关于人类的死亡，人类理解在人类有机体死亡之后或生物体的一部分死亡之后发生的许多过程，无论如何概括

在医学上，组织腐烂的过程属于坏死的症状复合体，即对某些影响的病理反应。钙在肌肉中累积，最终导致僵硬。结果，身体变得僵硬，但在几个小时后放松，因此剩余的体液可以逸出。皮肤开始明显变干，然后干sh。结果，根据埋葬的类型，基于所谓的埋葬，开始针对多种昆虫和蠕虫进行正式的盛宴。它们通常会在几周内分解尸体的剩余软组织。在大约十度的环境温度下，此过程大约需要四个月。只有骨质骨骼会保留很长时间。

Eine wichtige Frage in diesem Zusammenhang über das Sterben eines menschlichen Körpers, lieber „ES", betrifft das Absterben des menschlichen Gehirns, dem eigentlichen Denkzentrum von Männern, Frauen und Kindern dieser Spezies. Als Denkzentrum ist es nicht irgendein Körperorgan, sondern ein energetisches Zentrum von mentalen, ablaufprozessualen Vorgängen. Denken ist grundsätzlich ein rein energetischer Prozess. Das ist weitestgehend bei den uns Geistwesen im materiellen Universum bekannten denkenden körperlichen Lebewesen der höheren geistigen Ordnung allgemeiner Konsens. Einmal unterstellt, dass die Kenntnisse der Wissenschaftler vom Planeten Erde der Neuzeit, in Bezug auf die Hirnforschung sich noch im Anfangsstadium befinden, müsste es ihnen eigentlich bewusst sein, dass Denken und geistige Energie eine untrennbare Symbiose bilden. Insoweit ist das Absterben eines Gehirns, also dem energetischen Denkzentrum des Menschen, nicht möglich. Aus dem Energieerhaltungssatz wissen auch die Menschen, dass Energie nicht sterben kann. Anstatt sich mit mentaler Tatkraft darum zu kümmern, die geistigen, ablaufprozessualen Vorgänge im menschlichen Gehirn zu begreifen, verlagern sie ihre Forschungsarbeit darauf, den Tod des Gehirns aufzuteilen in tot und nicht ganz tot. Entschuldige bitte, lieber "ES", das mag von mir leicht skurril klingen, hat aber auf dem Planeten Erde der Neuzeit absolute Hochkonjunktur. Wie meine ich das? Nach Meinung von Gehirnwissenschaftlern dieser Spezies, sollte die moderne Medizin mit ihren vielfältigen Methoden eigentlich darauf bedacht sein, das Leben zu erhalten, und so möglich, den natürlichen Lebens-zeitraum zu verlängern. Daraus wurde eine relativ einfache Frage zum Mittelpunkt der möglichen Lebensverlängerung durch eine Organtransplantation.

在这种情况下，关于人体死亡的一个重要问题，亲爱的“
IT”，**涉及到人**类大脑的死亡，这是该物种的男人，女人和儿童的实际思维中心。作为思维中心，它不仅是任何人体器官，而且是精神，程序过程的活力中心。思维基本上是一个充满活力的过程。在很大程度上，这是物质宇宙中我们所熟知的高等精神秩序的思想物理生物的普遍共识。一旦假设关于大脑研究的现代行星科学家的知识仍处于早期阶段，他们实际上应该意识到思维和精神能量是不可分割的共生关系。在这方面，大脑（即人的精力充沛的思维中心）的死亡是不可能的。人们从能量守恒定律中也知道，能量不**会消亡。他**们没有将精力用脑筋来照顾人脑中的心理，程序过程，而是将研究工作转移到将脑死亡划分为死亡和不完全死亡。有点怪异，但在现代地球上绝对是蓬勃发展。我是什么意思该物种的大脑科学家认为，现代医学及其多种方法实际上应与保存生命有关，并在可能的情况下延长其自然寿命。这成为有关器官移植延寿潜力的一个相对简单的问题。

„Der Mensch muß beginnen, sein Gedächtnis zu verlieren, wenn auch nur in Teilen, um zu erkennen, dass das Ichbewusstsein alles ist, was das Leben von Männern, Frauen und Kindern ausmacht. Das Ichbewusstsein ist der ethische und logische Zusammenhalt, der Verstand, das Gefühl und das daraus resultierende Verhalten und Handeln. Ohne dem Ichbewusstsein ist der Mensch wie ein Raum„ ohne Inhalt.

Dietmar Dressel

Wann ist ein Mensch, oder etwas exakter gefragt, nach Ansicht der Wissenschaft und der Medizin auf dem Planeten Erde der Neuzeit tot, und zwar so, wie ich das bereits ausgeführt habe? Einige Neurologen vom Planeten Erde der Neuzeit finden dafür eine recht obskure Begründung: *Ein Mensch wäre dann tot, wenn die Diagnose des Hirntodes und deren Dokumentation abgeschlossen seien, und der letzte beteiligte Arzt damit einverstanden sein würde, seine Unterschrift unter das Diagnoseprotokoll setzen zu wollen. Dieser Zeitpunkt könnte dann als Todeszeitpunkt eingetragen werden. Jedenfalls im intensivmedizinischen Kontext.* Das ist allerdings eine völlig andere und wohl auch gewollte Definition des Todes, die mit der Realität des tatsächlichen Sterbevorganges keinerlei Bezug hat. Ein Mensch ist zweifelsfrei tot, so wie ich das bereits beschrieben habe, und wie das auch unter Wissenschaftlern auf dem Planeten Erde der Neuzeit ein überwiegender Konsens ist, wenn zweifelsfreie äußere Todeszeichen, wie zum Beispiel: Totenstarre oder Totenflecke vorliegen. Darunter versteht die Menschheit auf dem Planeten Erde der Neuzeit, die normalerweise rot bis hin zur blaugrauen Verfärbungen der Haut an den abhängigen Körperpartien, welche nach dem Tod auftreten. Die ersten sichtbaren Totenflecken entstehen etwa zwanzig bis dreißig Minuten nach dem Kreislaufstillstand.

„为了认识到自我意识是构成男人，女人和儿童生活的全部，人必须开始失去其记忆，即使只是部分失去记忆。自我意识是道德和逻辑的凝聚力，理解力，感觉以及由此产生的行为和行动。没有那个一个人像空间一样自我意识没有内容. “

Dietmar Dressel

正如我已经说过的那样，根据科学和医学，人类何时或更确切地说是死在现代地球上？来自现代地球的一些神经学家发现了一个相当模糊的原因：当大脑死亡的诊断及其记录完成后，一个人就会死亡，并且最后一位参与的医生会同意将他的签名贴在想要的诊断方案上.然后可以将此时间输入为死亡时间。至少在重症监护方面。但是，这是一个完全不同且可能是故意的死亡定义，与死亡的实际过程的真实性无关。正如我已经描述的那样，一个人无疑是死亡的，并且当存在明确的外部死亡迹象（例如严峻的死亡或**死亡地点**）时，现代行星地球上的科学家之间也达成了压倒性共识。人类在现代地球上都了解这一点，通常在死后会发生从属的身体部位皮肤从红色到蓝灰色的变色。第一个可见的死亡点出现在心脏骤停后约20至30分钟。

Bei Annahme der Zeitrechnung auf der Erde. Sie sind somit das am frühesten auftretende, sicherste Todeszeichen dafür, dass der menschliche Körper dauerhaft aufgehört hat, als lebender Mann, Frau oder als Kind zu existieren. Scheinbar schwieriger wird es für das medizinische Fachpersonal auf einer so genannten „Intensivstation". Damit ist in einem Krankenhaus auf dem Planeten Erde der Neuzeit ein stationäres Bereich zur medizinischen Betreuung gemeint, in dem akut lebensbedrohend erkrankte Männer, Frauen oder auch Kinder mit bestimmten lebenserhaltenden Sofortmaßnahmen, und unter ständiger ärztlicher Überwachung, behandelt werden müssen, wo der Kreislauf eines schwer erkrankten Menschen für längere Zeit künstlich aufrechterhalten werden kann, und dadurch die meisten lebenswichtigen Organe weiter funktionieren, obwohl die steuernden neurologischen Gehirnfunktionen irreversibel erloschen sein könnten. Für solche medizinisch recht bedenklichen Zustände, also des „tot seins" und gleichzeitig auch des „nicht tot seins" gibt es auf der Erde der Neuzeit eine Rechtsprechung zum Thema tot oder nicht tot, die im materiellen Universum bei den mir bekannten Völkern nicht anzutreffen ist. In diesem rechtlich gefassten Prozess wurde dezidiert festgeschrieben, was seit vielen Jahren auf dem Planeten Erde der Neuzeit diesbezüglich gängige Praxis war: *„Der „Hirntod", gemeint ist damit dass „nicht tot sein", ist die medizinische und rechtlich gesicherte Voraussetzung für eine „Organentnahme". Definiert ist dieser so genannte Gesamthirntod als Zustand, in dem die Gesamtfunktion des Großhirns, des Kleinhirns und des Hirnstamms unumkehrbar erloschen sei."* Ergänzend möchte ich noch hinzufügen, dass die Kriterien, nach welchen diese Beurteilung zum so genannten Tod des Gehirns eines Menschen festgestellt wird, nach genauen Vorschriften und Richtlinien staatlicher Organe einer so genannten Bundesärztekammer vom Planeten Erde der Neuzeit festgeschrieben sei. Sie seien wohl in einem umfassenden Protokollvordruck zusammengefasst, der jedes Mal von den beteiligten Ärzten abgearbeitet werden sollte.

假设计算地球上的时间。因此，它们是人体已经不复存在的最早，最可靠的死亡迹象。对于所谓的“重症监护病房”中的医务人员而言，这似乎更加困难。这意味着近代地球上一家医院的住院治疗区域，在其中，严重威胁生命的男女老少必须立即采取某些维持生命的措施并在持续的医疗监督下进行治疗，在这种情况下，循环系统必须治疗，重病患者可以人工维持更长的时间，结果，尽管控制神经系统的大脑功能可能会不可逆转地消失，但大多数重要器官仍在继续发挥作用。对于这种在医学上相当可疑的状况，即“正在死亡”并且同时也“没有死亡”，现代地球上存在关于我所知道的死者或未死者的判例。在这个法律上定义的过程中，它牢固地确立了现代行星多年来多年以来的普遍做法：“脑死亡”，这意味着“不死”是“清除器官”的医学和法律上的先决条件。所谓的全脑死亡定义为大脑，小脑和脑干的总功能不可逆转地消失的状态。根据现代行星地球上所谓的联邦医学协会的国家机关的精确规定和准则，可以确定所谓的人脑死亡。它们可能以综合方案表的形式进行了汇总，有关医生应每次对其进行处理。

Als Voraussetzung dafür könnte wohl gelten, dass eine primäre oder auch sekundäre Hirnschädigung vorliegen würde, also zum Beispiel wäre das nach ihrer Meinung ein Schlaganfall. Damit ist eine plötzlich auftretende zerebrovaskuläre Erkrankung des Gehirns gemeint, die oft zu einem länger anhaltenden Ausfall von Funktionen des Zentralnervensystems führt, und durch kritische Störungen der Blutversorgung des Gehirns verursacht werden kann. Unter einer zerebrovaskuläre Erkrankung versteht man auf dem Planeten Erde der Neuzeit eine Gruppe von Erkrankungen, welche die Blutgefäße des Gehirns, das heißt die Hirnarterien oder Hirnvenen, betreffen. Dann müssen zwei speziell qualifizierte Ärzte unabhängig voneinander eine Reihe klinischer Tests durchführen, darunter auch die so genannte Pupillenreflex-Untersuchung. Fallen alle Tests negativ aus, steht fest, dass der Patient kein Bewusstsein, keine Hirnstamm-Reflexe und keine spontane Atmung mehr hat. Schließlich muss noch nachgewiesen werden, dass diese Ausfälle unumkehrbar wären. Dies kann, je nach Art des Hirnschadens und Alter, durch apparative Zusatzuntersuchungen oder durch eine Wiederholung der klinischen Tests geschehen. Soweit so gut. Nach Durchsicht vieler Dokumente zu dem Thema Hirntod im Zusammenhang mit der Organspende, konnte ich auch feststellen, dass es gerade im ethischen Denken durchaus Ansätze gab und wohl auch noch gibt, die dem Thema Organspen-de durchaus kritisch gegenüberstehen. Allerdings handelt es sich hierbei um eine relativ kleine Minderheit bei der Bevölkerung auf dem Planeten Erde der Neuzeit. Dass es um das Hirntod-Kriterium immer wieder Diskussionen gab und scheinbar immer noch gibt, kann ich aus meiner Sicht zweifelsohne verstehen. Schließlich lebte ich als Frau, also als ein denkendes körperliches Lebewesen der höheren geistigen Ordnung eine befristete Zeit auf dem Planeten Venus. Nur so als Beispiel, lieber „ES“.

这样做的先决条件很可能是存在原发性或继发性脑损伤，例如，他们认为这将是中风。这意味着脑部突然发生的脑血管疾病，通常会导致中枢神经系统功能的长期失效，并且可能是由于脑部血液供应的严重紊乱引起的。在现代地球上，脑血管疾病是一组影响大脑血管（即脑动脉或脑静脉）的疾病。然后，两名具有特殊资格的医生必须相互独立地进行一系列临床检查，包括所谓的瞳孔反射检查。如果所有测试均为阴性，则很明显，患者不再意识清醒，没有脑干反射，也不再自发呼吸。最后，必须证明这**些失**败是不可逆的。根据脑损伤的类型和年龄，可以通过其他检查或重复临床检查来完成. 到现在为止还挺好。在查看了许多与器官捐赠有关的脑死亡主题的文件之后，我还能够确定伦理思维中仍然存在着仍然非常批评器官捐赠主题的方法。但是，在现代地球上，这是相对较小的少数群体. 我的角度来看，我无疑可以理解，关于脑死亡标准的讨论已经并且显然仍在进行。毕竟，作为一个女人，作为一个具有较高精神层次的思想实体，我在金星上生活了有限的时间。举个例子，更喜欢“IT”。

Steht man am Krankenbett eines befreundeten Berufskollegen, und man bekommt vom Arzt die Auskunft er sei hirntod, wirkt der Kranke nicht so, weil man diese schreckliche Nachricht nicht an sich herankommen lassen möchte. Sie ist einfach entsetzlich traurig. In dieser Situation wünscht man seinem Freund, er sei möglichst nur für eine begrenzte Zeit bewusstlos. Hirntod oder Bewusstlos? So überlegt man am Krankenbett des Freundes. Kann ein Gehirn, also das geistige Denkzentrum eines denkenden körperlichen Lebewesens der höheren geistigen Ordnung sterben, also endgültig tot sein? Das Gehirn, und nicht das Herz dieser Spezies, ist das Zentralorgan des gesamten Körpers. Wenn es aufhört zu funktionieren, hört das Leben eines Mannes, das einer Frau und das eines Kindes der von mir genannten Spezies als Individuum mit seinen Gedanken, seinen Erinnerungen, seiner Persönlichkeit auf zu existieren. „Entschuldige bitte, liebe Estrie. Ich beziehe mich, aus dem was du eben sagtest, auf einen Fragenkomplex, der nach einer logischen Antwort ruft. Ruh dich etwas aus, ich würde das gern ausführen wollen“. „Ich habe damit kein Problem, lieber „ES“, und höre dir gern zu.“ In deinen letzten Gedanken erwähntest du zwei wesentliche Begriffe. Ich meine damit ganz konkret den Hirntod und die Bewusstlosigkeit. Ich greife dabei nicht auf den Wissenstand von uns Geistwesen zurück, sondern mehr darauf, dass die Menschheit mit diesen beiden sehr wichtigen Zuständen ihres Lebens in der inhaltlichen Begründung sehr unterschiedlich, teilweise sehr widersprüchlich und nicht zu Ende gedacht umgeht. Möglicherweise spielen auch Beweggründe aus der Schöpfungslehre ihrer himmlischen Götter eine nicht unbedeutende Rolle. Wie dem auch sei. Nehmen wir uns den Hirntod, hier bezogen auf die Spezies Mensch vor. Also, was verstehen sie, ganz konkret und wissenschaftlich zweifelsfrei bewiesen, unter dem Hirntod eines Mannes, einer Frau oder dem eines Kindes. Ich könnte auch aus dem Tierbereich Lebewesen für die Beantwortung dieser Frage mit hinzuziehen, sie sind ja davon nicht ausgenommen.

如果您站在一个朋友的同事的床边，并且您从医生那里得到了他脑瘫的信息，那么病人就不会那样了，因为您不想让这个可怕的消息传给您。她只是很难过。在这种情况下，您希望您的朋友在可能的情况下仅在有限的时间内失去知觉。脑死亡还是昏迷？这就是您在朋友床边思考的方式。大脑（即，具有更高精神秩序的思想物理存在的精神思维中心）会死掉，即最终**死掉**吗？大脑而不是心脏的心脏是整个身体的中央器官。当它停止工作时，我命名的物种的男人，女人和孩子的生活就不再以他们的思想，记忆和性格个体存在。
“对不起，亲爱的埃斯特里。从您刚才所说的，我指的是需要逻辑答案的一系列复杂问题。休息一下，我想这样做”。

“**我没**问题，亲爱的”
IT”，**我想听听您的意**见。”**在您的最后想法中，您提到了两个基本**术语。我的意思是特别是脑死亡和意识丧失。我不是回过头来对我们的灵性生命的了解，而是基于人类在实质性辩护中以不同的方式处理生命的这两个非常重要的状态的事实，有时是非常矛盾的，并且没**有**彻底思考。他们的天神创造主义的动机也可能起着微不足道的作用。反正。让我们考虑与人类物种有关的脑死亡。因此，由男性，女性或儿童的脑死亡引起的具体科学证明是什么意思。我也可以用动物界的生物来回答这个问题，因为他们不能幸免。

Aber gut, lassen wir es bei den von mir bereits genannten Lebewesen aus der Spezies der denkenden körperlichen Lebewesen der höheren geistigen Ordnung, also den Menschen. Nach Auffassung der Mehrheit von bekannten Neurologen auf dem Planeten Erde der Neuzeit ist in keinem Gesetzeswerk der Tod definiert. Im Transplantationsgesetz einiger Länder auf diesem Planeten ist der Tod des Menschen lediglich indirekt mit dem Hirntod verknüpft, oder beruht auf sehr allgemein gehaltenen Empfehlungen für die Feststellung des Todes. Von einem Papst, also dem unmittelbaren Stellvertreter eines ihrer Götter, wurde mit Gottes Hilfe folgendes entschieden: *„Wenn eine tiefe Bewusstlosigkeit für permanent befunden wird, dann sind außerordentliche Mittel zur Weitererhaltung des Lebens nicht obligatorisch. Man kann sie einstellen, und dem Patienten erlauben zu sterben."* Kurz gefasst lässt sich zur Definition des Hirntodes auf dem Planeten Erde der Neuzeit folgendes feststellen: Als Hirntod wird das irreversible Ende aller Hirnfunktionen bei vorhandener Kreislaufaktivität und künstlich aufrechterhaltener Atmung aufgrund von weiträumig abgestorbenen Nervenzellen verstanden. Beim Begriff des Hirntodes handelt es sich um eine Todesdefinition, die im Zusammenhang mit der sich entwickelnden Intensiv- und Transplantationsmedizin eingeführt wurde. Der Hirntod wird oft als sicheres inneres Todeszeichen, oder als Äquivalent des menschlichen Todes angesehen. Liebe Estrie, wenn wir als Geistwesen einmal von unserer eigentlichen Thematik, damit meine ich „Das Denken der Gedanken" ausgehen, muss sich die Wissenschaft im Bereich der Neurologie vom Planeten Erde der Neuzeit schon die Frage gefallen lassen, wo bei ihren ganzen, teilweise haltlosen Begründungen für den Hirntod, das Wichtigste im Leben von denkenden körperlichen Lebewesen der höheren geistigen Ordnung, wenigsten eine Erwähnung finden würde. Ich meine die „Energie" auf der Grundlage des Energieerhaltungssatzes, und für ihre Beurteilung des Hirntodes, die „geistige Energie".

但是好吧，让我们把我已经提到过的具有较高精神秩序的物质存在的生物，即人类。在现代行星地球上大多数知名**的神**经学家看来，死亡在任何法律体系中都没有定义。在这个星球上某些国家的移植法中，人类死亡仅与脑死亡间接相关，或者基于确定死亡的非常一般性的建议。以下是教宗的决定，教皇是他们其中一位神的直属代表，在神的帮助下：“**如果**发现一种深沉的无意识是永久的，那么维持生命的非常规手段就不是强制性的。简而言之，以下是现代地球上脑死亡的定义：当存在循环活动并且人工呼吸时，脑死亡是所有脑功能不可逆转的终点。因广泛死亡而持续存在。脑死亡一词是与发展中的重症监护和移植医学相关的死亡定义。脑死亡通常被认为是确定的内部死亡迹象，或相当于**人的死亡**。亲爱的埃斯特里，如果我们作为精神生命从我们的实际话题开始，我的意思是“**思想的思考**”，**那么近代地球在神**经学领域的科学就必须解决所有问题之间的问题。关于脑死亡的原因（部分是毫无根据的）至少是一个值得一提的原因，它是思考具有较高精神秩序的物质生命中最重要的事情.我的意思是基于能量守恒定律的“**能量**”，对于脑死亡的评估是“**精神能量**”。

Sie wird mit keiner Silbe erwähnt, obwohl sie doch zweifelsfrei die Grundlage für ihre materielle Existenz ist. Nicht die Materie, die sie umgibt und aus der sie sich durch verschiedene Formen der Energieumwandlungsprozesse entwickeln können ist es, sondern die Energie, die die Existenz, wenigstens für die Zeit ihres begrenzten materiellen Lebens ermöglicht. Schon einer ihrer fähigen Physiker erkannte den untrennbaren Zusammenhang von Materie und Energie, indem er zu der Meinung kam, dass die Materie lediglich eine besondere Form der Energie sei.

Materie ist eine Illusion

Wenn sich im so genanntem Denkzentrum bei Menschen, also dem Gehirn, ausschließlich energetische ablaufprozessuale Denkprozesse auf der Grundlage des Energieerhaltungssatzes vollziehen, wie kommt man dann dabei auf die Entscheidung, dass auf der Grundlage von sechzig Prozent Fett und vierzig Prozent Proteinen, das ist der materielle Inhalt des menschlichen Gehirns, ein Mann, eine Frau oder ein Kind dieser Spezies tot sein könnte oder eben nicht? Etwas mehr konkrete Ernsthaftigkeit, und dafür weniger göttliche Glaubensvorstellungen, könnte man doch von der Menschheit vom Planeten Erde der Neuzeit schon erwarten dürfen? Bei unserem letzten Besuch auf dem von mir genannten Planeten konnten ich zweifelsfrei feststellen, dass das allgemeine menschliche Verhalten von großen Teilen der dort lebenden Männer, Frauen und Kinder doch offensichtlich davon geprägt ist, sich mehr und mehr den täglichen Grundbedürfnissen zu widmen.

尽管毫无疑问它是其物质存在的基础，但并未以任何音节提及它。
不是围绕它们的问题，而是它们可以通过各种形式的能量转换过程从中发展出来的问题，而是至少在其有限的材料寿命期间能够存在的能量。
他们的一位能干的物理学家已经认识到物质仅仅是能量的一种特殊形式，已经认识到了物质与能量之间不可分割的联系。

物质是一种幻想

如果在人类的所谓思维中心（即大脑）中，仅在能量守恒定律的基础上进行了充满活力的程序思维过程，那么如何做出决定，以百分之六十的脂肪和百分之四十的脂肪为基础百分比蛋白质，即人脑，该物种的男人，女人或孩子的物质含量可能会或可能不会死亡？
我们能从现代地球上期望人类多一点具体的严肃性，而不是更少的神圣信仰吗？

在我提到的最后一次造访地球的过程中，我毫无疑问地确定，居住在该地区的大部分男人，妇女和儿童的普遍人类行为显然是由于越来越多地致力于基本的日常需求而形成的。

Damit meine ich besonders das Essen, das Trinken, die ausschweifende Sexualität, die unsinnige Spielsucht und das ständige „Einkaufen wollen“ von Sachen die sie eigentlich gar nicht so benötigen und mit Geld, was ihnen so nicht gehört. Wie ein Damoklesschwert schwebt ständig die Gier nach den drei „Gs“ also Geld, Gold und Grundstücke über ihren Köpfen. Die Sorge und die Angst, letztlich doch einmal sterben zu müssen, treibt bei vielen Menschen die verrücktesten und zum Teil abartigsten Blüten, dem Tod möglichst nicht so schnell die Hand reichen zu müssen. In diesem Zusammenhang las ich in den Printmedien auf der Erde einen Artikel zum Thema „Organtransplantation“ der, liebe Estrie, in besonderer Weise unsere Gedanken zum Thema „Hirntod“ berührt. Die unterschiedlichen Auffassungen zu dieser Todesdefinition von Neurologen auf dem Planeten Erde der Neuzeit, die durchaus ernsthaft vertreten werden, stößt bei uns Geistwesen auf ein völliges Unverständnis. Die Wissenschaften auf diesen Planeten Erde der Neuzeit bieten genügende Erkenntnisse, um den Tod eines Mannes, den einer Frau oder den eines Kindes exakt zu definieren und die gedanklichen Spielereien mit dem Hirntod, zu mindest schon aus ethischen Grundsätzen, tunlichst zu lassen. Möglicherweise spielen bei dem komplexen Thema Hirntod auch erhebliche wirtschaftliche Interessen eine gewisse Rolle, was das geldlich gestützte Handeln mit Organen von „nicht toten Männern, Frauen und Kindern“ nicht rechtfertigen kann. Aber gut, es ist halt so. „Liebe Estrie, ich komme nochmals auf die Veröffentlichung eines Artikels zur Organtransplantation zu sprechen. Wenn es in dein Interessengebiet fallen würde, kann ich dir diesen Bericht einmal „gedanklich vorlesen“. Er weckte mein besonderes Interesse und habe ihn schon aus diesem Grund gesondert „abgespeichert.“ „Eine gute Idee von dir, lieber „ES“. Ich bin wirklich neugierig darauf, und werde dir gern zuhören.“

我的意思是特别指食物，饮酒，过度的性行为，愚蠢的赌博成瘾以及不断地“**想要**购买”**他**们实际上并不需要的东西，以及不属于他们的钱。金钱，黄金和土地这三个“
G”**的**贪婪像达摩克利斯之剑一样徘徊在他们的头上。对最终死亡的担忧和恐惧驱使许多人不必尽早与死亡握手，这是最疯狂，有时甚至是最变态的花朵。在这种情况下，我在地球上的印刷媒体上读了一篇有关“**器官移植**”**的文章**，亲爱的埃斯特里（Estrie），**以一种特殊的方式触**动了我们对“脑死亡”**的看法**。**当今社会上**，**神**经学家对死亡这一死亡定义的不同观点得到了非常认真的代表，但在我们的众生中却完全缺乏理解。现代地**球上的科学提供了足**够的知识，以尽可能准确地定义男人，女人或儿童的死亡以及脑死亡的智力游戏，至少基于道德原则。相当大的经济利益也有可能在复杂的脑死亡问题中发挥一定的作用，而脑死亡无法证明与“**不死的男人**，**女人和儿童**”**的器官**进行货币支持的交易是合理的。但是，就是这样。

“亲爱的Estrie，**我回**过头来发表有关器官移植的文章。如果它属于您感兴趣的领域，我可以一次``**向您朗**读此报告"。这引起了我的特别兴趣，因此我“**保存了它**”。“亲爱的IT**先生**，**您的好主意**”。**我**对此很好奇，很高兴听听您的声音。”

„Ein fremder Mensch tritt ungewollt in dein Leben ein, um es möglicherweise etwas zu verlängern. Sinnvoll wäre es, das eigene Leben in seiner begrenzten Zeit geistig zu vertiefen."

Dietmar Dressel

„Der Hirntode als Ersatzteillager für Organe"

„Man kann das Leben nicht dadurch verlängern, dass mit den Organen eines Mannes, einer Frau oder den eines Kindes, die dafür sterben müssen, die Betonung liegt dabei auf „müssen", der Tod besiegt werden könnte. Das ist absurd und absolut unsinnig es möglicherweise annehmen zu wollen. Das Leben eines denkenden körperlichen Lebewesens der höheren geistigen Ordnung ist zeitlich begrenzt. Das ist so, und nicht anders! Gleiches gilt für das Leben der Pflanzen, der Tiere und selbstverständlich auch für alle Planeten, Sterne und Galaxien im Universum. Ja weil wohl! Weil sie materiell gebunden sind und sich ihr immanenter Energiehaushalt umwandelt in andere Energieinhalte. Mit der Folge, dass die Materie, gleich in welcher Form sie bestehen sollte, sich verändert, sich wandelt. Im Volksmund, auf den verschiedenen bewohnten Planeten, sagt man zu solchen physikalischen und biologischen Veränderungsprozessen: Er, sie oder es stirbt. Und im „Sterben" ist die Geburt eines neuen Lebens eingebettet. Eben weil Energie nicht verloren gehen kann. Und Materie, eben bedingt durch den Wandlungsprozess von Energiestrukturen, gleich in welcher Form, nur zeitlich begrenzt existieren kann. Allein nur das „geistige Leben", losgelöst von allem „Materiellen", wird seine zeitlose Existenz im geistigen Sein, eingebettet in der geistigen Energie, finden.

***“一个陌生人无意**间进入了你的生活，以可能延长它的寿命。拥有自己的东西会很有意义**在有限的**时间内在精神上深化生活。”*

Dietmar Dressel

“脑死亡作为器官的备件存储”

*“**您不能通**过让必须为此而死的男人，女人或孩子的器官来延长寿命强调“**必须**”**才能**战胜死亡。接受它是荒谬的，绝对是荒谬的。具有较高精神秩序的思想实体的生命受到时间的限制。是这样，没有什么不同！这同样适用于植物，动物的生命，当然也适用于宇宙中的所有行星，恒星和星系。是的，因为可能！因为它们受到物质束缚，其内在的能量平衡被转化为其他能量含量。结果很重要，无论它以哪种形式存在，都会发生变化，变化。用流行的话说，在各种人类星球上，人们谈到了这样的物理和生物变化过程：他，她或它死了. 在“**垂死**”**中，嵌入了新生命的**诞生。正是**因**为能量不会丢失。而且，由于能量结构的转换过程，无论其形式如何，都只能在有限的时间内存在。只有脱离所有“**物质**”**的**“**精神生活**”，**才能在精神内**蕴藏着永恒的存在，而精神内在蕴藏着精神能量。*

Diese Angst, einmal sterben zu müssen, so glauben die Ethiker unter den denkenden körperlichen Lebewesen der höheren geistigen Ordnung, nährt die völlig verkrampften Bemühungen des unbedingt „körperlich am Leben bleiben wollens", koste es was es wolle. Ein Weg dafür scheint zu sein, meinen die Betroffenen jedenfalls, sich der Organe des so genannten Hirntoten zu bemächtigen. Demut und die Würde des Menschen bleiben bei solchen Bemühungen natürlich auf der Strecke – das ist auch klar! Es muß schon die Frage bei dieser Spezies erlaubt sein: „Wo der Wert des Lebens begründet sei". Zügle deine Ungeduld, lieber Gevatter Tod, zu diesem Thema komme ich noch. „Kein Problem, Helmut, so nennst du dich ja. Wenn ich von allem so viel hätte wie von der „Zeit", gänge es mir blendend. Was mich furchtbar nervt, ist die raffgierige Sucht nach Reichtum von einigen ausgekochten Geldhaien und mich, also den Tod, einfach aufspalten in tot und nicht ganz tot. Wenn jemand auf dieser Welt weiß was tot ist, dann doch ich. Man braucht mich bloß zu fragen. Auf die richtige Antwort müssen sie nicht lange warten. Aber gut, Helmut, lass dich nicht aufhalten." „Keine Sorge, lieber Gevatter Tod, es ist in dem Zusammenhang wohltuend, auch mal deine Meinung zu hören. Also gut, weiter mit dem Thema Hirntod." Genauer betrachtet gibt es den Hirntod nicht. Es ist eine Erfindung von besonders geldgierigen Köpfen, die in der Organtransplantation ganz erhebliche Gewinnchancen sehen, die auch vorfinden und ganz praktisch realisieren können. Es geht dabei weniger um das scheinbar medizinische Erfordernis schwer erkrankter denkender körperlicher Lebewesen der höheren geistigen Ordnung, für eine gewisse Zeit das Leben eines so Betroffenen möglicherweise zu verlängern. Ganz sicher geht es darum nicht. Denn um das zu erreichen, also die Lebensverlängerung durch ein Ersatzorgan, muss, und die Betonung liegt zweifelsfrei auf muss, ein anderes Lebewesen dieser Spezies sterben. Und damit ist beileibe nicht der Alterstod gemeint.

这种担心必须死掉一天的恐惧，因此相信具有更高精神秩序的有思想的生命体中的伦理学家，无论付出了多大代价，都滋养了绝对“想要维持生命”的完全局促的努力。据受影响者说，至少这样做的一种方法似乎是抓住所谓的脑死者的器官。谦卑和人格尊严自然会落在这种努力的旁边-

这也很明显！对于这个物种，必须已经提出了一个问题：“生命的价值基于什么”。抑制您的不耐烦，亲爱的教父，我稍后再讨论。

“没问题，Helmut，这就是你自称的。如果我拥有与“时间”一样多的所有东西，那会没事的。令我非常恼火的是贪婪地沉迷于一些沸沸扬扬的金钱鲨鱼的财富，然后将我（即死亡）分裂为死亡而不是完全死亡，如果这个世界上有人知道死了，那我一定会做。您所要做的就是问我。您不必等待很长时间就可以得到正确的答案。但是，Helmut，请不要让自己停下来。”“亲爱的死神，别担心，在这种情况下，听听您的意见是有益的。好吧，关于脑死亡的话题。“更确切地说，没有脑死亡之类的东西。这是一个特别贪婪的头脑的发明，他们看到器官移植中非常可观的获利机会，这也可以以非常实用的方式找到并付诸实践。在较高的精神秩序中有严重病态的思想者的明显的医学要求，是不太可能将以此方式受影响的人的寿命延长一定的时间。绝对不是那个。因为为了实现这一目标，即通过替换器官延长生命，该物种的另一个生物必须死亡，而毫无疑问，重点是必须这样做。而且这绝不是老年死亡。

Da geht kein Weg daran vorbei, ob ein gesunder Mann, eine lebenslustige Frau, oder ein quicklebendiges Kind das für gut hält oder nicht.

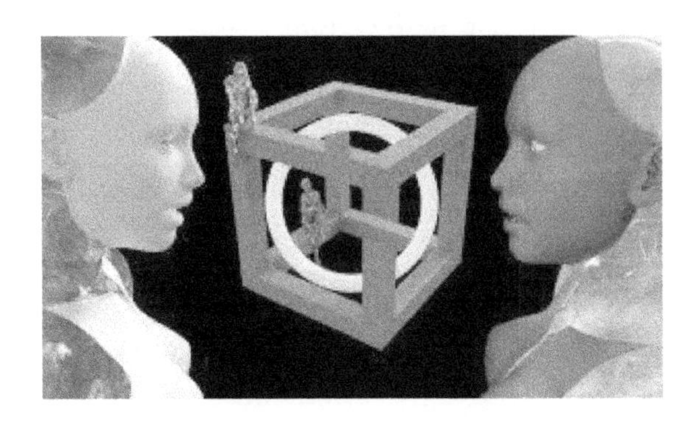

Was ist paradox? Paradox ist, wenn einer einen Krieg anzettelt und dafür für den Friedensnobelpreis vorgeschlagen wird.

Peter E. Schumacher

Das an sich ist ein Paradoxon! Damit meine ich, lieber Gevatter Tod, falls du dich in diesem Bereich nicht so gut auskennen solltest, dass so ein, ich nenne es mal so als erzwungenes Verhältnis" zwischen Schwerkranken und gesunden Menschen, um auf dem Planeten Erde vorerst zu bleiben, die zu tote kommen „müssen", ein unauflösbarer Widerspruch besteht. Insofern haben viele Kritiker recht, und darunter sind nicht nur die Ethiker, sondern auch viele Ärzte wenn sie sagen, dass die Definition für den Hirntod, also die eigentliche Voraussetzung, um auf der Grundlage von nationalen, und möglicherweise auch von internationalen Rechtsgrundsätzen, Organtransplantationen durchführen zu können, medizinisch sehr sorgfältig und nach ethischen Grundsätzen definiert werden sollte, eben sollte.

一个健康的男人，**一个**爱好娱乐的女人或一个活泼的孩子都认为这是件好事，这无可避免。

什么是悖论？
当有人发动战争并获得诺贝尔和平奖提名时，这是自相矛盾的。

Peter E. Schumacher

这本身就是一个悖论！
我的意思是，亲爱的死神，如果您不熟**悉**这个领域，那么，重病和健康的人们之间的这种“**我称之**为强迫关系”，**以便**暂时留在地球上，那些“**必**须”**死去的人**，**存在着一个无法解决的矛盾。在**这方面，许多批评家是正确的，不仅包括伦理学家，而且包括许多医生，他们说脑死亡的定义，即基于国家法律原则以及可能基于国际法律原则的实际前提，应当严格按照道德原则在医学上对器官移植进行定义

Würde man alle Anstrengungen unternehmen, damit kein gesundes denkendes körperliches Lebewesen der höheren geistigen Ordnung gewaltsam zu tote kommen würde, gäbe es keine legalen Möglichkeiten, einem Schwerkranken mit einem Ersatzorgan sein Leben möglicherweise für eine kurze Zeit zu erhalten. So einfach ist das. Dazu ein passendes Beispiel vom Planeten Erde. Die Politik, die Entwicklung der Technik und das Verhalten der Menschen, in einem kleinen Land im Herzen Europas, schaffte es in einem relativ kurzen Zeitraum von zirka zwanzig Jahren, die Unfalltoten bei Verkehrsunfällen, von jährlich etwa achtzehntausend toten Männern, Frauen und Kindern, auf etwa dreitausendfünfhundert zu mindern. Dazu sei ergänzt, dass Verkehrstote, soweit sie durch einen Unfall nicht völlig verstümmelt wurden, oder verbrannten, für eine Organtransplantation bestens geeignet wären. So man ihnen die Organe, rechtlich beurteilt, entnehmen dürfte. Unabhängig von solchen Voraussetzungen wurden, allein durch entsprechende Maßnahmen der staatlichen Organe, ich denke dabei an ein Alkoholverbot während des Fahrens, oder für ein entsprechendes Tempolimit auf Straßen, die man besonders schnell befahren könnte, dafür gesorgt, dass Menschen, und zwar sehr viele, ihr Leben weiter genießen können. Sehr zum Leidwesen der Schwerkrankten, die auf Organe angeblich dringend angewiesen sind. Um noch einmal auf das Thema Paradoxon zu kommen. Genau darin besteht es. Genau darin ist es eingebettet. Wird also unablässig und mit großem Nachdruck darauf geachtet, dass keine körperlich denkenden Lebewesen der höheren geistigen Ordnung zu tote kommen müssten, also wie bereits gesagt: Männer, Frauen und Kinder, um auf dem Planeten Erde Bezug zu nehmen, gäbe es logischerweise auch keine lebenserhaltenden Spenderorgane. So einfach ist das.

如果要尽一切努力使高等精神秩序的健康思想有形生命不会被武力消灭，*就没有合法的可能性在短时间内挽救患有重病的器官较重的人的生命。就这么简单，这就是地球上的一个合适的例子。在欧洲中心的一个小国，政治，技术的发展和人们的举止在大约二十年的较短时间内每年杀死约一万八千男人和女人，并杀死了约三千五百名儿童。百。还应该补充的是，道路死亡，如果没有在事故中完全被肢解或烧毁，将是器官移植的理想选择。只要经过合法判断的器官都可以从器官中取出。不管有这些先决条件，我都在考虑禁止开车时饮酒，或者相应地限制可以特别快速行进的道路的* ***速度，以确保尽管很多人仍然可以*** *继续享受生活。那些急需器官的重病患者大为cha恼。回到悖论的主题。就是这样。那就是它的嵌入位置。因此如果已经无休止地并高度强调，没有任何具有较高精神层面的生理思考的生物会灭亡，正如已经说过的：男人，妇女和儿童指的是地球，从逻辑上讲，也就不会有维持生命的存在。器官。就如此容易.*

Weil solche gesellschaftlichen Bemühungen, körperlich denkende Lebewesen der höheren geistigen Ordnung vor einem gewaltsamen Tod zu schützen, erkennbar an Achtsamkeit gewinnen, greifen die, die dem lieben Geld verfallen sind, zu den abartigsten kriminellen Methoden, um unter dem Deckmantel der humanen Ret-tung von Menschenleben, ihr geldgieriges Unwesen zu treiben. Aber, keine Sorge lieber Gevatter Tod, auf das Thema komme ich später noch zu sprechen. Den Hirntod gibt es überhaupt nicht. Wir haben beide das Thema schon kurz erörtert. Er ist eine Erfindung der Transplantationsmedizin. Nur dafür wird der so genannte Hirntod gebraucht. Wenn wir einmal von medizinischen Forschungsarbeiten am Gehirn von denkenden körperlichen Lebewesen der höheren geistigen Ordnung absehen wollen. Der Körper eines denkenden körperlichen Lebewesens der höheren geistigen Ordnung ist für die Transplantation von fremden Organen in sein „Inneres“ nicht bereit. Er wehrt sich generell dagegen. Aus diesem Grund unternehmen die Mediziner natürlich alles, um die aufkommende Abstoßreaktion im betroffenen Körper in jedem Falle zu unterdrücken, auch wenn diese, meist medikamentösen Maßnahmen, ganz erhebliche gesundheitliche Schäden bei den betroffenen Transplantationspatienten auslösen die meinen, sich eines neuen, gesunden Organs erfreuen zu können. Die wenigen Jahre, die sie mit einem Ersatzorgan eingeschränkt möglicherweise erleben werden, ist das Leben, das sie mit einem Invaliden vergleichen können. Also ein Mensch, um auf dem Planeten Erde zu bleiben, der durch eine schlimme Verletzung, durch eine schwere Krankheit, oder Verwundung eine körperliche oder geistige Behinderung hat und dauerhaft arbeitsunfähig ist. Um das wenigstens zu erhalten, meinen die Betroffenen kranken Menschen, und vorallem Bereiche der Medizin und des Geldes, müssen gesunde Menschen gewaltsam zu tote kommen. Auch klar! Woher sollte man sonst gesunde Organe erhalten. Der liebe Gott liefert sie nicht!

由于这种保护精神上的高级精神实体免受暴力死亡的社会努力正明显地获得正念，因此那些沉迷于金钱的人以人道的报复性命为借口，采用最狡猾的犯罪手段来驱使他们生活。贪婪的恶作剧。但是，不用担心，亲爱的死神，我稍后再回到该主题。没有脑死亡之类的东西。我们俩都简要讨论了这个主题。它是移植医学的发明。为此仅需要所谓的脑死亡。如果我们想忽视在具有更高精神秩序的思维生物的大脑上进行的医学研究工作。具有较高精神秩序的有思想的有生命体的身体尚未准备好将异物移植到其"内部"。他通常会拒绝。因此，医生会采取一切措施来抑制在任何情况下在患处产生的排斥反应，即使这些（主要是药物性措施）对相关移植患者的健康造成相当大的损害，他们相信他们会寻求治疗。新的，能够享受健康的器官。您可能会遇到的器官更换受限的几年就是您可以与无效器官相比的生活。因此，要留在地球上的人由于严重的伤害，严重的疾病或伤口而处于身体或精神上的障碍，并且永远无法工作。为了至少做到这一点，那些受影响的人认为病人，特别是在医药和金钱领域，必须强行杀死健康人。当然可以！一个人应该从哪里得到健康的器官呢？好主不拯救他们！

Es gibt Verantwortliche in diesem Segment Transplantations-medzin, die schrecken nicht einmal davor zurück Soldaten, also angeblich die Helden der Nation, die ihr jugendliches Leben auf dem Schlachtfeld der Ehre blutbesudelt verloren haben, bevor der Verwesungstod eintritt, schnell noch gegen sehr viel Geld die Organe und alles was sonst noch vom gewesenen Helden der Nation übrig ist, ausschlachten zu lassen, um sie dann meistbietend zu verhökern. Der Rest vom ehemaligen heldenhaften Mann, oder der mutigen kampfeslustigen Frau, in der blutbesudelten, zerfetzten Uniform wird dann ohne großes Federlesen in der Erde verbuddelt, auch klar. Na danke! Übrigens, damit ich das nicht vergesse. Das Ausschlachten der Organe von getöteten Soldaten ist auf der Erde der Neuzeit ganz alltägliche Praxis und keine Ausnahme. Schließlich soll ein Soldat ja von Nutzen sein, in dem er die bösen Buben auf der anderen Seite des Schlachtfeldes mit seinem Flammenwerfer abfackelt, oder mit seiner Maschinenpistole niedermäht. Sollten zufällig alte Männer, Frauen und Kinder dabei sein, mein Gott, waren sie halt zur falschen Zeit am falschen Ort. Wenn allerdings die so genannten bösen Buben auf der gegenüberliegenden Seite des Schlachtgetümmels die Unverschämtheit besitzen sollten und zurückschießen, und dabei noch zu allem Übel die tapferen Helden der Nation gegebenenfalls schwer verletzten, oder gar töten? Schreck lass nach! Ja gut, dann bleiben schließlich und endlich noch seine Organe. Vorausgesetzt, sie wurden durch die Ballerei des Gegners nicht völlig zerfetzt und damit unbrauchbar für eine Organtransplantation. Zu was muss, oder besser gesagt, sollte ein Soldat schon nützlich sein. Abartig, einfach nur menschenverachtend und höchst abartig, lieber Gevatter Tod. Während meines körperlichen Lebens auf der Erde las ich zum Thema Organspende unter anderem den Satz: „Nimmt man alle Organe von Männern, Frauen und Kindern zusammen, sterben in Deutschland, ein kleines Fleckchen Erde in mitten Europas, jeden Tag Menschen, weil, eben für sie kein Spenderorgan verfügbar wäre.“

***在**这一部分的移植医学中，甚至没有逃避士兵的负责人，据称是国家英雄，他们在因腐朽而死之前在荣誉战场上失去了年轻的生命，很快就赚了很多钱。器官以及国家前英雄留下的所有其他物品，然后再将其出售给出价最高的人。然后，其余的前英雄人物，或勇敢，好战的女人，穿着沾满鲜血，破烂不堪的制服，被埋在地上，没有大惊小怪，也很清楚。谢谢！顺便说一句，这样我就不会忘记这一点。食人兵的器官食人化在现代是很普遍**的做法，也不例外**。毕竟，一个士兵应该被认为是有用的，他可以用喷火器将战场另一侧的坏男孩炸开，或者用冲锋枪将它们割下来。如果老男人，女人和孩子碰巧在那儿，我的天哪，他们只是在错误的时间出现在错误的地方.但是，如果在动荡的对立面的所谓坏男孩应该有这种无礼并回击，并且把一切都摧毁，严重伤害甚至杀死这个国家的英勇英雄，该怎么办？吓坏了！是的，那么，最后他的器官将保留下来。前提是它们没有被对手的射击完全撕裂，因此无法用于器官移植。士兵应该做什么？亲爱的教父，这很反常，只是不人道和极其反常。在地球上的一生中，我读到以下**关于器官捐**赠的句子：“**如果将所有男人**，妇女和儿童的器官放在一起，它们就会死在德国，在欧洲中部的一小块土地上，人们因为没有捐助器官，所以每天都是如此。”*

Was für eine menschenverachtende Forderung verbirgt sich in verdächtiger Wartestellung hinter so einer Aussage? Ja was wohl? Und dann auch noch schriftlich in einer Tageszeitung. Das ist Skrupellosigkeit pur in seiner schlimmsten Form. Fehlt nur noch die Aufforderung an junge gesunde Menschen, sich gefälligst umgehend vor ein fahrendes Auto oder Zug zu werfen, damit in ausreichender Stückzahl Spenderorgane zur Verfügung stehen. Einfach abartig, wirklich einfach abartig. Gilt denn die Würde des Menschen nur für kranke Männer, Frauen und Kinder, die ein Spenderorgan benötigen? Was ist mit der Würde von gesunden Männern, Frauen und Kindern die gefälligst ihr Leben opfern sollen, damit Kranke ein Spenderorgan bekommen können? Widerlich! Der Wert des menschlichen Lebens wird doch hier mit Füßen in die Gier nach immer mehr Geld getreten. Gott sei Dank gibt es immer weniger Organspenden, was nichts anderes bedeutet, dass immer weniger Menschen gewaltsam zu tote kommen müssen. Jawohl müssen! Das hält allerdings die Menschen, deren Verstand und Gefühl am richtigen Platz sitzen nicht davon ab, den Schmerz und die Sehnsucht nach Leben von den schwer erkrankten Menschen zu fühlen, die um ihr Leben kämpfen. Um den Kampf gegen den Tod zu gewinnen, ist der egoistische Schrei nach einem Spenderorgan der falsche Weg. Den Tod kann man nicht besiegen! Man kann sein Kommen möglicherweise etwas verschieben, aber nicht um den Preis, dass dafür andere Menschen sterben müssen. Apropos Sterben! Wenn das körperliche Leben auf einem bewohnbaren Planeten so unendlich wichtig erscheint, warum lassen wir es zu, dass täglich hunderte Kinder verhungern. Diese Kinder brauchen kein Ersatzorgan, oder eine aufwendige medizinische Betreuung. Nein, das brauchen sie nicht. Bestimmt brauchen sie das nicht! Sie haben Hunger und wollen nur etwas zu Essen, mehr nicht! Wo bleiben ihre Würde und ihr Recht auf Leben? Bitte, wo bleibt sie? Wieder zurück zu unserem eigentlichen Thema, lieber Gevatter Tod, den so genannten Hirntod.

*这种说法背后可疑的等待状态隐藏着什么样的不人道的要求？是，什么？然后还以日报形式撰写。那是最坏形式的纯粹的不道德行为.唯一缺少的是要求年轻健康的人立即将自己扔在行驶中的汽车或火车前，以便有足够数量的供体器官可用。只是异常，实际上只是异常。人的尊严仅适用于需要供体器官的患病的男人，女人和儿童吗?健康的男人，女人和儿童的尊严该怎样牺牲自己的生命，使病人能够获得供体器官呢？真恶心！越来越多的金钱使贪婪践踏了人类生命的价值。幸运的是，器官捐赠越来越少，这意味着越来越少的人被暴力杀害。是的，必须！但是，这并不能阻止思想和感情处于正确位置的人们感受到为自己的生命而战的重病患者的痛苦和对生活的渴望。为了赢得与死亡的斗争，对捐献器官的自私的呼喊是错误的方法。你无法战胜死亡！您可以推迟您的到***来*，*但不要以其他人*为此而牺牲的代价为代价。说起快死了！如果在一个宜居的星球上，物质生活显得如此重要，那么为什么我们每天要让成百上千的儿童挨饿至死。这些孩子不需要更换器官或接受广泛的医疗护理。不，您不需要那。您当然不需要那个！您饿了，只想吃点东西，仅此而已！他们的尊严和生命权在哪里？拜托，她在哪里？回到我们的实际话题，亲爱的死神，所谓的脑死亡。*

Der Hirntod ist, ganz pragmatisch gedacht, in erster Linie eine Todesdefinition, die im Zusammenhang mit der Entwicklung der Organtransplantationsmedizin auf den verschiedenen bewohnten Planeten eingeführt wurde und sich kontinuierlich entwickelt. Natürlich auch auf dem Planeten Erde. Der Begriff Hirntod bezeichnet das irreversible Ende aller Hirnfunktionen. Damit meine ich, dass eine Ausheilung, Gesundung, oder kurz gesagt, eine Rekonvaleszenz dieses Zustandes nicht möglich ist. Korrekterweise sollte ich hinzufügen, nicht möglich erscheint. Was weiß man schon bei den körperlichen denkenden Lebewesen der höheren geistigen Ordnung vom Aufbau und der Arbeitseise dieses rätselhaften Organs, dem Gehirn? So gut wie nichts. Aber lauthals vom Hirntod labern. Sie tun es aus einem bestimmten Zweck heraus. Sie wollen die Organe eines Körpers dieser Spezies Mensch, um auf dem Planeten Erde zu bleiben. Und von lebendigen Männern, Frauen und Kindern dieser Spezies bekommen sie keine, wenn sie dafür nicht strafrechtlich relevant zur Verantwortung gezogen werden sollen. So geht das, wenn die Gier nach Ruhm, Geld und Reichtum mit einbezogen wird und dabei die Oberhand behalten sollte. Aus diesem Grund, nicht nur aber auch, wird der Hirntod auch gern als sicheres inneres Todeszeichen angesehen. Es gäbe da auch noch die äußeren Todesanzeichen, wie zum Beispiel Verwesungsmerkmale. Aber, auch absolut verständlich. Dem messen diese Transplantationsmediziner, und die dahinter hechelnden Geldgeber natürlich keinen Wert bei. Denn bei solchen unmissverständlichen Anzeichen, also den sichtbaren Verwesungsmerkmalen, ist der betroffene kranke Mensch, wieder auf die Bevölkerung der Erde bezogen, tatsächlich tot. Und ich meine damit mausetot! Von wirklich mausetoten Menschen sollte man natürlich keine Spenderorgane entnehmen, die sind ja nicht mehr zu gebrauchen, und damit wertlos. Dafür gibt es kein Geld! Auch klar.

***以非常**实用的方式，脑死亡主要是对死亡的定义，这种定义已被引入，并随着在各种居住星球上器官移植医学的发展而不断发展。当然也在地球上。术语脑死亡表示所有脑功能的不可逆转的末端。我的意思是说，这种状态的康复，恢复或简而言之是不可能的。正确地，我应该补充一点，这似乎是不可能的。我们对这个神秘的器官，大脑，更高的精神秩序的物质，思想存在的结构和工作了解多少？一无所有。但是要大声谈论脑死亡。他们这样做是有目的的。他们希望这种人类的身体器官留在地球上。如果他们不为此被追究刑事责任，他们就不会从这种**活着的男人，女人和儿童那里得到任何好**处。当包括对名望，金钱和财富的贪婪并且应该保持优势时，这就是它的工作方式。由于这个原因，不仅大脑死亡而且还经常将其视为死亡的可靠内在征兆。也有外部死亡迹象，例如腐烂迹象。但是，也绝对可以理解。当然，这些移植医生及其背后的捐助者对此并不重视。因为有这种明显的迹象，即可见的恶化迹象，患病的人实际上已经死亡，再次与地球人口有关。我的意思是老鼠死了！当然，不应从真正死去的人身上去除供体器官，因为它们不再可用，因此一文不值。没有钱！也清楚。*

Zu diesem Thema berichtete mir ein guter Freund vor längerer Zeit von einer Grundeinstellung aus Fachkreisen der wissenschaftlichen Medizin, der Rechtswissenschaften und von Ethikkommissionen aus Zeiten, als die Bevölkerung noch bemüht war, nicht nur dem Geld und unsinnigen Gelüsten nachzuhetzen. Sinngemäß, soweit ich mich an das Thema erinnere, wurde um die exakte, nachweisbare und verlässliche Definition, bezüglich der Sicherheit darüber gestritten und gerungen, inwiefern die Feststellung des Hirntodes, als absolut sicheres „inneres Todeszeichen" des körperlichen denkenden Lebewesens der höheren geistigen Ordnung angenommen werden darf, oder eben nicht. Nach dem Hirntod, so die Meinung der Wissenschaftler, gäbe es keine Schmerzempfindung mehr. Aus dieser Erkenntnis heraus sei bei Organentnahmen nach dem Hirntod auch keine Narkose zur Schmerzverhütung nötig. Die nach dieser Erklärung der Wissenschaftler begründete Entscheidung für die Ärzteschaft widerspricht allerdings ganz erheblich der gängigen Praxis bei Organentnahmen, und aufgrund deutlich unterschiedlicher Sachkenntnis und anderer, als nur biologischer Betrachtungsweisen für die Ursachen des inneren Todes. Äußerst unangenehme körperliche, als auch seelische Schmerzen sind bei der Organentnahme, besser ich sage bei der rücksichtslosen Ausschlachterei von allem medizinisch Brauchbaren nicht vermeidbar. Und, damit der vertrauensvolle und opferbereite, für tot erklärte Organspender während der ganzen rücksichtslosen Ausschlachterei nicht plötzlich vom Operationstisch springt, wird er in weiser Voraussicht an Händen und Füßen angeschnallt. Weil, ja weil wohl. Der "Patient", also der Spender von Organen ist ja nicht tot. Das ist in der Wissenschaft Gott sei Dank unstrittig geworden. Um unnötige Komplikationen, also wilde Bewegungen und grauenhafte Schmerzensschreie des Organspenders tunlichst zu unterdrücken, neigen manche Chirurgen bei der Organentnahme hie und da dazu, die ablaufprozessualen Vorgänge dafür zu „optimieren".

很久以前，一个好朋友告诉我关于科学医学，法律和道德委员会的专家圈的基本态度，那时人们仍然不仅在追求金钱和毫无意义的欲望。相应地，就我所记得的话题而言，关于安全性的确切，可验证和可靠的定义存在争议，并在一定程度上争论了确定脑死亡作为脑死亡的绝对确定的"内在征兆"的程度。更高或更高的精神秩序的身体，思想的生物可能会被接受，也可能不会被接受。根据科学家的观点，大脑死亡后将不再有疼痛感。基于此知识，在脑死亡后摘除器官时，无需麻醉即可预防疼痛。但是，科学家根据这一声明做出的支持医学专业的决定与器官摘除的普遍做法相矛盾，并且由于专业知识的差异很大，而不仅仅是生物学方法来处理内部死亡。摘除器官时，不可避免的是极度不舒服的身体和精神上的痛苦，更好的是，我会无情地宰杀所有对医疗有用的东西。因此，在整个残酷的屠宰过程中，被宣布死亡的那位信任和自我牺牲的器官捐献者不会突然跳下手术台，他的手脚被有远见地束缚着。因为，是的，因为很好。
"病人"，即器官捐献者并没有死，感谢在科学界无可争议的上帝。为了抑制不必要的并发症，即器官捐献者的野蛮动作和痛苦的惨叫声，一些外科医生有时会倾向于"优化"器官切除的过程。

Klingt erstmal gut, bedeutet allerdings nichts anderes, als dass vor dem „Eingriff“, also vor dem Herausräumen der Organe aus dem lebendigen Körper des Organspenders, ein synthetisches Opioid verabreicht wird. Es ist eines der stärksten Schmerzmittel. Also mindestens hundert Mal stärker als zum Beispiel Morphin. Von einer Vollnarkose, die deutlich hilfreicher für den betroffenen Organspender wäre, will man natürlich in der Ärzteschaft bei solchen Organtransplantation nichts wissen, auch wieder verständlich. Schließlich würde dies der vertrauensvollen Bevölkerung offenbaren, dass der so genannte tote Organspender in Wirklichkeit noch gar nicht tot sei. Daraus ist unschwer zu entnehmen, dass die Organtransplanteure auf keinen Fall davon ausgehen kann, dass der Organspender, dem auf dem Operationstisch lebendfrische warme Organe herausgeschnitten werden sollen, bereits im eigentlichen Sinne tot und ohne jedes Schmerzempfinden sei. Ganz im Gegenteil! Wie bei einem operierten, lebenden Patienten reagiert auch der so genannte Hirntote auf Schmerzen. Aber nicht nur das? Auch die Pulsfrequenz verändert sich, der Blutdruck variiert erheblich und körpereigene Hormone werden ausgeschüttet. Ein wirklich mausetoter Körper, also ein Leichnam, um es einmal anders auszudrücken, ist zu solchen Reaktionen nicht im Entferntesten mehr fähig. Über belastende Untersuchungen, mögliche Gefahren und Fehleinschätzungen bei der Hirntoddiagnostik wird die Bevölkerung eines Landes nicht aufgeklärt. Unbekannt bleiben auch, wie häufig Fehldiagnosen bei einem angeblich Gehirntoten festgestellt werden. Indessen werden immer mehr Fälle bekannt, in denen bei so genannten Hirntoten" durch eine konsequente Fortsetzung umfassender lebenserhaltender Maßnahmen, diese angeblich „Gehirntoten“ wieder gesund wurden. So, jetzt Schluss mit dem schaurigen Thema. Ich muss davon erstmal loslassen. „Magst du, lieber Gevatter Tod, noch etwas zu diesem Thema loswerden, dann würde sich jetzt eine gute Gelegenheit dafür bieten.“

乍一听听起来不错，但它无非是在“干预”之前，即在从器官供体的活体中取出器官之前施用合成的阿片类药物。它是最强大的止痛药之一。因此比吗啡强至少一百倍。当然，医生不希望对全身麻醉有所了解，对于这种器官移植来说，这对于可以理解的器官捐献者来说将大有帮助。毕竟，这将向值得信赖的公众表明，所谓的死器官捐献者实际上根本没有死。由此可以容易地推断出器官移植在任何情况下都不能假定要从手术台上切下新鲜活的温暖器官的器官供体实际上已经死亡并且没有任何疼痛。但是相反！与手术的活着患者一样，所谓的脑死也对疼痛产生反应。不仅如此吗？脉搏率也改变，血压变化很大，人体自身的激素被释放。换句话说，一个真正的尸体，即尸体，已不再遥不可及。没有向一个国家的人口通报有关脑死亡诊断的压力检查，可能的危险和错误判断的信息。还不清楚在一个据称脑死亡的人中发现误诊的频率。同时，越来越多的案例表明，所谓的“脑死亡”是通过随之而来的持续的综合维持生命的措施，这些所谓的“脑死亡”又一次让你好了，亲爱的感恩之死，有话要说在这个问题上，那么现在将是一个很好的机会。”

„Ich würde dazu wirklich noch einiges ergänzen, zwar nicht ganz so grausam, aber nicht minder wichtig.“ Also, nur so als Beispiel. Wie sahen das die Menschen auf dem Planeten Erde in Zeiten des „Ägyptischen Reiches“. Das soll ja nur ein Beispiel dafür sein, dass man sich schon immer Gedanken um den “lieben Tod“, also um mich machte, und wie man mich gegebenenfalls überlisten könnte, sollte ich mich unverhofft sehen lassen. Diese „Bemühungen, an mir grüßend vorüberziehen zu können, ist in meinem Leben gängiges „Versuchen“. Dabei bleibt es allerdings auch. Überholt hat mich von den körperlich denkenden Lebewesen der höheren geistigen Ordnung noch keiner und wird es auch nicht. Anders verhält sich das bei geistigen Lebewesen, aber das ist ja ein anderes Thema. Im Menschenbild der alten Ägypter wurde das Herz als zentrales Organ des Körpers gesehen und repräsentierte daher natürlich auch die Seele, also das geistige Leben des Toten. Das zu berühren für mich nicht erlaubt ist. Diese anschauliche Denkweise und das dazugehörige Verhalten bestimmte in signifikanter Weise für Jahrtausende das kardiozentrische, ich meine damit ein auf das menschliche Herz fokussierte Menschenbild der meisten nachfolgenden Religionen und Kulturen. Wie sich das auf anderen bewohnten Planeten entwickelte, weiß ich nicht. Ist allerdings für unser Thema auch nicht so ausschlaggebend. Das Ausbleiben des Herzschlages, begleitet vom Stillstand der Atmung und spontanen Bewegungen, blieben bis zum Zeitalter der Aufklärung die allgemein gültigen Anzeichen dafür, dass ich bereits am Bett des Verstorbenen stand, um ihn in das ungeliebte Totenreich mitzunehmen. Der guten Ordnung halber muss ich hier hinzufügen, dass sich manche Verstorbene in meinem Bereich pudelwohl fühlen. Warum verkrampfen sich viele Menschen, nur wieder als Beispiel für mögliche andere Vergleiche, und mögen sie dabei bereits ein sehr hohes Alter erreicht haben, so inbrünstig an das körperliche Leben auf der Erde, um bei diesen Planeten zu bleiben? So nur zum Lachen und Trallala ist das doch nicht?

*“**我确**实会添加一些东西，虽然不那么残酷，但也同样重要。”**好吧，作**为一个例子。在“**埃及帝国**”时代，地球上的人们如何看待它。这仅是一个例子，说明人们一直关注“亲爱的死亡”，**也就是关于我，以及如果我出乎意料地表**现出自我，人们可能会比我聪明。这些“**能**够过去并向我问好的努力”**是我生命中的常**见“尝试”。**但**这一直保持下去。较高的属灵秩序的生理思考生物都没有超越我，也不会超越我。精神存在与众不同，但这是一个不同的话题。在古埃及人的形**象中，心**脏被视为身体的中央器官，因此当然也代表了灵魂，即死者的精神生活。我不允许接触。这种清晰的思维方式和相关行为在几千年来以心脏为中心的重要方式中得以确定，我的意思是人类的心脏专注于随后大多数宗教和文化的人类形象。我不知道这在其他有人居住的星球上是如何发展的。但是，对于我们的主题而言，它并不是决定性的。直到启蒙时代，心跳的消失以及呼吸的停止和自发性的运动一直保持着普遍有效的迹象，表明我已经在死者的床旁，将他带到死者的不受人爱的境界。为了秩序，我必须补充一点，一些死者在我所在的地区感到非常舒适。为什么许多人**再次**紧张起来，作为另一个可能进行其他比较的例子，又可能他们已经到了非常老的年龄，如此热衷于地球上的物质生活，以致他们仍然留在这些行星上？只是让你笑，特拉拉拉不是吗？*

Na, jedenfalls nicht nur, und besonders nicht für alle. Für einige wenige von ihnen, ja vielleicht? „Was schaust du mich dabei so fragend an, Helmut?“ „Ach nichts, red weiter. Ich hör dir zu!“ „Na, du warst auch schon witziger. Also gut, dann mal weiter mit meinen Gedanken zum „Sterben“. Ich meinte das „Sterben“ müssen, oder wollen, besonders im Alter, wenn der Körper nicht mehr das aushält und mit machen kann, was er möglicherweise noch sollte. Was ist daran so unnatürlich? Es gehört zum Leben! Oder der Geist? Was ist mit den Menschen, die sich ständig geistig suchen müssen, damit sie wissen, ob sie wirklich das sind, was sie sein wollen? Ohne jeglichen Zweifel ist doch der Körper von denkenden körperlichen Lebewesen der höheren geistigen Ordnung vergänglich, und nur die Seele, das Ichbewusstsein hebt diese Lebensform über die Vergänglichkeit des körperlichen Daseins auf bewohnbaren Planeten hinweg. Sie gehen einen Weg, dem ich nicht folgen darf. Und das aus gutem Grund. Die unbändige Kraft der Sehnsucht nach Liebe sollte doch die Gedanken der Menschen, und überhaupt aller körperlich denkenden Lebewesen der höheren geistigen Ordnung beflügeln. Nur sie befreit sie von den Fesseln der materiellen Habsucht, und führt sie behutsam auf den Weg in eine geistige Welt. „Ein sehr schönes Schlusswort von dir, lieber Gevatter Tod, ich hätte das nicht besser formulieren können.“ „Ich bitte dich, Helmut, auch ich habe, bei allem Ernst meines Schaffens, auch eine romantische und philosophische Seite. Bleib gesund, wir sehen uns bestimmt wieder. Es wird noch eine Weile dauern, aber, wir werden uns sehen. Es war wohltuend, mit dir zu reden.“ „Das Kompliment, lieber Gevatter Tod, gebe ich gern zurück!“ „Soweit dieser Bericht, liebe Estrie, den ich dir nicht vorenthalten wollte und der auch ganz gut zu unseren Gedanken zum Thema Gehirntod passt.“

好吧，至少不仅如此，尤其是对所有人而言。对于其中的一些，也许？

“**你**怀疑地看着我，赫尔穆特？”**我听你的！**”“嗯，你也很有趣。好吧让我们继续我关于“**死亡”的想法。我的意思是“垂死”或想要，尤其是在年老**时，身体不再能忍受并应做的事情。那有什么不自然的呢？这是生活的一部分！还是鬼？对于那些需要不断地进行精神探索以使自己知道自己是否真正想成为自己的人呢？毫无疑问，思想较高的精神秩序的生物体是易腐烂的，只有灵魂，自我意识才能将这种形式的生命提升为高于可居住行星上物理存在的易腐性。您正在走我不允许走的路。并且有一个很好的理由。对爱情的渴望具有不可抑制的力量，它应该激发人们的思想，并激发人们的思想，总的来说，是所有具有更高精神秩序的具有身体思想的生物的思想。这是使他们摆脱贪婪的束缚，并轻轻地引导他们进入精神世界的唯一途径。

“亲爱的冷酷的收割者，您的来信很不错，我无法说得更好。”“**求求您，赫**尔穆特，尽管我的工作很认真，但我也有浪漫和哲学的一面.保持健康，我们一定会再次见到您。待会儿，但我们会见面的。很高兴与您交谈。““亲爱的教父，我将很高兴向您表示感谢！”“亲爱的Estrie，对于本报告，我不想向您隐瞒，这也非常符合我们的想法。脑死亡的主题。“

„Unsere Seele muß, wenn sie nicht verkommen will, jeden Tag ihre Wäsche wechseln. Der moralische Mensch hat so gut seine Respiration wie der physische, und nur durch dieselbe bleiben wir lebendig. Wir bleiben nicht gut, wenn wir nicht immer besser zu werden trachten."

Gottfried Keller

„Danke lieber „ES", ich habe wieder etwas dazugelernt. In diesem Bericht wurde auch auf die menschliche Seele Bezug genommen. Wenn du einverstanden sein solltest, würde ich dazu gern ein paar Sätze sagen." „Ein guter Gedanke von dir, liebe Estrie. Ich werde dir sehr aufmerksam zuhören." Wenn es dieses geheimnisumwitterte innere geistige „Etwas" bei den Menschen schon geben sollte, wo bitte hat diese so genannte Seele ihren „räumlichen Wohnsitz" im menschlichen Körper? Und die nächste Frage, die ich den Menschen stellen möchte würde lauten: Wohin geht oder wandelt sie schwebend nach dem körperlichen Tod eines Mannes, einer Frau oder eines Kindes? Keine Sorge, lieber „ES", ich habe bei unserem letzten Besuch auf dem Planeten Erde der Neuzeit in der Bibliothek einer bekannten philosophischen Fakultät einige Aufzeichnungen dazu lesen können.

“如果我们的灵魂不想浪费，那就必须每天换衣服。有道德的人有呼吸，也有身体的呼吸，只有通过呼吸，我们才能存活。我们留下如果我们不总是努力变得更好，那就不好了。”

Gottfried Keller

“谢谢您亲爱的” ES“，我又学到了一些东西。
在这个叙述中也提到了人类的灵魂。如果您同意，我想说几句话。我会非常仔细地听你说：“如果人体内应该有这种神秘的内在精神”，那么这个所谓的灵魂在人体中何处有其“空间居所”？我要问的下一个问题是：男人，女人或孩子死后，她去哪儿走路？IT”，请放心，在我们上次访问现代行星时，我能够在著名哲学系图书馆中阅读一些笔记。亲爱的“

Folgt man den vermeintlichen Erkenntnissen, sei es wohl in der wissenschaftlichen Vergangenheit ein Thema von besinnlichen Märchenstunden gewesen. Nun gäbe es, so die Behauptungen der Autoren dieser „Erkenntnisse“, unwiderlegbare wissenschaftliche Erkenntnisse darüber. „Entschuldige bitte, liebe Estrie, deine letzten Worte lassen meinen Geist hellwach werden.“ „Oh, das glaube ich dir gern, lieber „ES“. Du wirst bestimmt mehr als nur erstaunt sein, auf was Menschen alles kommen können, wenn es um ihre Seele geht. Übrigens ein „geistiges Organ“, ich will es mal so bezeichnen, das ich bei meinen Besuchen von bewohnten Planeten im materiellen Universum noch nicht angetroffen habe. Aber gut. Für viele Menschen auf der Erde der Neuzeit war und ist ja immer noch die Erde der Nabel des gesamten materiellen Universums. Und auf diesem „Nabel“ des gesamten Universums besitzen die Menschen halt eine Seele. Aus und Punkt! Wieder zurück zu den neuesten wissenschaftlichen Erkenntnissen der Menschheit für dieses geistige Konstrukt mit Namen Seele. Bei der Bevölkerung auf dem Planeten Erde der Neuzeit hält sich seit vielen Jahrhunderten die angeblich „uralte Weisheit“ von der ewigen Existenz der menschlichen Seele mit den Worten: *„Mach das Fenster weit auf, wenn jemand gestorben sein sollte, damit die Seele zum Himmel fliegen kann“*. Früher war es angeblich in den meisten Krankenhäusern und Pflegeheimen üblich, die Fenster zu öffnen, wenn ein Mann, eine Frau oder ein Kind gestorben war. Alle Mitarbeiter und Mitarbeiterinnen, besonders die Krankenschwestern und Krankenpfleger wussten darüber Bescheid. Heute, so ist in den Unterlagen nachzulesen, wäre diese gängige Praxis wohl, besonders in den Industrieländern auf dem Planeten Erde der Neuzeit, mehr die Ausnahme. Diesen so oft zitierten Satz, also dem mit den offenen Fenstern, nahmen nun angeblich einige Wissenschaftler vom Planeten Erde der Neuzeit etwas näher unter die so genannte wissenschaftliche Lupe.

如果您遵循假设的发现，则可能是科学过去中沉思的童话故事的主题。现在，根据这些“发现”**的作者的主**张，对此有无可辩驳的科学知识。

“对不起，亲爱的Estrie，**您的**遗言使我的大脑大为清醒。”“**哦**，亲爱的”

IT”，**我想相信您。当人**们谈到自己的灵魂时，您一定会惊讶不已。顺便说一句，我想称其为“**精神器官**”，这是我访问物质宇宙中有人居住的行星时尚未遇到的。但是很好。对于现代地球上的许多人来说，地球过去是而且仍然是整个物质宇宙的肚脐。在整个宇宙的“**肚**脐”**上**，**人**们只有灵魂。断点！回到人类最新的科学知识中，这种称为灵魂的精神建构。许多世纪以来，现代地球上的人们一直持有着人类灵魂永恒存在的所谓“**古老智慧**”，**其文字**为：“**当某人死亡**时打开窗户，以便灵魂可以飞向天堂。

当男人，**女人或孩子死亡**时，打开窗户是大多数医院和疗养院的通行做法。所有员工，特别是护士，都对此有所了解。如今，正如在文档中可以读到的那样，这种普遍做法将更加例外，尤其是在现代地球上的工业化国家中。这个据说经常被引用的句子，即一个开着窗户的句子，现在据说被现代行星地球上的一些科学家在所谓的科学显微镜**下拉近了。**

Trotz aller Verschiedenheit in der Vorstellung bei der Begründung einer „menschlichen Seele“ quer durch die zeitlichen Epochen und gesellschaftlichen Schichten auf dem Planeten Erde, interessierte die Idee einer unsterblichen Essenz, ob nun jung oder alt, sehr viele Menschen. Als Geistwesen würden wir unter der „unsterblichen Essenz“, von mir etwas weit gefasst, die Wesenheit, also die „innere Natur“ oder das „Sosein“ eines denkenden körperlichen Lebewesens der höheren geistigen Ordnung verstehen. Mit diesen doch sehr unwissenschaftlichen Begründungen von ei-nigen Wissenschaftlern auf der Erde der Neuzeit, wäre es möglicherweise sogar naheliegend, so die Behauptung der Wissenschaft auf diesem Planeten, dass wohl auch an die Idee eines irgendwie gearteten Lebens nach dem körperlichen Tod zu glauben sei. Diese Idee, bezüglich des Lebens nach dem körperlichen Tod, wies allerdings in einem Denkzusatz darauf hin, dass es wohl noch unbewiesen und wohl eher sehr fraglich sei, ob es dieses ewige Leben nach dem körperlichen Tod eines Mannes, einer Frau oder eines Kindes, in irgend einer himmlischen Welt, auch wirklich geben würde und die menschliche Seele tatsächlich in den göttlichen Himmel aufsteigen könnte, um dort möglicherweise eine neue Heimat zu finden.

尽管在地球上的各个时代和社会阶层中建立``人类灵魂''的概念存在所有差异，但不朽的本质的想法吸引了许多年轻人，无论年轻人还是老年人。作为精神存在者，我们会从某种程度上将“不朽的本质”理解为本质，即具有更高精神秩序的有思想的有生命体的“内在本质”或“存在”。根据现代地球上一些科学家的这些非常不科学的论据，根据这个星球上科学的断言，甚至相信肉体死亡后某种生命的想法甚至可能是显而易见的。但是，这种关于死后生命的想法在附录中指出，它仍然没有得到证实，并且在一个天堂世界中，是男人，女人还是孩子死后是否是这种永生，这可能是非常值得怀疑的。
实际上可以给予，人类的灵魂可以实际上升至神圣的天堂，以便可能在那里找到新的家。

„Du willst mit nüchternem Verstand das Göttliche beweisen? Das heißt, nach einem Fabelland auf Eisenbahnen reisen.“

Otto von Leixner

Mittlerweile gäbe es, so konnte ich nachlesen, immer mehr ernsthafte öffentliche Auseinandersetzungen mit dem Leben nach dem körperlichen Tod von Männern, Frauen und Kindern. Viele Männer und Frauen vom Planeten Erde der Neuzeit seien von diesem „seelischen“ Thema verständlicherweise fasziniert, und so würden sich natürlich immer mehr Menschen und auch wissenschaftlich orientierte Kreise wohl auch ernsthaft damit beschäftigen. Mit meinen nächsten Gedanken, lieber „ES“, möchte ich auf einen interessanten Bericht zu dieser Thematik hinweisen, den ich zufällig bei meinen Recherchen, im letzten Besuch auf dem Planeten Erde der Neuzeit, zu lesen bekam. Im Wesentlichen geht es dem Verfasser darum, wie es möglich sein kann, dass eine konkrete wissenschaftliche Vorstellung davon ausgehen kann, was möglicherweise geschehen könnte, wenn ein Mann, eine Frau oder ein Kind sterben sollte. Einige bekannte Wissenschaftler auf dem von mir genannten Planeten der Neuzeit, hätten wohl dazu eine Theorie für die menschliche Seele entwickelt, die wohl höchst bemerkenswert sei. Aus ihrer Sicht würde wohl die menschliche Seele, unsterblich sein, also ewig leben können. Ihren Vorstellungen nach, würde sie wohl in das materielle Universum zurückkehren. Auf welchen ablaufprozessualen, energetischen Prozessen sich das alles vollziehen könnte, wurde kein Bezug genommen. Ihre scheinbar interessante Theorie besagt, dass das Wesen des Menschen, oder die menschliche Seele in Strukturen, oder wie sie es nennen, in so genannten Mikrotubuli enthalten sein könnte. Darunter versteht man in der Wissenschaft der Neurologie auf dem Planeten Erde der Neuzeit feine Eiweißstrukturen, die innerhalb einer Zelle zu einem röhrenähnlichen System zusammengeschlossen seien.

“您想用清醒的心证明上帝吗？这意味着要乘火车前往神话般的国家。”

同时，我能够读到，关于男人，妇女和儿童身体死亡后的生活，有越来越多的严重公共争端。可以理解，现代星球上的许多男人和女人都对这个“精神”主题着迷，因此，当然，越来越多的人和以科学为导向的圈子对此都非常感兴趣。关于我的下一个想法，亲爱的“IT”，我想参考一份关于这个主题的有趣报告，我在上次访问现代行星时的研究过程中碰巧看到了该报告。本质上，作者关注的是具体的科学观念如何假设男人，女人或孩子死了会发生什么。我任命的现代行星上的一些著名科学家会为人类灵魂开发出一种最杰出的理论。从他们的角度来看，人类的灵魂可能是不朽的，即能够永远活着。根据您的想法，它很可能会回到物质世界。没有提及所有这些过程都可以在哪些程序上进行，充满活力的过程发生。他们看似有趣的理论是，人类的本质或人类的灵魂可以被包含在所谓的微管结构或他们所谓的微管中。在现代行星神经科学中，这被理解为是指在细胞内结合形成管状系统的精细蛋白质结构。

Die Mikrotubuli bilden zusammen, so ihre Erkenntnis, mit den intermediären Filamenten und den Mikrofilamenten die Grundlage für das Cytoskelett der Zelle, welches in dieser Form nur bei Eukaryoten vorkommt. Mikrotubuli kommen als bewegliche und kurzlebige oder auch als stabile und langlebige Versionen vor. Soweit so gut. Auch hier zeigt sich in diesen so genannten wissenschaftlichen Er-kenntnissen für uns Geistwesen die krasse Widersprüchlichkeit von einerseits energetischen ablaufprozessualen Abläufen, wie zum Beispiel die angebliche Wanderung der menschlichen Seele nach dem körperlichen Tod ihres Wirtskörpers, also dem eines verstorbenen Mannes, dem einer Frau oder dem eines Kindes, in ein materielles Universum, was nur auf rein energetischen ablaufprozessualen Prozessen geschehen kann einerseits, und andererseits der körperliche „Aufenthalt" der menschlichen Seele während der Lebenszeit der von mir eben genannten Spezies in menschlichen Eiweißstrukturen. Es sollte doch einen Wissenschaftler auffallen, dass das grundsätzlich nicht zusammen passen kann und in sich einen antagonistischen Widerspruch darstellt. Vermutlich gehen sie davon aus, dass das menschliche Gehirn, also diese sechzig Prozent Fett und die vierzig Prozent Proteine tatsächlich so eine Art „biolo-gisches Quanten-Orchester" sei. Bleibt für uns Geistwesen natürlich die Frage, was sie wohl darunter verstehen wollen. Die scheinbare zutreffende Antwort fand ich in der von mir besuchten philosophischen Fakultät, bei unserem letzten Besuch auf dem Planeten Erde der Neuzeit. Du wirst vermutlich darüber erstaunt sein, lieber „ES", auf was Forscher dieses Planeten alles kommen können, um etwas zu beweisen, was sie sicher gern möchten, aber so nicht richtig ist. Sie gehen im Wesentlichen davon aus, dass ein aus der Forschung kommender Ansatz zur Erklärung, wie ein menschliches Bewusstsein entstehen könnte, nach wie vor heftig umstritten sei und sich das auch in großen Teilen von zutreffenden Publikationen widerspiegeln würde.

微管，**以及中**间丝和微丝，以及中间丝和微丝，构成了细胞骨架的基础，该细胞骨架仅以这种形式存在于真核生物中。微管具有移动性和短期性，也有稳定和长期性的形式。到现在为止还挺好。在这里，这种所谓的科学知识也向我们展示了精神生命与精力充沛的过程的矛盾，例如所谓的人类灵魂在其宿主身体（即已故者的身体死亡）之后的迁移。女人或孩子，在物质宇宙中，一方面只能发生在纯粹充满活力的过程中，另一方面，在我刚刚提到的物种生命周期中，人类灵魂的物理**"停留"会**发生人类蛋白质结构。科学家应注意，它们基本上不能在一起，并且它们代表了对立的矛**盾**。**他**们大概认为人脑，即百分之六十的脂肪和百分之四十的蛋白质，实际上是一种"**生物量子**乐队"。**当然**，对于我们来说，灵性生命仍然存在的问题是他们想从中了解什么。在我们上次访问现代行星地球时，我在所访问的哲学系中找到了看似正确的答案。亲爱的"
IT"，**您可能会惊**讶于地球上的研究人员想出什么来证明他们希望看到的东西，但这是不正确的。他们基本上认为，一种解释人类意识如何产生的研究方法仍然存在很大争议，并且这也将在相关出版物的大部分内容中得到体现。

Bei dieser widersprüchlichen öffentlichen Haltung müssen wir als Geistwesen allerdings darauf hinweisen, dass es die Forschung auf diesem Planeten besonders schwer hat, gegen die glaubensbehafteten Doktrin ihres Gottes im göttlichen Himmel überhaupt ein wissenschaftlich begründetes Gehör zu finden. Wieder zurück zu den Bemühungen der Forschung auf diesem Planeten Erde der Neuzeit etwas mehr Interesse für ihre Bemühungen, eine nachvollziehbare Erklärung für das menschlichen Bewusstsein zu entwickeln. Also, während die Wissenschaftler des Planeten Erde der Neuzeit sich bemühen, das Bewusstsein eines Mannes, einer Frau oder das eines Kindes biologisch, chemisch und physikalisch zu erklären, machen die so genannte Quanteneffekte das Zustandekommen des Bewusstseins verantwortlich. Denn, so ihre wissenschaftliche Begründung, was quantenphysikalisch im Gehirn vor sich gehen würde beeinflusst, nach ihrer Hypothese, die Elektrochemie und würde diese möglicherweise sogar verursachen können. Der Begriff, gemeint ist damit die Elektrochemie, versucht dabei eine Analogie zum Quantenbegriff der Physik zu bilden, in der der Begriff der Quanten für die kleinsten Pakete der Photonen verwendet wird, die allem Sichtbaren zugrunde liegen. Das Gehirn könnte, so ihre feste Überzeugung, gewisse Funktionen durchführen, die kein finiter Algorithmus, also kein endlicher Problemlösungsprozess durchführen kann und dass manche Denkprozesse fundamental nicht algorithmisch, also nicht problemlösungsbezogen seien, was nichts anderes nach ihrer Meinung bedeuten würde, dass solche Funktionen keinesfalls, zum Beispiel mittels eines Hochleistungsrechners modelliert, also nachgebildet werden könnten. Erste Ansätze der Theorie, so konnte ich nachlesen, gibt es seit etwa fünfzig Jahren Erdzeit, wobei ein quantenphysikalisches Modell des Bewusstseins wohl entwickelt wurde, das als eine so genannte Orchestrierte Objektive Reduktion, gemeint ist damit ein „Modell des Geistes“, bezeichnet wird.

鉴于这种矛盾的公众态度，我们作为精神存在者必须指出，然而，在这个星球上进行研究特别困难的时期是要找到科学依据，反对他们在神圣天堂中上帝的忠实学说。再一次，回到现代这个星球上的研究工作，人们对他们为人类意识发展出一种可理解的解释的努力多了一点兴趣。因此，尽管地球上的现代科学家试图从生物学，化学和物理角度解释男人，女人或孩子的意识，但所谓的量子效应却归咎于意识的出现。因为，根据他们的科学依据，**大**脑中量子物理学中发生的事情会根据他们的假设影响电化学，甚至可能引起电化学。该术语（表示电化学）试图创建类似于物理学中的量子术语，其中术语量子用于表示可见光基础的最小光子包。她坚信，大脑可以执行某些功能，即有限算法（即没有有限的解决问题的过程）可以执行，并且某些思维过程从根本上讲不是算法的，即与解决问题无关的，而根据他们的意见将意味着，无论如何都无法对此类功能进行建模，例如，无法通过高性能计算机（即模拟计算机）进行建模。我能够读到的第一种理论方法已经在地球上存在了大约五十年，由此开发出了意识的量子物理模型，这就是所谓的**“精心策划的客**观还原”，**意思是“心灵模型”**，简称。

Ein Bewusstsein, so ihre feste Überzeugung, würde im menschlichen Gehirn demnach nicht durch elektrochemische Prozesse zwischen den Neuronen, sondern durch so genannte Quanteneffekte in den Neuronen oder in den kleinen Eiweißröhrchen im Zytoskelett der Zellen entstehen können. Diese Eiweißröhrchen könnten in einem offenen oder geschlossenen Zustand sein und daher ein geeignetes Medium bilden, in dem Quanteneffekte aufrechterhalten werden könnten. Soweit ich das in ihren Unterlagen erkennen konnte, lieber „ES", wendeten allerdings einige Kritiker bei dieser Theorie ein, dass Quanteneffekte von derart kurzer Dauer sind, dass sie zerfallen, bevor sie Einfluss auf neuronale Prozesse nehmen könnten. Auch sei wohl das menschliche Gehirn viel zu warm für Quanteneffekte, die nur bei sehr niedrigen Temperaturen hergestellt werden konnten. Allerdings hätten wohl auch einige Experimente bestätigen können, dass sich Quanteneffekte auf die makroskopische Welt auswirken könnten, und zwar auch auf lebende Organismen. Interessant für uns Geistwesen ist doch immer wieder die Erkenntnis, dass sich die Wissenschaft auf dem Planeten Erde der Neuzeit bezüglich der Gehirnforschung und bei Lebensprozessen nicht von materiellen Strukturen lösen können und der „geistige Ergebnissprung" sich statt dessen einen Weg zu grundsätzlich energetischen Prozessen sucht. Das Leben von denkenden materiellen Formen, gleich welcher Art, gleich in welcher Form, ist endlich. Das ist selbst unter den meisten Wissenschaftlern vom Planeten Erde der Neuzeit weitestgehend unstrittig. Letztlich werden all ihre wissenschaftlichen Bemühungen zur Erforschung der sechzig Prozent Fett und der vierzig Prozent Proteine, also der materielle Inhalt ihres so genannten Denkzentrums, dem menschlichen Gehirn, mit dem „Sterben" ihres Planeten Erde „ebenfalls sterben". Das Leben, gleich in welcher Form, ist in ablaufprozessualen Denkprozessen eingebettet und ein unlösbarer Bestandteil der geistigen Energie.

他们坚信，意识不会通过神经元之间的电化学过程在人脑中产生，而是通过神经元或细胞骨架中小蛋白管中的所谓量子效应产生。这些蛋白质管可以处于打开或关闭状态，因此构成可以维持量子效应的合适介质。据我在他们的文件中所看到的，更喜欢“ES”，一些批评家反对这种理论，即量子效应的持续时间如此之短，以至于它们在影响神经元过程之前就已经衰变了。人们还说，人的大脑太温热，无法产生仅在非常低的温度下才能产生的量子效应。但是，一些实验可能已经证实，量子效应会影响宏观世界，包括活生物体。对我们而言，让众生感兴趣的知识是，现代地球上的科学无法从大脑研究和生命过程的物质结构中脱颖而出，而“结果的精神跳跃”反而找到了从根本上寻求能量的过程的方法。思维形式的生命无论是哪种形式，无论形式如何，都是有限的。即使在大多数来自地球的现代科学家中，这在很大程度上也是无可争议的。最终，您所有的科学努力都将研究60%的脂肪和40%的蛋白质，即您所谓的思维中心（即人脑）的物质含量也会“死”于地球的“死亡”。任何形式的生命都嵌入到过程性思维过程中，并且是精神能量不可分割的一部分。

Wenn denkende körperliche Lebewesen der höheren geistigen Ordnung, die Menschheit gehört ja dieser Spezies auch an, das nicht annehmen können oder möglicherweise nicht wollen, oder in märchenhaften Glaubensvorstellungen von irgend welchen göttlichen Mächten gefangen bleiben und zur Grundlage ihrer wissenschaftlichen Gehirnforschung und zum Leben selbst ausrichten, werden sie zu keinen Erkenntnissen bezüglich geistiger ablaufprozessualer Lebensprozesse, eingebettet in der geistigen Energie, kommen können. Danke liebe Estrie, ich habe wieder einiges dazu lernen können. Unabhängig davon würde ich gern noch ein paar Gedanken zum möglichen Tod eines so genannten menschlichen Bewusstseins sagen, so wie man sich bei den Wissenschaftlern vom Planeten Erde der Neuzeit das so vorstellt. Dass hat allerdings keinerlei Bezug zum geistigen Ichbewusstsein von Geistwesen und von allen denkenden körperlichen Lebewesen der höheren geistigen Ordnung. Auf diese besonders interessante Thematik, damit meine ich das so genannte menschliche Bewusstsein versus geistiges Bewusstsein, wie es wirklich existiert, werden wir, liebe Estrie, zu einem späteren Zeitpunkt noch ausführlich zu sprechen kommen. Bei meinen jetzigen Gedanken möchte ich allerdings nur auf das so genannte menschliche Bewusstsein Bezug nehmen, und dabei jedes Gleichnis zum geistigen Ichbewusstsein vermeiden. Ich möchte noch ein paar Gedanken zum so genannten menschlichen Bewusstsein mit dir austauschen, sowie es die neurologische Wissenschaft vom Planeten Erde der Neuzeit unter wissenschaftlich begründeter Forschungsarbeit verstehen möchte. „Liebe Estrie, magst du zuhören, oder hast du noch andere Gedanken, die du mir gern erzählen möchtest.“ „Nein, lieber „ES“„ ich werde mich etwas ausruhen und dir sehr gern zuhören. Wenn die Forscher aus der wissenschaftlichen Fakultät der Neurologie vom Planeten Erde der Neuzeit, zum Beispiel über den möglichen körperlichen Tod eines so genannten menschlichen Bewusstseins nachdenken, bemühen sie sich vermutlich aufrichtig, einen nachdenklichen Ausblick in die geistige Ewigkeit zu wagen.

如果思考具有更高精神秩序的有形生物，人类也属于这个物种，他们无法或可能不想接受它，或者被困在某些神力的童话信仰中，并成为他们进行科学大脑研究并与之结盟的基础。生活本身，他们将无法获得有关与精神过程相关的生活过程的任何知识，这些知识都嵌入了精神能量中。谢谢亲爱的埃斯特里，我再次学到了很多东西.无论如何，我想对所谓的人类意识可能死亡的说法再作一些思考，正如人们想象的那样，这是现代地球科学家的责任。但是，这与灵性生物以及所有更高灵性秩序的思想物理生物的精神自我意识无关.亲爱的埃斯特里，我们将谈到这个特别有趣的话题，我的意思是在以后的某个时刻，所谓的人类意识与精神意识，实际上是存在的。但是，以我目前的想法，我只想提及所谓的人的意识，而避免与精神的自我意识相提并论。我想就所谓的人类意识与您交换更多的想法，并希望将现代行星地球的神经科学作为基于科学的研究来理解.“亲爱的Estrie，您想听吗，或者您有其他想告诉我的想法。”“不，亲爱的”
IT”“我会休息一下，非常倾听您的声音。例如，当现代行星神经病科学学院的研究人员思考所谓的人类意识可能造成的身体死亡时，他们可能会诚恳地尝试对精神永恒进行深思熟虑。

Das konnte ich bei meinen Recherchen zu diesem Thema erkennen. Liebe Estrie, ich sage hier bewusst „in die geistige Ewigkeit“, weil es eine materielle Ewigkeit nicht gibt, nicht geben kann. Materie ist, gleich in welcher Form und in ihrer Existenz, bedingt durch die unterschiedlichen Abläufe von Energiewandlungsprozessen, absolut endlich. Die Frage, die sich besonders die Wissenschaft auf dem Planeten Erde der Neuzeit stellt, mündet unübersehbar darin, was wohl nach dem körperlichen Tod eines Mannes, einer Frau oder dem eines Kindes, aus der Spezies von denkenden körperlichen Lebewesen der höheren geistigen Ordnung mit ihnen und ihrem so genannten menschlichen Bewusstsein geschehen würde? Eine Frage, die die Menschheit schon seit Jahrtausenden Erdzeit beschäftigt und zwar nicht nur Naturwissenschaftler, Philosophen oder Theologen. Alle von ihnen denken auf die eine oder andere Weise darüber nach, das ist aus den schriftlichen Unterlagen die ich einsehen konnte, sehr gut zu erkennen, liebe Estrie. Dennoch, so können wir Geistwesen das auch beurteilen, ist das alles ein wenig wie von einem Nebel umhangenen Schleier eingehüllt, und trotzdem können wir uns ungefähr vorstellen, was sie wohl gern zum Ausdruck bringen möchten. Als ob noch ein letzter, alles entscheidender Lösungsalgorithmus fehlen würde, der den Schleier lüften könnte. Etwas Nebulöses, was ihnen möglicherweise die Angst vor dem Sterben und dem körperlichen Tod nehmen würde. Eine Gewissheit darüber, lässt der aktuelle Wissensstand auf dem Planeten Erde der Neuzeit für uns Geistwesen nicht erkennen, liebe Estrie. Zumindest nach dem heutigen Stand der Wissenschaft und Erkenntnisse. Soweit ich das aus den wissenschaftlichen Unterlagen entnehmen konnte. Eine auf diesem Gebiet führende Universität auf dem Planeten Erde der Neuzeit, hat wohl in einer groß angelegten und eine über mehrere Jahrzehnte Erdzeit andauernden Studie möglicherweise den Beweis angetreten, dass das menschliche Bewusstsein auch nach dem körperlichen Tod wohl erhalten bleiben könnte.

在我对该主题的研究中，我可以看到这一点。亲爱的埃斯特里，我有意识地说“进入精神的永恒”，因为没有物质的永恒，它不可能存在。由于能量转换过程的不同，无论物质以何种形式存在，都是绝对有限的。尤其是科学在现代时代在地球上提出的问题，很明显地导致了男人，女人或孩子从具有较高精神秩序的思维生物物种中物理死亡后会发生什么，并且他们所谓的人类意识？这个问题已经困扰了人类数千年，而不仅仅是科学家，哲学家或神学家。你们所有人都以一种或另一种方式来考虑它，亲爱的埃斯特里，从我能看到的书面文件中可以很清楚地看出这一点。然而，这也是我们精神生活者也可以这样判断的方式，所有事物都笼罩着一层薄雾笼罩的面纱，但是我们可以粗略地想象他们想要表达什么。好像缺少了最后一个重要的解决算法，该算法可能会揭开面纱。含糊不清的东西可能消除了他们对死亡和身体死亡的恐惧。亲爱的埃斯特里，关于现代行星地球的当前知识状态并不能为我们的灵魂提供任何确定性。至少要根据当前的科学和知识状况。据我从科学文献中看到的。在持续了地球数十年的大规模研究中，现代行星地球上这一领域的领先大学可能已经证明，即使在人身死亡之后，也可以很好地保留人类的意识。

Selbst auch dann noch, wenn das menschliche Gehirn, also ihr so genanntes Denkzentrum gestorben wäre. Zieht man daraus ein gewisses Fazit, muss in konsequenter Weise die Frage folgen: „Wann ist ein Mann, eine Frau oder ein Kind dieser Spezies, in seiner körperlichen und geistigen Ganzheit, wirklich tot oder eben nicht?" Interessant ist bei dieser von mir genannten Studie von Wissenschaftlern auf dem Planeten Erde der Neuzeit, dass sich ein Großteil der an dieser Studie teilgenommenen Probanden, also in unserem Fall, liebe Estrie, Männer und Frauen dieser Spezies, die als Versuchs- oder Testpersonen Gegenstand wissenschaftlicher Untersuchungen waren, sich an ein „menschliches Bewusstsein", nach einem Herzstillstand, durchaus erinnern konnten, obwohl sie für klinisch tot erklärt wurden. Befragt nach ihren Erkenntnissen zum „menschlichen Bewusstsein", sprachen die meisten dieser Probanden von ihren bisherigen Lebenserfahrungen, von einem nicht genau zu definierendem Angstgefühl, oder von dubiosen Verfolgungen. Für uns Geistwesen ergibt sich daraus natürlich kein Bild von einem Ichbewusstsein, so wie es wirklich existiert. Aber gut, wie schon von mir gesagt, auf dieses konkrete Thema „Ichbewusstsein" kommen wir beide ganz bestimmt noch zu sprechen. Wieder zurück zum Tod. Entgegen dem äußeren Eindruck von vielen Menschen auf dem Planeten Erde der Neuzeit, so meinen einige Wissenschaftler dieses Planeten, ist der körperliche Tod eines Mannes, einer Frau oder dem eines Kindes kein besonderes spezifisches Ereignis, sondern ein potenziell umkehrbarer ablaufprozessualer Prozess, der einsetzt wenn das Herz, die Lunge und das Gehirn, zum Beispiel nach einer schweren lang andauernden Krankheit, oder einem Unfall, nicht mehr lebensfähig sein kann. Biologisch sind diese Organe wohl durchaus noch intakt, was ihnen offensichtlich fehlt, sind die fehlenden neuronalen Impulse, die zur Steuerung der Organe nun mal notwendig sind.

即使人脑，即所谓的思维中心已经死亡。如果从中得出一定的结论，那么问题就必须随之而来："什么时候该物种的男人，女人或孩子在身体和精神上是真的死了？"我提到的那个有趣的研究。根据现代行星地球上的科学家的说法，参加这项研究的测试对象中有很大一部分，因此，在我们的案例中，亲爱的Estrie，该物种的男人和女人作为科学研究或测试对象而受到了科学研究的关注，在心脏骤停后以"人类意识"消失，尽管他们在临床上被宣布死亡。当被问及他们关于"人类意识"的发现时，这些测试对象中的大多数谈到了他们以前的生活经历，无法精确定义的恐惧感或可疑的迫害。当然，对于我们的精神众生而言，没有自我意识真正存在的画面。但是，正如我之前说的，我们都一定会回到"自我意识"这一特定主题。再次回到死亡。该星球的一些科学家认为，与现代地球上许多人的外在印象相反，男人，女人或孩子的身体死亡不是特别特定的事件，而是潜在的可逆过程从发生这种情况时开始，例如在严重的长期疾病或事故之后，心脏，肺部和大脑可能不再可行。从生物学上讲，这些器官可能仍然完好无损，它们显然缺乏控制器官所需的缺失神经元冲动.

Wird dieser neurologisch, biologische Versuch unternommen, diesen ablaufprozessualen Prozess möglicherweise umzukehren, sprechen die Mediziner auf dem Planeten Erde der Neuzeit entweder von einem Herzstillstand, oder vom körperlichen Tod, also dem Tod, bei dem ein toter Mensch den Prozess der Verwesung beginnt. Oder etwas genauer formuliert, liebe Estrie: *Der Tod gilt bei der Menschheit vom Planeten Erde der Neuzeit als das eindeutige Lebensende eines Mannes, einer Frau oder eines Kindes. Während ein Herzstillstand sich im Gegensatz dazu durch umgehende Reanimationsmaßnahmen möglicherweise überstehen, beziehungsweise wieder beheben lassen könnte. Im günstigsten Falle ergeben sich sogar keine Folgeschäden daraus. Jedenfalls ist es in den schriftlichen Aufzeichnungen zu diesem Thema so festgehalten.* Wieder zurück zu dieser Studie, die für sich betrachtet, so eine Art klinische Bestätigung insbesondere für das Thema der so genannten „außerkörperlichen Erfahrungen" sein soll. Denn bislang, so kann man darüber nachlesen, vermuteten die Forscher bei diesem Phänomen, also die so genannten außerkörperlichen Erfahrungen, dass ein Mann oder eine Frau lediglich illusionäre Fantasien erleben würden. Etwas konkreter gefasst meinte man damit auf der Erde der Neuzeit bestimmte Vorstellungen bei Männern, Frauen und auch schon bei Kindern als eine Art von Nachwirkung, die auch ohne Wahrnehmungen im menschlichen Bewusstsein auftreten kann. Diese Wahrnehmungen beeinflussen das Erleben so realitätsnah, als ob es außerkörperlich geschehen würde. Folgt man diesen Gedanken bei den Wissenschaftlern auf den von mir genannten Planeten Erde, gäbe es somit den Beweis für die Existenz eines „menschlichen Bewusstseins", auch wenn wohl das Herz eines Mannes, das einer Frau oder das eines Kindes für eine sehr kurze Zeit nicht mehr schlagen würde. Natürlich gibt es auch gegensätzliche Meinungen dazu, die besagen, dass das angeblich wohl paradox sei.

如果做出这种神经生物学的尝试以可能逆转该程序过程，则现代地球上的医学专家会说是**心脏**骤停或身体死亡，即死亡由死亡者开始分解过程。或者更确切地说，亲爱的埃斯特里：对于来自现代地球的人类来说，死**亡是男人，女人或孩子生命的确定**终点。相反，心脏骤停可以通过立即的复苏措施来克服或补救。在最有利的情况下，甚至不会造成任何后果。无论如何，它都记录在有关该主题的书面记录中。回到本研究，孤立地看，应该被认为是一种临床确认，特别是对于所谓的**"体外体验"主**题。因为到目前为止，您可以阅读有关该问题的文章，研究人员怀疑这种现象，即所谓的身体外体验，即男人或女人只会幻想到幻想。更具体地说，在近代地球上，这意味着男人，女人甚至儿童中的某些观念是一种后遗症，即使在没有知觉的情况下也可能在人类意识中发生。这些感觉像真实发生在身**体之外一**样真实地影响着体验。如果有人遵循我提到的地球上的科学家的这些想法，那么即使存在男人，女人或孩子的心脏，也将有"**人类意识"的存在的**证据。在很短的时间内停止跳动。当然，也有反对意见，认为这是自相矛盾的。

Das Gehirn, also das so genannte Denkzentrum bei den Menschen, würde ja nach etwa zwanzig bis etwa dreißig Sekunden nach einem Herzstillstand, aufgrund fehlendem Sauerstoffs seine Aktivitäten beenden und könnte sie wohl erst wieder aufnehmen, wenn das Herz wieder seine Tätigkeit aufnehmen sollte. Wie wir Geistwesen ja wissen, ist diese Vorstellung von einigen Wissenschaftlern auf dem Planeten Erde der Neuzeit grober Unfug. Ablaufprozessuale Denkprozesse, und um die geht es hier ja, existieren auf einer rein energetischen Basis und geistiger Energie, müssen ja wirklich nicht mit Sauerstoff, Blut oder sonstigen organischen Stoffen versorgt werden. Liebe Estrie, ich möchte darauf gar nicht erst weiter eingehen. Wir haben über das Thema ja schon des öfteren und auch ausgiebig genug diskutiert. Wieder zurück zu diesem Experiment mit diesen außerkörperlichen Erfahrungen bei Männern, Frauen und auch bei Kindern vom Planeten Erde der Neuzeit. Einige dieser Wissenschaftler wiesen ebenfalls darauf hin, dass die Beschreibungen der Befragten zu diesen Fantasy Erlebnissen sich so detailgetreu und realistisch zeigten, dass es für einige Wissenschaftler und Ärzte keinerlei Zweifel über das Geschehene geben konnte. Das es nach wie vor unter den Wissenschaftlern und Ärzten auf dem Planeten Erde der Neuzeit noch heftige Auseinandersetzungen über das „Wahre“ und über das „Nichtwahre“ in Bezug auf mögliche Erkenntnisse zum menschlichen Bewusstsein gäbe, ist für uns Geistwesen durchaus nachvollziehbar. Eine wissenschaftliche Aus-einandersetzung um die Beweisbarkeit von nicht fassbaren und nicht begreifbaren Sachverhalten ist allein schon eine sehr schwieriges Thematik. Die Spezies Mensch lebt, selbst auf dem Planeten Erde der Neuzeit, immer noch primär in einer ausgesprochen materiell, körperlichen Orientierung. Das so genannte geistige Leben und das geistige Prinzip ist ihnen noch nicht vertraut. Allerdings konnte ich mich bei unserem letzten Besuch auf dem Planeten Erde der Neuzeit davon überzeugen, dass jedem wissbegierigen Mann, einer Frau oder einem Kind ein großer Informationsspeicher bereits öffentlich zur Verfügung steht.

大脑，即所谓的人类思维中心，会因缺氧而在心脏骤停后约20至30秒后终止其活动，可能只有在心脏应恢复活动时才能恢复。正如我们众生所知，现代星球上一些科学家的想法是胡说八道。与过程相关的思维过程，也就是我们在这里所说的，纯粹是基于精力和精神能量而存在的，实际上并不需要向其提供氧气，血液或其他有机物质。亲爱的埃斯特里，我什至不想讲这个。我们已经多次讨论了该主题，并且讨论的内容足够广泛。回到这个实验中，对男性，女性以及来自现代行星地球的孩子进行这些体外体验。其中一些科学家还指出，受访者对这些幻想经历的描述是如此详尽和现实，以至于某些科学家和医生对所发生的事情毫无疑问。关于"真"和"非真"还有关于人类意识的可能知识的激烈争论，对于我们的精神存在者来说是可以理解的。关于不可理解和不可理解事实的可证明性的科学辩论本身就是一个非常困难的话题。即使在现代地球上，人类仍然主要生活在非常物质的，物理的方向上。他们还不熟悉所谓的精神生活和精神原则。但是，在我们最后一次访问现代地球时，我能够说服自己，一个庞大的信息库已经公开提供给每个好奇的男人，女人或孩子。

Die Frage wird also nicht nach dem „Ob“ sein, sondern nach dem „Wie“ sie davon in Zukunft Gebrauch manchen werden. „Danke lieber „ES“, ich habe diese Thematik ganz gut verstehen können und meine Wissbegier dazu ist vorerst damit gesättigt. Un-sere eigentliche Thematik ist ja das Denken der Gedanken. Du erinnerst dich bestimmt noch daran. Dazu hätte ich einen interessanten Gedanken, der mir bei der Thematik zum Begriff Intelligenz zufällig in meine geistigen Hände fiel. Ich meine das häufig diskutierte Thema auf diesem Planeten Erde zur so genannten künstlichen Intelligenz. Was hälst du davon? Möchtest du mir eine Weile zuhören?“ „Aber ja, liebe Estrie. Bitte lass dich durch mich nicht aufhalten.“ Vorab sei von mir festgestellt, lieber „ES“, dass der Begriff „Intelligenz“, in dem Fachbereich Psychologie auf dem Planeten Erde der Neuzeit, lediglich ein Sammelbegriff für die kognitive beziehungsweise geistige Leistungsfähigkeit von Männern, Frauen und auch schon von Kindern ist. Da einzelne kognitive Fähigkeiten bei Personen dieser Spezies mitunter sehr unterschiedlich stark ausgeprägt sein können und keine Einigkeit darüber bestehen würde, wie diese zu bestimmen und zu unterscheiden sei, gäbe es wohl auch keine allgemeingültige Definition für den Begriff Intelligenz. Vielmehr schlagen die verschiedenen Intelligenztheorien oftmals höchst unterschiedliche Operationalisierungen des Begriffs vor. Soweit so gut.

因此，问题不在于“是否”，而在于将来您将如何“使用”它。
“谢谢您亲爱的ES”，我能够很好地理解该主题，并且现在我对知识的渴望已经饱和。我们真正的话题是思想思考。您可能仍会记住它.我对此有一个有趣的想法，而这恰好落入了我对“智能”一词的认识.我的意思是在地球上经常讨论的有关人工智能的话题。你是怎么做的？您想听一会儿吗？”“是的，亲爱的埃斯特里。请不要让我举起你：“首先，我要指出的是，亲爱的”
IT”，在现代行星地球心理学领域，”智力”一词只是......的统称。男性的认知或心理表现女性以及已经来自儿童。由于这种人的个体认知能力有时可能会非常不同，并且在如何确定和区分它们方面尚无共识，因此对于“智力”一词可能没有通用定义。而是，各种情报理论通常建议对该术语进行非常不同的操作。到现在为止还挺好。

Was verbindet man möglicherweise mit diesem Wort „künstliche Intelligenz? Betrifft es mehr das Erarbeiten von Wissen, oder mehr die Fähigkeit, wie man mit dem erarbeiteten Wissen geistig umgeht und inwieweit es das daraus resultierende Handeln beeinflussen würde? Es gibt ja bei der Spezies Mensch vom Planeten Erde in Bezug auf Denken und Intelligenz auch noch den Begriff Dummheit, aber das zu klären, soll uns jetzt nicht weiter von unserem eigentlichen Thema abhalten. Schon allein aus diesem Grundsatz, lieber „ES", basiert die so genannte künstliche Intelligenz auf ablaufprozessualen Prozessen aus der digitalen und analogen Informationsverarbeitung, und nicht aus der grundsätzlichen Entwicklung von Informationen. Das meine ich hiermit nur so nur als Beispiel. Während sich das Denken der Gedanken aus einer intuitiven und kreativen, kognitiven Flexibilität des Denkens entwickelt. Nicht nur, aber eben auch. Etwas kurz von mir gefasst bedeutet die kognitive Kreativität eben die Fähigkeit, etwas denkprozessual zu entwickeln, nach was sich Geistwesen und denkende körperliche Lebewesen der höheren geistigen Ordnung sich entscheidungsrelevant sehnen. Sich natürlich auch wünschen und erhoffen. Und genau diese von mir genannte Entscheidungsrelevanz, lieber „ES", bedarf grundsätzlich intuitiver und kreativer Denkprozesse. Die künstliche Intelligenz hat in solchen verwendungsfähigen Denkbereichen keinen ergebnisrelevanten geistigen Platz. Wir werden auf diese Thematik zu einem späteren Zeitpunkt noch zurückgreifen. Im philosophischen Sprachgebrauch auf dem Planeten Erde der Neuzeit steht das intuitive und kreative Denken der Gedanken einerseits für das geistige Erfassen von bestimmten Gedanken, wie zum Beispiel: Ideen, neuartige Begriffe und Vorstellungen, geistige Kontraktionen und intensive Schmerz- und Traumerlebnisse einerseits, und andererseits auch für die synthetisierenden Funktionen des rationalen und vernunftbegabten Verstandes.

您可能将什么与“人工智能”这个词联系起来？它是更多地关于获取知识，还是更多地在精神上处理所获取的知识的能力，以及在多大程度上会影响所采取的行动？在地球上的人类物种中，与思维和智力有关的术语还有愚蠢，但要澄清的是，这不应阻止我们脱离实际话题。仅就此原理而言，而不是“
ES”，**所**谓的人工智能是基于数字和模拟信息处理的过程过程，而不是信息的基本发展。我的意思是作为一个例子。虽然思想思维是从直观和创造性发展而来的，但思维具有认知灵活性。不仅而且。简而言之，认知创造力是指在思考过程中发展出某种东西的能力，这种东西是灵**性生命和更高灵性秩序的有思想的生物所渴望的，具有决定性的方式。当然，也希望与希望。恰恰是我提到的**这种与决策相关的问题，而不是“
IT”，**需要从根本上**进行直观和创造性的思考。人工智能在这种可用的思想领域中没有与结果相关的心理位置。我们将在稍后的时间回到这个话题。在地球上的现代哲学用法中，思想的直觉和创造性思维一方面代表对某些思想的精神把握，例如：观念，新颖概念和构想，精神收缩以及强烈的痛苦和梦experiences**以求的体**验，另一方面，对于理性和理性思维的综合功能。

Der Vollständigkeit wegen, möchte ich noch hinzufügen, dass das intuitive Denken, und zwar nicht nur bei den Menschen vom Planeten Erde der Neuzeit, sondern auch bei vielen anderen denkenden körperlichen Lebewesen der höheren geistigen Ordnung auf den mir bekannten und bewohnten Planeten, nach wie vor wohl ein großes Rätsel für die Wissenschaft sei. Die Neurologen vom Planeten Erde der Neuzeit sind allerdings derzeit wohl noch der Überzeugung, dass es ihnen bei allen Schwierigkeiten darüber, Erkenntnisse im Bereich des „intuitiven Denkens“ zu gewinnen, es ihnen bereits gelungen sei, ein gutes Stück voranzukommen, um diese angebliche „besondere Ausdrucksform“ des menschlichen Denkzentrums, also ihrem Gehirn, welches gleichzeitig nach wie vor faszinierend und unberechenbar sei, besser verstehen zu können. Man möchte sagen wollen, die Intuition befände sich wohl auf halbem Weg zwischen Emotion und Vernunft. Auch bei dieser so genannten Erkenntnis, ist die grundsätzlich fehlende wissenschaftlich begründete Fähigkeit deutlich sichtbar darüber, dass das menschliche Gehirn mit seinen sechzig Prozent Fett und vierzig Prozent Proteinen, keine ablaufprozessualen Denkprozesse bilden kann. Und was die intuitiven Denkprozesse betrifft? Wenn man schon unter wissenschaftlichen Kreisen auf dem Planeten Erde der Neuzeit annehmen wollte, das menschliche Gehirn könnte ablaufprozessuale Denkprozesse entwickeln können? Woher sollte es Bild- oder Textinformationen zur Bildung von intuitiven Denkprozessen von den Sinnesorganen eines Mannes, einer Frau oder denen eines Kindes erhalten, um auf den Planeten Erde zu bleiben, wenn das intuitive Denken Erkenntnisse voraussetzt, über die das menschliche Gehirn nicht verfügt.

为了完整起见，我想补充一下这种直觉性思维，不仅在现代行星地球人中，而且在许多其他思维中，也就是我所知道和居住的行星上较高精神等级的物质存在，对于科学仍然是一个很大的谜。来自现代地球的神经学家目前仍然坚信，尽管在``直觉思维"领域获得知识方面存在种种困难，但他们在人类所谓的这种``特殊"表达形式上已经取得了良好进展思维中心，即能够更好地理解您的大脑，这同时仍然令人着迷且不可预测。有人想说，直觉可能介于情感和理性之间。即使有了这种所谓的知识，从根本上缺乏科学基础的能力也很明显地体现在以下事实中：具有60%的脂肪和40%的蛋白质的人脑无法形成任何程序性的思维过程。那直觉的思维过程又如何呢？如果有人想在现代地球上的科学界中假设人类的大脑可以发展程序性思维过程？当直觉思维以人脑没有的知识为前提时，应该在哪里从男人，女人或孩子的感官获取图像或文本信息以形成直觉思维过程，以便停留在地球上由其支配。

Konkret meine ich damit zum Beispiel: Bis dato unbekannte menschliche Fähigkeiten, Einsichten in völlig neue technische Sachverhalte, Sichtweisen und Gesetzmäßigkeiten, oder die subjektive Stimmigkeit von Entscheidungen, um sie mental bilden zu können, ohne diskursiven Gebrauch des Verstandes, also etwa ohne bewusste Schlussfolgerungen ziehen zu können, weil dafür die notwendigen Datenbestände zu einem möglichen mentalen Abgleich aus bekannten und gespeicherten Bild- und Textdaten fehlen würden. Die Intuition ist ja schließlich nicht irgendein mentales Meinungsbild, sondern sie ist schließlich und endlich die Sache selbst. Bei der Mehrheit der mir bekannten denkenden körperlichen Lebewesen der höheren geistigen Ordnung auf den unterschiedlichen bewohnbaren Planeten, die Menschheit vom Planeten Erde der Neuzeit zähle ich ebenfalls dazu, wird die geistige Fähigkeit des intuitiven Denkens als eine Art „geistiger Funken", oder auch als eine Art „geistiger Blitz" beurteilt, die auftauchen und alles mentale erleuchtet und eine geistige Helligkeit in das unbekannte Dunkel bringen würde.

„Die ursprüngliche Weisheit ist Intuition, während alles spätere Wissen angelernt ist."

Ralph Waldo Emerson

具体来说，我的意思是，例如，以前未知的人的能力，对全新的技术事实，观点和法律**的洞察力**，**或决策的主**观连贯性，以便能够在头脑中形成决策，而无需花心思索地使用思维，即无需绘图有意识的结论，因为缺少可能的已知和存储的图像和文本数据的心理比较所需的数据库。毕竟，直觉不仅是一种心理见解，而且最终还是事物本身。由于在不同的宜居行星上我所知的大多数具有较高精神秩序的有思想的有生命的生物，我也数着现代行星地球上的人类，直觉思维的心理能力被判断为一种"**精神火花**"，**也被**视为一种"**精神**闪光"，**它将出**现并照亮一切精神，并将精神亮度带入未知的黑暗中。

"最初的智慧是直觉，而后来的所有知识都是学会的。"

Ralph Waldo Emerson

Ich denke, lieber „ES“, ein Wort zum Thema Intuition und Kreativität von uns Geistwesen ist wohl an dieser Stelle ganz angebracht. Für uns gibt es ja im Bereich des kreativen und des intuitiven Denkens einige Grundsätze, die wohl dem kreativen und intuitiven Denken vorbehalten sind und wohl auch bleiben sollten. Damit meine ich konkret: Das emotionale intuitive Denken. Also hier wieder bezogen auf den geistigen Blitz, oder den geistigen Funken, wie ich das schon so bezeichnet habe. Damit möchte ich zum Ausdruck bringen, dass wir die wesentlichen Persönlichkeitsmerkmale anderer Lebewesen, oder den emotionalen Zustand, in dem sich diese Lebewesen befinden, möglichst unverzüglich versuchen geistig und gefühlsmäßig zu erkennen. Noch bevor wir mit einem Gespräch beginnen und die Worte der anderen Lebewesen wahrnehmen würden, sollten wir bereits wissen, wer möglicherweise der oder die anderen sind, und wie es ihnen geht, oder wie sie sich gerade fühlen würden? Das mentale intuitive Denken hat aus meiner Überzeugung auch damit zu tun, sehr schnell, also ohne nachdenklichen ablaufprozes-sualen Denkprozesse, die möglichen Lösungsansätze, sei es auf ein technisches, künstlerisches, wirtschaftliches, existenzielles oder möglicherweise für ein politisches Problem zu finden, ohne es vorher gründlich analysieren zu müssen. Auch das so genannte psychische intuitive Denken, meine ich, bezieht sich auf die Fähigkeit, den optimalsten Weg zu wählen, um eine scheinbar unlösbare Schwierigkeit überwinden zu können, be-ziehungsweise ihr nach Möglichkeit auszuweichen, ohne weitere Informationen zu benötigen. Während das so genannte spirituelle intuitive Denken diese von mir genannten möglichen Zustände, eher mehr der so hie und da bezeichneten „Erleuchtung“, oder der „Offenbarung“ zugeordnet werden könnten. Diese sind wohl mehr eine Erfahrung als vielleicht eine Tatsache. Zusammengefasst möchte ich zu diesem Thema abschließend noch sagen, dass Intuitionen natürlich auch ein Teil kreativer Entwicklungen sind.

我认为，亲爱的“
IT”，**来自我**们精神存在的直觉和创造力这个词在这一点上可能是非常适当的。对我们来说，在创造性和直觉性思维领域有一些原则，这些原则应该并且应该保留给创造性和直觉性思维。具体来说，我的意思是：情感，直觉的思维。因此，这里又与精神闪电或精神火花有关，正如我已经所说的那样。我想借此表达，我们试图尽快认识其他生物的基本人格特质，或这些生物在心理和情感上所处的情感状态。在我们甚至开始交谈并理解其他生物的话之前，我们是否应该已经知道另一种生物的身份，他们的状况或他们现在的感觉？从我的信念出发，思维上的直觉思维也与寻找可能的解决方案有关，无论是针对技术，艺术，经济，存在或可能是政治问题的解决方案，都是非常迅速的，即无需经过深思熟虑的程序性思维过程，而无需事先进行全面分析。我的意思是所谓的心理直觉思维，也指选择最佳方法克服似乎无法解决的困难，或者在不需要进一步信息的情况下尽可能避免这种困难的能力。虽然所谓的精神直觉思维，但我提到的这些可能的状态，可以更多地分配给**“启蒙”或“启示”**，**在**这里和那里都被称为。可以说，这些更多的是经验，而不是事实。总而言之，我想就这个话题得出结论，直觉当然也是创意发展的一部分。

Der diese Entwicklung begleitende Intellekt, damit meine ich die Fähigkeit, einen möglichen geistigen Zugewinn, natürlich unter Einsatz des Denkens, Erkenntnisse und Einsichten zu gewinnen, um möglicherweise einen feinen, selbstbewussten und geschulten Verstand mental zu entwickeln, führt nur noch aus, oder prüft bewusst die Ergebnisse, die aus dem Unbewussten, also sich aus dem intuitivem Denken entwickeln können. Kritisch ist hierbei zu sehen, dass bei positiver Wirkung einer zunächst nicht begründbaren Entscheidung gerne von Intuition gesprochen wird, während man im Falle des Scheiterns eben einen Fehler einräumen muss. Wobei, so meine ich selbstkritisch, es wohl möglicherweise keinen Denkmechanismus geben kann, um zu prüfen, welche men-talen ablaufprozessualen Denkprozesse zur jeweiligen Entscheidungsfindung gegebenenfalls führen würden. Unabhängig davon ist in diesem Zusammenhang vermutlich die Fähigkeit des Denkens der Gedanken, für die Herausbildung von Entscheidungsprozessen, Urteilen und logischen Schlussfolgerungen bei der kognitiven Hinwendung zu bestimmten Charaktereigenschaften, inwieweit diese sich in durchaus gewollten ablaufprozessualen Handlungen auswirken könnten, oder besser ich sage sollten, von erheblicher Bedeutung. Aber darüber sprechen wir später noch. Interessant sind in diesem Zusammenhang zwei unterschiedlich geprägte Überlegungen von Wissenschaftlern und Philosophen auf dem Planeten Erde, die davon ausgehen, dass sich im intuitiven und kreativen Denken der Gedanken, hier bezogen auf die Spezies Mensch, einerseits die objektiv realistisch gegebene Wirklichkeit abspiegelt, und andererseits durch das intuitive und kreative Denken der Gedanken selbst die Wirklichkeit konkret strukturiert werden könnte. Wir Geistwesen wissen natürlich, dass das Denken der Gedanken, und nur das reale Denken der Gedanken in der materiellen Welt, in der Welt der körperlich denkenden Lebewesen der höheren geistigen Ordnung seine reale Zuständigkeit hat.

伴随着这种发展的智力，我的意思是获得可能的精神收获的能力，当然使用思维，知识和见解，以便可能发展出良好，自信和训练有素的头脑，只会执行或自觉地测试结果可以从潜意识即直觉思维发展而来。在这里至关重要的是，如果一个最初不合理的决定产生了积极的影响，那么人们喜欢直觉，而在失败的情况下，人们不得不承认一个错误。尽管我是自我批评的，但**可能没有思想机制来**检查与心理过程相关的思维过程可能导致各自的决策。独立于此，在这种情况下，对于形成某些决策者特征的认知过程中的决策过程，判断和逻辑结论的思考，能够思考这些思想的能力在多大程度上会影响与过程相关的行为，或者说更好，这是相当重要的。但是我们稍后再讨论。在这种情况下，科学家和哲学家对地球有两种不同形式的考虑是有趣的，他们认为，在思想的直觉和创造性思维中，一方面反映了与人类有关的现实，另一方面反映了与人类有关的现实。另一方面，通过思想的直觉和创造性思维，甚至可以具体构造现实.当然，我们的众生知道，思**想的思考**，**只有物**质世界中思想的真实思考，才具有更高精神秩序的身体思考者在世界中的真实能力。

In der Welt von uns Geistwesen, lieber „ES“, haben die geistigen Entwicklungsgrundlagen und die zu ihnen gehörenden ablaufprozessualen Denkprozesse, eingebettet in der geistigen Energie, natürlich ihre existenziellen Lebensgrundlagen. Soweit so gut. Wieder zurück zu unserem eigentlichen Thema, dem Denken der Gedanken. Wie, lieber „ES“, artikuliert sich eigentlich das Denken der Gedanken bei körperlichen Lebewesen, und im Besonderen bei denkenden körperlichen Lebewesen der höheren geistigen Ordnung? Also zum Beispiel bei Menschen dieser Spezies? Wir haben ja darüber, so denke ich, bis jetzt noch nicht konkret gesprochen? Etwas leicht skurril von mir gefragt wäre auch einmal interessant zu wissen, was möglicherweise zuerst existierte, also das Denken der Gedanken, oder die analoge oder digitale Sprache, einschließlich der körperlichen Gestik, um das Denken der Gedanken erkennbar zu machen? Sprache oder das Denken? „Diese Frage, liebe Estrie, ließe sich natürlich sehr leicht beantworten.“ *Nur ein kleines Beispiel dazu: Kleine Kinder, um auf den Planeten Erde der Neuzeit Bezug zu nehmen, die noch nicht sprechen kön-nen, und ihre artikulierende Gestik auch noch nicht so ausdrucks-stark funktioniert, verfügen bereits über eine sehr beachtenswerte Denkfähigkeit. Das ist unstrittig*. Auch können denkende körperliche Lebewesen der höheren geistigen Ordnung an sich selbst sehr gut feststellen, dass das Sprechen und das Denken nicht gleich sind, obwohl sie das Denken wohl auch als einen inneren Monolog verstehen könnten nämlich dann, wenn es sich scheinbar auf ein artikuliertes Handeln beziehen sollte. Ich denke bei solchen möglichen Monologen, wieder nur so als Beispiel, an das Träumen bei Männern, Frauen und Kindern dieser Spezies. Etwas allgemein gefasst, würden wir Geistwesen das Träumen bei denkenden körperlichen Lebewesen der höheren geistigen Ordnung so beurteilen, dass bei Männern, Frauen und auch schon bei Kindern dieser Spezies, sich möglicherweise wohl das tägliche Erlebte sich während des Schlafens widerspiegeln würde. Weit gefehlt!

在我们的精神世界中，亲爱的“
IT”，**精神**发展基础和属于它们的过程性思维过程，嵌在精神能量中当然有其生存的生命基础。到现在为止还挺好。回到我们的实际话题，思想的思考。亲爱的“
IT”，**思想的思考**实际上是如何体现在物质存在中的，尤**其是在思考更高精神**层面的物质存在时？那么例如在这个物种的人类中呢？我认为我们还没有具体谈过吗？如果我对此提出了一些怪异的想法，那么首先知道可能存在的东西（例如，思想的思考或包括物理手势的模拟或数字语言）也将很有趣，以使思想的思想可以被识别。
语言还是思维？

“这个问题，亲爱的埃斯特里，当然可以很容易地回答。”**只是一个小例子：小孩子指的是**现代地球，他们现在还不能说话，他们的表达手势也不能尽可能地表现出表达力，已经非常出色的思考能力。这是无可争议的。认为具有较高精神秩序的有形生命本身也可以很好地确定说话和思维**是不相同的，尽管他**们也可以将思维理解为一种内在的独白，即当它似乎是一个明确的动作应该联系在一起时。再次举一个例子，我想到这样的独白，想像这个物种的男人，女人和孩子。概括地说，我们的灵体会以一种更高的精神秩序来判断梦，以这样的方式思考：在这个物种的男人，女人，甚至是孩子中，每天的经历都可能在睡眠中得到反映。差远了！

Und was so ganz sicher nicht zutreffend sein kann. In den Träumen von denkenden körperlichen Lebewesen der höheren geistigen Ordnung, als auch bei uns Geistwesen, kommen Erlebnisses der unterschiedlichsten Art und Weise vor, die der „Träumende" nicht einmal ansatzweise in seinem gesamten Leben, oder in seinen täglichen gesellschaftlichen Prozessen erlebt haben kann, oder an ihnen nur indirekt beteiligt gewesen sein könnte. Wie sollte, wieder nur so als Beispiel, das menschliche Gehirn, um bei dieser Spezies zu bleiben, über digitale Informationen von seinen analogen Sinnesorganen zur „Bearbeitung" im menschlichen Bewusstsein und über das menschliche Denkzentrum, also dem menschlichen Gehirn, erhalten haben, die es überhaupt nicht objektiv oder subjektiv über ihre Sinnesorgane wahrgenommen haben könnte? Wir Geistwesen wissen natürlich, dass solche Träume aus dem Bereich des „intuitiven Denkens" resultieren, und ihre geistige Heimat eben nicht im menschlichen Bewusstsein, eingebettet im menschlichen Gehirn, also in ihrem Denkzentrum haben, sondern sich in Form von energetisch ablaufprozessualen Denkprozessen im Ichbewusstsein eines denkenden körperlichen Lebewesens der höheren geistigen Ordnung, als auch bei uns Geistwesen, speichern und organisieren. Der Traum sei, so die Auffassung von Neurologen vom Planeten Erde der Neuzeit, wohl eine „besondere Denkweise" des so genannten menschlichen Bewusstseins. Was die „besondere Denkweise" sein soll, konnte ich aus den Unterlagen auf dem Planeten Erde nicht entnehmen. Während der menschliche Körper dieser Spezies, von außen beobachtet, sich weitgehend im Ruhezustand befinden mag, kann durchaus der träumende Mann, die Frau oder das Kind bewegte Szenen erleben, oder an bewegten Handlungen teilnehmen. Nach dem Erwachen kann sich der Träumende durchaus an seine Erlebnisse, zumindest in einem gewissen Umfang, erinnern.

绝对不可能是真的。在梦想更高的精神秩序的物质存在的梦想以及与我们一起存在的精神存在的梦想中，存在着各种各样的经历，而“梦想”在他的一生或日常社交中甚至不可能是基本的经历。流程，或者可能只是间接地参与其中。再举一个例子，人类大脑如何与这种物种呆在一起，应该如何从其模拟感觉器官接收数字信息，以便在人类意识中并通过人类思维中心（即人类大脑）进行“处理”，而这是人类无法做到的。通过他们的感觉器官客观地或主观地感知了吗?我们的灵性生命当然知道这样的梦是由``直觉性思维"产生的，他们的精神家园不是在人类意识中，而是在人类大脑中，即在他们的思维中心，而是以能量过程的形式出现较高精神层面的有形人的自我意识思维中的与人有关的思维过程，以及与我们相关的精神存在，存储和组织。根据现代行星神经学家的说法，梦可能是所谓人类意识的“特殊思维方式”。从行星上的文件中看不到“特殊的思维方式”应该是什么。从外部观察，该物种的人体可能大部分处于休息状态，而做梦的男人，女人或孩子当然可以体验到动人的场景或参与动人的动作。醒来后，做梦至少可以在一定程度上记住他的经历。

Träume werden, hier bezogen auf die Spezies Mensch vom Planeten Erde der Neuzeit, meistens als sinnliche und sehr lebendige Handlungen wahrgenommen und wirken zum Zeitpunkt des Träumens selbst sehr real. Die Berichte des Schläfers über seine meist nächtlichen Erlebnisse, bilden den wichtigsten Zugang zum so genannten menschlichen Bewusstseinsinhalt. Beispielsweise: Gespräche, Dialoge, Freude, Lust, Angst, Szenen, Erlebnisse und Empfindungen, die während des Traums vom Schlafenden scheinbar körperlich jedoch geistig digital erlebt werden. So die neurologischen Erkenntnisse der Wissenschaftler vom Planeten Erde der Neuzeit. Eigentlich müsste diesen Wissenschaftlern vom Planeten Erde der Neuzeit doch sehr zu denken geben, dass eben derartige hochkomplexe und umfangreiche Denk- und Informationsprozesse in einem menschlichen Gehirn mit seinen sechzig Prozent Fett und seinen vierzig Prozent Proteinen nicht organisieren lassen. Auch der vage Hinweis auf ein so genanntes menschliches Bewusstsein, eingebettet im menschlichen Gehirn, das möglicherweise denkprozessuale Aufgaben übernehmen könnte, reicht dafür nicht aus. „So weit so gut, lieber „ES“. Ich möchte es an dieser Stelle dabei bewenden lassen. Wir wollten uns ja beide darüber unterhalten, wie sich das Denken der Gedanken artikulieren würde, um auch als solches erkannt zu werden. Mein Wissensbereich ist das eigentlich nicht so, lieber „ES“. Könnte ich dich darum bitten, es zu übernehmen?“ „Das tue ich sehr gern, liebe Estrie. Also, lehn dich gedanklich zurück und ruh dich ein wenig aus. Wir haben ja noch viel zu diskutieren.“ „Danke, lieber „ES, ich werde dir sehr aufmerksam zuhören.“

对于现代星球上的人类而言，梦通常被认为是感性的和非常活泼的行为，并且在梦的时候显得非常真实。睡眠者有关其大部分夜间活动经历的报告是获得所谓的人类意识内容的最重要途径。例如：梦者在睡眠中在身体上但在精神上通过数字方式进行的对话，对话，喜悦，欲望，恐惧，恐惧，场景，经历和感觉。这些是来自地球的现代科学家的神经学发现。实际上，这些来自现代行星地球的科学家应该非常担心这样高度复杂和广泛的思想和信息过程无法用60%的脂肪和40%的蛋白质在人脑中组织。甚至含糊不清地提到嵌入人脑中的所谓人的意识（可能会接管与思想过程相关的任务），还足以做到这一点。“到目前为止一切顺利，亲爱的”IT”。我现在想使用它。我们俩都想谈一谈如何思考思想，以便被这样认识。我的知识领域实际上不是这样，而是``IT''。我可以请您接手吗？”“亲爱的Estrie，我很高兴做到这一点。因此，请坐下来放松一下。我们还有很多事情要讨论。”“亲爱的，谢谢，“我会非常认真地听您讲话。”

Die Sprache als Dolmetscher für das Denken

„Die Kunst der Sprache besteht darin, sich so auszudrücken, dass man auch von allen verstanden wird.“

Dietmar Dressel

„Alle Sprache ist Bezeichnung der Gedanken, und umgekehrt die vorzüglichste Art der Gedankenbezeichnung ist die durch Sprache, dieses größte Mittel, sich selbst und andere zu verstehen.“

Immanuel Kant

Bevor ich ausführlich einiges zur Sprache als „Dolmetscher“ für das Denken der Gedanken sage, liebe Estrie, möchte ich zu diesem Themenkomplex einige Fragen anmerken, die uns helfen werden, einen möglichen Zusammenhang vom Denken und der Sprache zu erkennen, der es uns vielleicht ermöglichen wird beides, also das Denken der Gedanken und die nach Verständigung suchende Sprache, gleich in welcher Art und Weise, etwas komplexer zu betrachten und zu beurteilen, als man das gelegentlich bei Männern, Frauen und auch schon bei Kindern aus der Spezies von denkenden körperlichen Lebewesen der höheren geistigen Ordnung teilweise erkennen kann. Also zu den Fragen! Du erinnerst dich bestimmt noch an eines unserer Themen, bezüg-lich des „Kreislaufes des kosmischen Lebens“, zu den kleinsten Teilchen des Lebens. Dabei beschäftigten wir uns gedanklich sehr ausführlich mit einer bei den Menschen vom Planeten Erde der Neuzeit häufig zitierten Frage: „Was war zuerst lebensfähig, das Huhn, oder das Ei?“ In Bezug auf die Sprache, wage ich einen ähnlichen Vergleich zum Thema: „Die Sprache als Dolmetscher für das Denken“. Zu meiner ersten Frage zur Thematik: Die Sprache als Dolmetscher für das Denken.

语言作为思考的口译员

“语言的艺术在于以一种每个人都能理解你的方式表达自己。”

Dietmar Dressel

“所有语言都是思想的指定，相反，最杰出的思想表达方式是通过语言，这是了解自己和他人的最有效方法。”

Immanuel Kant

亲爱的埃斯特里（Estrie），**在我**详细谈谈语言作为思维思想的“**解释器”之前**，**我想指出一些有关**这一复杂主题的问题，这些问题将帮助我们认识到思维与语言之间可能存在的联系，这可能使我们受益匪浅。无论是哪种思维方式，思想的思考和寻求理解的语言都将比您有时从言语中对男人，女人甚至孩子所想到的方式更复杂地审视和判断。认为具有较高精神秩序的物质存在可以部分地认识到。所以到问题！您肯定会记得我们的主题之一，即与“**生命的最小周期”有关的“宇宙生命的循**环”。**在我**们的思想中，我们非常详细地讨论了现代行星人们经常引用的一个问题：“**首先可行的是**鸡还是鸡蛋？”**就**语言而言，我敢于对该主题进行类似的比较“语言作为思考的翻译”。**关于**这个问题，我的第一个问题是：语言作为思考的解释器。

Was entwickelte sich bei denkenden geistigen Lebewesen, bei denkenden körperlichen Lebewesen der höheren geistigen Ordnung und bei allen anderen Lebewesen möglicherweise zuerst, das Denken der Gedanken, oder die Sprache in seiner unterschiedlichsten Art und Weise, damit das Denken der Gedanken grundsätzlich auch verstanden werden kann?

„Das Schicksal meldet sich nicht mit einem lauten Trommelwirbel an.“

Dietmar Dressel

„Mit des Geschickes Mächten, ist kein ewger Bund zu flechten, und das Unglück schreitet schnell.“

Friedrich von Schiller

Liebe Estrie, vielleicht helfen uns bei der Beantwortung dieser Frage, die unterschiedlichsten Redewendungen und Sprüche bei den Völkern auf bewohnten Planeten im materiellen Universum. Wie zum Beispiel: „Achte sehr sorgsam auf deine Gedanken, denn sie werden sich wieder in deinen Worten finden.“ Oder: „Ein Mann, eine Frau oder ein Kind sollten doch sehr sorgsam auf ihre Worte, ihre Gesten und ihre Mimik achten, es könnte ja möglich sein, das sie einmal ihr Denken und das daraus resultierende Verhalten und Handeln bestimmen könnten, die gegebenenfalls dann auch noch zum gewohnten Handeln ausarten könnten.“ „Noch nachteiliger für die eigene Person kann es werden, wenn das Denken der Gedanken, zum Beispiel mit den Charaktereigenschaften der Gier und der Habsucht beginnen zu liebäugeln, und damit eben das Denken der Gedanken und das daraus resultierende Verhalten und Handeln im erheblichen Maße beeinflussen würden, und möglicherweise zum bestimmenden Faktor für das Leben so eines Mannes oder einer Frau werden sollten.

与思想的灵性存在有关的事物，与更高的精神秩序的思想存在有关的事物以及可能与所有其他生物有关的思想，思想或语言的发展方式各异，因此思想的思想原则上是：好可以理解吗？

“命运并没有大声地宣布自己。”

Dietmar Dressel

“有了命运的力量，就没有永恒的纽带，
不幸很快就过去了。”

Friedrich von Schiller

亲爱的埃斯特里，也许在物质宇宙中有人居住的星球上，各国人民之间最多样化的说法将有助于我们回答这个问题。例如：**“要非常注意您的想法，因**为它们会在您的话语中再次发现对方。”**或：“男人，女人或孩子**应该密切注意他们的言语，手势和面部表情，他们可能有一天可以确定自己的想法以及所得到的行为和行动，然后这些行为和行动也可以退化为通常的行为。“”贪婪和贪婪的性格特征开始调情，从而在很大程度上影响思想的思考以及由此产生的行为和行动，并有可能成为这种男人或女人生活的决定性因素。

„Der Satz vom Bestehen der Energie fordert die ewige Wiederkehr.“

Friedrich Wilhelm Nietzsche

„Meiner Idee nach, ist Energie die erste und einzige Tugend des Menschen.“

Wilhelm Freiherr von Humboldt

Was existierte zuerst, die Energie oder Eiweiß und Proteine, die ja angeblich für das Denken und die Sprache bei denkenden körperlichen Lebewesen der höheren geistigen Ordnung verantwortlich wären? Oder etwas anders gefragt: Sind das Denken der Gedanken und die Sprache, gleich in welcher Art und Weise, möglicherweise identisch? Oder noch anders gefragt: Ist das Denken der Gedanken nur das mentale, operativ auslösende Element für die verbale und nonverbalen Sprache? Wenn man das voraussetzen müsste, dann ließe sich ja gegebenenfalls kaum sachlich beweisen, dass man zu einem Gedanken erst die passenden Worte denken müsste, um ihn artikulieren zu können. Ich gehe allerdings davon aus, dass wir uns diesen möglichen Lösungsansatz nähern können, liebe Estrie, wenn wir uns damit beschäftigen, was eigentlich ein Gedanke sein kann?

“能量存在的原则要求永恒的回报。”

Friedrich Wilhelm Nietzsche

“能量存在的原则要求永恒的回报。”

Wilhelm Freiherr von Humboldt

首先存在的是能量，**蛋白**质或蛋白质，它们被认为负责思考具有较高精神秩序的生理存在中的思维和语言？
还是换一种说法：思想和语言的思维，无论用哪种方式，可能都是相同的吗？

或换一种说法：思想的思考仅仅是语言和非语言的精神上，操作上的触发因素吗？

如果必须假设这一点，那么就不可能客观地证明一个人必须首先为一个思想思考正确的词语，以便能够表达它。
但是，亲爱的埃斯特里（Estrie），**我**认为，如果我们处理实际上可以想到的事情，我们可以采用这种可能的解决方案？

Versuchen wir uns vorerst der Frage zu nähern, was wohl möglicherweise zuerst existierte, die Energie oder die Materie. Sollten einige Physiker auf den mir bekannten und bewohnten Planeten allerdings nachweisen können, dass die Materie nur eine mögliche Form der Energie sein könnte, wäre die Beantwortung so einer Frage wohl eher ein Paradoxum. Also gut, liebe Estrie, versuchen wir es.

„Ist die Materie möglicherweise ein illusionäres Konstrukt?“

Dietmar Dressel

„Einstein hat uns gelehrt, und es ist wirklich eine große Entdeckung, dass Materie und Energie ineinander umgewandelt werden können: $E = mc^2$. Materie ist verdichtete Energie. Es bleibt uns nur noch in der Praxis zu entdecken, dass auch diese Energie oder diese Kraft ein Bewusstsein ist und dass auch die Materie eine Form von Bewusstsein ist, wie auch der Geist und das Vitale und das Überbewerte alles weitere Formen von Bewusstsein ist.“

Satprem, Sri Aurobindo oder das Abenteuer des Bewusstseins

让我们首先尝试解决可能首先存在的是能量或物质的问题。
但是，如果我认识和生活的行星上的某些物理学家能够证明物质只能是一种可能的能量形式，那么对这个问题的答案可能更像是一个悖论。
好的，亲爱的Estrie，让我们尝试一下。

“这可能是一种虚幻的构想吗？”

Dietmar Dressel

“爱因斯坦教会了我们，这确实是一个伟大的发现，那就是物质和能量可以相互转化：$E = mc^2$。

物质是凝结的能量。**它留在我**们身边**只需在**实践中发现**能量或**这种力量是一种意识，**物**质也是意识的一种形式
就像是思想和生命力，高估所有其他形式的意识是。”

Satprem, Sri Aurobindo oder das Abenteuer des Bewusstseins

Was für uns Geistwesen erfreulicherweise immer wieder festzustellen ist, das bei der Spezies von denkenden körperlichen Lebewesen der höheren geistigen Ordnung durchaus denkprozessuale wissenschaftliche Bemühungen, und zwar losgelöst von religiösen Glaubensvorstellungen, zu erkennen sind, den wahren und naturbedingten Entwicklungsprozessen, sowohl im materiellen als auch im geistigen Universum mehr und mehr auf den Grund zu gehen. Also nach den existenziellen Entwicklungsprozessen zu forschen. Sie haben sich auf ihren bewohnbaren Planeten, natürlich auch abhängig von ihrer relativ begrenzten Lebenszeit, sehr wohl mehr oder weniger ausführlich, mit den naturwissenschaftlichen Strukturen von Physik und Religion auseinandersetzen müssen, indem sie ihre Überlegungen über das für die Forschung hinaus gehende, auch in transzendente Gefilde, schweifen ließen. Damit meine ich, liebe Estrie, unter philosophischer, theologischer und religionswissenschaftlicher Betrachtung, ein bestimmtes Denkverhältnis von zeitlich und räumlich ungebundenen Betrachtungen zu einem durchaus konkreten Bereich möglicher Erfahrungen, oder möglicherweise auch den Inbegriff dieses Verhältnisses. Allein durch die von einigen Physikern, zum Beispiel vom Planeten Erde der Neuzeit entwickelten so genannten Quantenphysik. Damit meine ich, liebe Estrie, und da sage ich dir als Physikerin sicherlich nichts Neues, das mit diesem Begriff „Quantenphysik“ vermutlich alle, oder fast alle Erscheinungen und Effekte gemeint seien, die darauf beruhen, dass bestimmte naturwissenschaftliche Größen nicht jeden beliebigen Wert annehmen können, sondern nur feste, diskrete Werte gemeint seien. Dazu gehören, nur so als Beispiel, auch der Wellen-Teilchen-Dualismus, die Nichtdeterminiertheit von physikalischen Vorgängen und deren unvermeidliche Beeinflussung durch Beobachtungen.

幸运的是，我们一次又一次地确定精神存在，即在具有较高精神秩序的有思想的有形存在的物种中，可以认识到脱离宗教信仰的思想过程中的科学努力，它们是真实的和自然的。物质和精神世界中与之相关的发展过程越来越多地触底。因此要研究存在的发展过程。当然，在它们宜居的行星上，取决于它们相对有限的寿命，他们或多或少地详细讨论了物理学和宗教的科学结构，因为它们的考虑超出了研究所必需的范围，即使是在超越的领域中，让我们徘徊。亲爱的埃斯特里（Estrie）从哲学，神学和宗教科学的角度来看，这是指在时间和空间上不受限制的思考与特定可能的经验领域之间的某种思想联系，或者也可能是这种联系的缩影。正是通过某些物理学家（例如从现代地球上）开发的所谓的量子物理学。亲爱的埃斯特里（Estrie），我的意思是说，作为物理学家，我当然不会告诉您任何新知识，术语“量子物理学”可能表示基于某些科学量并不构成事实的所有或几乎所有现象和效应。可以接受任何任意值，但仅意味着固定的离散值。仅作为示例，这还包括波粒二元论，对物理过程的不确定性以及它们通过观察带来的不可避免的影响。

Durch diese grundsätzlich neue Art und Weise der wissenschaftlichen Forschung, konnte man durchaus schon erkennen, dass die Materie nicht grundsätzlich aus Materie oder Masse, wie ich sie als solches auch bezeichnen könnte, bestehen würde, sondern letzten Endes möglicherweise aus bestehenden Beziehungsstrukturen, die mental noch nicht greifbar sind und die, also diese so genannten Beziehungsstrukturen, man deshalb wohl auch als mentale Erscheinungsformen in der geistigen Energie gegebenenfalls ihren Ursprung haben könnten. Bei solchen theoretischen Erwägungen, liebe Estrie, ist es selbst für uns Geistwesen nicht einfach zu konkretisieren, ob nun die Energie oder die Materie sich zuerst entwickeln konnten. Aber gut, weiter mit diesen nicht ganz einfachen Überlegungen. Um es uns beiden etwas leichter zu machen, werde ich hie und da zu einer Metapher greifen. Nicht nur Religionen und so genannte Sekten, hier besonders bei der Spezies Mensch vom Planeten Erde in seiner gesamten Geschichte, sondern auch die Wissenschaften müssen, etwas rücksichtsvoll formuliert, bescheiden zur Kenntnis nehmen, dass sie die tatsächliche Wirklichkeit nicht angemessen beschreiben, sondern nur mithilfe von so genannten Gleichnissen deutungsweise anmerken können. Die gegebenenfalls mögliche Einsicht in die Komplementarität und Verbundenheit von Wissenschaft und Religion kann möglicherweise zu neuen Wegen der Orientierung führen. Natürlich ist das möglich, allerdings eher unwahrscheinlich. Damit meine ich, liebe Estrie, das die Erkenntnisse aus den beiden Bereichen, also Wissenschaft und Religion, besonders nach der Meinung von so genannten Religionsgelehrten und Philosophen vom Planeten Erde der Neuzeit, möglicherweise in sich einen Widerspruch bilden können, oder sogar einander ausschließen würden. Die aber in ihrer wechselseitigen Ergänzung unter gewissen Umständen zum allgemeinen Verständnis, in unserem Fall betrifft das die Thematik von Energie und Materie und deren existenziellen Entwicklungsprozess, führen würden, oder möglicherweise sogar als solches notwendig erscheinen. Soweit so gut.

通过这种根本上新型的科学研究，人们已经可以看出，物质基本上不会由物质或质量组成，正如我也可以称之为物质或质量，但最终可能由现有的关系组成，即尚未在心理上有形的结构，以及因此，这些所谓的关系结构也可能起源于精神能量中的精神表现。亲爱的埃斯特里（Estrie），**基于**这样的理论考虑，即使对于我们的精神生命而言，具体化能量或物质是否可以首先发展也并不容易。但是，继续这些不太简单的考虑。为了使我们俩都容易一些，我在这里和那里使用一个隐喻。不仅是宗教和所谓的宗派，尤其是在整个历史上都是来自地球上的人类，而且有些科学的科**学也必**须谦虚地承认它们没有充分描述现实，而仅是在能够解释所谓的寓言。对科学与宗教的互补性和联系性的可能见解可能会导致新的取向方法。当然可以，但是不太可能。亲爱的埃斯特里（Estrie），**我的意思是**，**科学和宗教**这两个领域的发现，尤其是所谓的宗教学者和现代地球哲学家的观点，可能会形成矛盾，甚至排除一个矛盾。其他。然而，在某些情况下它们的相互补充将导致普遍的理解，在我们的情况下，这涉及能量和物质的主题及其存在的发展过程，甚至可能看起来是必要的。到现在为止还挺好。

Zurück zu unserem Fragenkomplex. „Was ist eigentlich Energie wirklich, liebe Estrie? Das wäre doch möglicherweise ein interessantes Thema für dich als Physikerin? Magst du dazu etwas sagen, oder soll ich das übernehmen?“ „Eine gute Idee von dir, lieber „ES“. Das Thema übernehme ich gern.“ „Dann werde ich dir sehr aufmerksam zuhören.“ Energie ist, bezüglich in ihrer Definition etwas weit gefasst, eine physikalische Größe. Dabei beziehe ich mich auf unseren letzten Besuch auf dem Planeten Erde der Neuzeit, bei dem ich die Gelegenheit nutzte, zu diesem Thema einiges zu lesen. Demnach ist die Energie grundsätzlich eine fundamentale physikalische Größe, bezogen auf den Energieerhaltungssatz, die in allen Teilgebieten der Physik sowie in der Technik, Chemie, Biologie in der Wirtschaft und im Denken der Gedanken bei allen Lebewesen, den denkenden körperlichen Lebewesen der höheren geistigen Ordnung und bei uns Geistwesen eine zentrale Rolle spielt. Sie ist wie ein Axiom, also eine Tatsache, die eines Beweises nicht bedarf. Energie ist die Größe, die aufgrund der Zeitinvarianz, damit meine ich ihre Eigenschaft als ein System, jeder Zeit das gleiche Verhalten bei gleicher Eingabe zeigt. Einmal ganz praktisch formuliert, ist die Zufuhr von Energie nur so als Beispiel, unter anderem nötig, um einen Körper, gleich welcher Art zu beschleunigen oder ihn entgegen einer Kraft zu bewegen, um eine Substanz zu erwärmen, ein Gas zusammenzudrücken, elektrischen Strom fließen zu lassen oder elektromagnetische Wellen abzustrahlen, sowie um im interstellaren Raum materielle Teilchen zu entwickeln. Alle Lebewesen, gleich welcher Art, benötigen grundsätzlich Energie, um materiell auf einen bewohnbaren Planeten, oder im geistigen Universum leben zu können. Energie benötigen alle Lebewesen für ablaufprozessuale Denkprozesse, und für das daraus resultierende Verhalten und Handeln. Energie kann in verschiedenen Energieformen vorkommen, beispielsweise als potenzielle Energie, kinetische Energie, chemische Energie, thermische Energie und geistige Energie.

回到我们复杂的问题。

“亲爱的埃斯特里，真正的能量是什么？作为物理学家，这对您来说不是一个有趣的话题吗？您想说点什么还是让我接手？”“亲爱的“IT”，**您的好主意。我很**乐意接受这个问题。”**“然后，我会非常仔**细地听你的。”**就其定**义而言，能量在某种程度上来说是一种物理量。我指的是我近来对地球的最后一次访问，当时我借此机会阅读了有关该主题的一些文章。据此，根据能量守恒定律，能**量基本上是基本的物理量，被用于物理学的所有子**领域以及技术，化学，生物学的经济学以及人们生活中思想的思考生物，高级精神秩序的思想物质生物以及与我们一起的精神生物发挥着核心作用。这就像一个公理，这一事实无需证明。能量是由于时间不变性而产生的数量，我指的是它作为系统的性质，始终在相同输入下显示相同行为。一旦非常实用地公式化，能源的供应就仅是示例性的，除其他事项外，它可以使任何类型的物体加速或使其逆着力运动，加热物质，压缩气体，流过电流。或辐射电磁波，以及在星际空间中产生物质粒子.所有生物，无论是哪种生物，基本上都**需要能量，以便能**够物质地生活在宜居的星球或精神宇宙中。所有生物都需要能量来进行程序性思维过程以及所产生的行为和行动。能量可以以各种形式的能量发生，例如势能，动能，化学能，热能和精神能。

Energie lässt sich von einem System zu einem anderen übertragen und von einer Form in eine andere Form umwandeln. Der Stoffwechsel bei Lebewesen ist als praktisches Beispiel dafür signifikant. Energie lässt sich auch zum leichteren Verständnis, was vorallem „das Denken der Gedanken“ bei Lebewesen betreffen könnte, philosophisch formuliert, begründet ausdrücken. Damit meine ich sinngemäß die lebendige „Wirklichkeit“ und „Wirksamkeit“. Mit großer Aufmerksamkeit sollte man eine wissenschaftlich begründete Meinung vom Planeten Erde der Neuzeit erwähnen, die zu dem Schluss kommt, dass Energie wohl nur eine indirekte Größe sein könnte und nicht nur mit der Materie und der Masse äquivalent sei, sondern auch mit dem Raum und der Zeit verknüpft wäre. Reine Energie, so ihre Behauptung, hätte nach ihrer Auffassung noch kein Mensch gesehen oder berührt. Das an sich ist ja kein unlösbares Problem, denn der Planet Erde mit seiner Spezies Mensch ist ja nicht der Nabel oder der Mittelpunkt des materiellen Universums. Auch wenn viele gläubige Wissenschaftler und in Religionen oder Sekten verfangene kluge Männer und Frauen dieser Spezies sich mit dem Denken der Gedanken etwas wissenschaftlicher befassen würden, kämen sie an der Erkenntnis nicht vorbei, dass es sehr wohl eine „reine Energie“, um bei diesem Begriff zu bleiben, gibt. Auf dem Planeten Erde der Neuzeit versteht man unter diesem Begriff, also „reine Energie“, so jedenfalls in den Lehrbüchern und wissenschaftlichen Zeitschriften die Aussage, dass elektromagnetische Strahlung reine Energie sei. Zum Beispiel, wenn ein Positron mit einem Elektron zusammentrifft, vernichten sich die Teilchen gegenseitig und erzeugen dabei wohl reine Energie in Form von Gammastrahlung.

能量可以从一个系统转移到另一个系统，再从一种形式转换成另一种形式。生物的新陈代谢就是一个重要的实际例子。能量也可以以哲学的方式表达，以使人们更容易理解什么可能影响生物的“思想思维”。我的意思是活着的“现实”和“有效性”。应当认真提及关于现代行星地球的科学依据，得出这样的结论：能量只能是间接量，不仅等于物质和质量，还等于空间和空间。被链接。他们声称，纯能量尚未见过或感动过一个人。这本身不是一个无法解决的问题，因为与人类一起生活的地球不是肚脐或物质宇宙的中心。即使许多虔诚的科学家以及从事宗教或宗派活动的该类智者男女更加科学地处理思想问题，他们也将无法忽略这一事实，即确实存在“纯净的能量”留在这个概念给。在现代地球上，该术语至少在教科书和科学期刊中表示“纯能量”，即电磁辐射是纯能量。例如，当正电子遇到电子时，粒子会相互ni灭，并以伽马射线的形式产生纯净能量。

Wenn sich die Wissenschaft auf dem Planeten Erde der Neuzeit, einerseits eingebunden in einer dubiosen Gottgläubigkeit zu Göttern, Religionen und Sekten, und andererseits mit ihrem Gehirn, also mit den sechzig Prozent Fett und den vierzig Prozent Proteinen, also ihrem Denkzentrum, in Bezug auf ihre denkprozessualen Prozesse beschäftigt, wird es allerding noch eine lange Zeit benötigen, bis sie mehr über die „reine Energie“ erforschen werden. Auf diese Energieform, lieber „ES“ werden wir ganz sicher noch zu sprechen kommen. Ich habe allerdings meine berechtigten Zweifel, dass die Menschheit vom Planeten Erde der Neuzeit, bei ihrem jetzigen Verhalten, jedenfalls was den exorbitanten Aufwand zur maximalen Befriedigung ihrer Grundbedürfnisse betrifft, damit meine ich das Essen, das Trinken, das Wohnen und den exzessiven Zuwachs der Erdbevölkerung, sie das wohl kaum noch erleben werden. Soweit so gut, liebe Estrie. Wieder zurück zur Energie. Hinter dem Begriff Energie steckt vorrangig, und zwar nicht nur bei den Wissenschaftlern vom Planeten Erde der Neuzeit, sondern natürlich auch bei Physikern auf anderen bewohnten Planeten im materiellen Universum, auch eine philosophische Idee. Im Wesentlichen bringt sie zum Ausdruck, dass da, wo etwas wirken sollte, auch eine Ursache dafür bestehen müsste. Nach der kosmischen Philosophie beurteilt, würde sich vermutlich daraus der Begriff „Energie“ entwickeln können. Sie wurde gegebenenfalls auch im Laufe der Zeit vereinheitlicht und quantifiziert. So weit so gut. Es gibt unter dieser Spezies von denkenden körperlichen Lebewesen der höheren geistigen Ordnung durchaus auch leicht „skurrile Vorstellungen, dass wohl am Anfang des „Entstehens“, wie immer das auch gemeint sein sollte, der ganze Raum in einem winzigen Punkt vereint gewesen sein mag. Dieser „Punkt“ wäre wohl explodiert, und hätte in seiner Folge in entscheidender Weise zum Entstehen des materiellen Universums beigetragen. Erst mit der Explosion, so ihre Schlussfolgerung, begann die Zeit sich zu bewegen.

当科学在现代地球上时，一方面涉及对神，宗教和宗派的可疑信仰，另一方面涉及其大脑，即百分之六十的脂肪和百分之四十的蛋白质，即其思维中心，与其忙于思考过程相关的过程有关，他们将需要很长时间才能研究更多有关“纯能量”**的信息。我**们一定会回到这种能源形式，亲爱的“

IT”。**但是，我有理由**怀疑，现代地球上的人类，按照其当前的行为至少是为了尽可能多地满足其基本需求而付出的巨大努力，我的意思是饮食，生活，饮食和生活。地球人口的过度增长，您再也看不到了。亲爱的埃斯特里，到目前为止一切顺利。再次回到能量。能量一词的背后主要是**一个哲学思想，不**仅在现代的行星科学家中，而且在物质宇宙中其他居住行星上的物理学家中，当然也是如此。本质上，它表示应该在某些地方起作用，也必须有原因。从宇宙哲学来看，**“能量”一**词可能由此发展。如有必要，还可以对其进行标准化和量化。到现在为止还挺好。在这种具有较高精神秩序的有形生物的思维中，也有一些**“怪异的想法”，即在“出现”的开始**时，然而这意味着整个空间可能在一个很小的点上是统一的。这个“**点**”**将会爆炸**，结果将以决定性的方式为物质宇宙的创造做出贡献。他们得出结论，只有爆炸发生了，时间才开始移动。

Bei manchen Völkern dieser Spezies im materiellen Universum ist dieser „dubiose Knaller", auch als so genannter „Urknall" in die wissenschaftliche Forschung eingeflossen. Das Nachteilige für einige Völker dieser Spezies auf bewohnten Planeten ist natürlich, dass sich solche geistig dahinplätschernden, so genannte wissenschaftliche Erkenntnisse, eben aufgrund ihrer rein theoretischen Haltlosigkeit, in so genannte Glaubensdoktrien von Religionen und Sekten einbinden lassen, und letztlich dazu beitragen, dass viele Männer und Frauen aus dieser Spezies ständig zwischen Glauben sollen und Wissen könnten hin und her gerissen werden. Dazu ein passendes Beispiel, liebe Estrie, das ich bei unserem letzten Besuch auf dem Planeten Erde der Neuzeit erfahren habe und mit einer eigenwilligen Frage dazu beginnen möchte. *Wäre es vorstellbar, das bei wissenschaftlich ausgebildeten Männern und Frauen von der Erde der Neuzeit, Angstgefühle aufkommen können, nur weil sie sich den "Atheisten" zugehörig fühlen? Also Menschen, die die Existenz von Göttern oder eines Gottes verneinen. Oder könnte gegebenenfalls der Atheismus in der Ablehnung von Kirchen und Religionen begründet sein? Gute Frage, denke ich, liebe Estrie. Daraus könnte man auch die Frage entwickeln, warum dann möglicherweise viele Männer und Frauen vom Planeten Erde der Neuzeit eine tiefempfundene Missachtung und Ignoranz für die weiterführenden Gedanken und Erkenntnisse zu Religionen, der Metaphysik und Transzendenz empfinden? Ausgerechnet Wissenschaftler, auf deren Gleichungen und Formeln die wissenschaftliche und technische Gegenwart auf dem Planeten Erde der Neuzeit basiert. Natürlich werden die mathematischen und physikalischen Erkenntnisse gern angenommen, aber gut, was folgt dann? Was dabei rauskommen soll, ist und bleibt ein unvollständiges, zum Teil sehr dubioses Weltbild, indem die meisten Menschen auf dem Planeten Erde der Neuzeit gefangen bleiben. Aus der wissenschaftlichen Theorie wird eben ein industriell und wirtschaftlich angewandtes und produziertes, praxisbezogenes Konstrukt.*

对于物质宇宙中这种物种的某些人来说，这种“**可疑的爆炸**”（**也称**为“**大爆炸**”）**已**经流入了科学研究。当然，对于这种物种的某些人来说，在居住星球上的劣势在于，这种纯粹出于理论上缺乏稳定性的，精神上涟漪的，所谓的科学发现，可以被整合到所谓的宗教信仰学说中。宗派，并最终促成该物种的许多男人和女人在信仰和知识之间不断地挣扎。这是一个合适的例子，亲爱的埃斯特里（Estrie），**我上次**访问现代行星时就了解到这一点，并且我想首先提出一个我自己的问题。可以想象，受过现代科学训练的男人和女人会因为感到自己属于“**无神**论者”**而感到恐惧**吗？因此，那些否认存在神灵或神灵的人。还是无神论是基于对教会和宗教的拒绝？我想，好问题，亲爱的埃斯特里。由此也可以提出一个问题，为什么现代行星上的许多男人和女人为什么会对宗教，形而上学和超越性的进一步思想和发现感到深深的漠视和无知？所有人的科学家，其方程式都代表了现代行星地球上的科学和技术。当然，数学和物理方面的发现很令人高兴，但是**接下来呢？由于大多数人仍被困在**现代行星地球上，因此应该做的是并且仍然是一个不完整，有时非常可疑的世界观。科学理论成为一种在工业和经济上应用和生产的，与实践相关的构造。

Zurück zu unserem Fragenkomplex, liebe Estrie, was wohl möglicherweise zuerst im Universum existierte, die Energie oder die Materie? Den energetischen Bereich haben wir ja bereits abgehandelt. Wenden wir uns gemeinsam dem Thema „Materie“ zu. „Magst du, liebe Estrie, dazu etwas sagen? Ich würde nämlich gern etwas ausruhen.“ „Die Thematik übernehme ich gern, lieber „ES“.“

„Alle Elementarteilchen sind aus derselben Substanz, aus demselben Stoff gemacht, den wir nun Energie oder universelle Materie nennen können. Sie sind nur verschiedene Formen, in denen Materie erscheint.“

Werner Heisenberg

Ich meine, lieber „ES“, die Bausteine der Materie sind ja auch unter anderem, nur so als Beispiel, der massebehafteten Erdgravitation unterworfen. Etwas kurz formuliert, die Materie und die Körper existieren ja zum Teil sehr bodenständig innerhalb einer bestimmten Zeit und in einem bestimmten Raum. Fragt man, wieder nur so als Beispiel, einen Mann oder eine Frau vom Planeten Erde der Neuzeit dazu, würden sie zur Frage: Was ist eigentlich Materie? Vermutlich etwas salopp darauf antworten: Alles was ich anfassen kann, ist materiell. Schön und gut.

回到我们复杂的问题中，亲爱的埃斯特里，宇宙，能量或物质中可能首先存在什么？我们已经处理了充满活力的领域。让我们一起谈谈“问题”的话题。“亲爱的埃斯特里，您想谈点什么吗？我想休息一下。”

“所有基本粒子都是由相同的物质，相同的物质制成的，我们现在可以将其称为能量或通用物质。它们只是物质出现的不同形式。”

Werner Heisenberg

我的意思是，亲爱的“
IT”，物质的组成部分除其他外，例如，受地球引力的影响。
简而言之，物质和身体有时会在特定的时间和空间中存在到地下。
如果再问一个现代星球上的男人或女人，又是一个例子，您会问：实际上有什么关系？
对此可能是一个比较随意的答案：我能碰到的一切都是实质性的。很好

Ganz so einfach ist das natürlich nicht. Letztlich werden solche recht profanen Erkenntnisse über die menschlichen Sinnesorgane aufgenommen, die allerdings, so wissen wir Geistwesen das ja bereits, erkenntnisorientiert erst denkprozessual gewandelt werden müssen. Und das sind zweifelsohne energetisch ablaufprozessuale Vorgänge. Etwas ernster formuliert, lieber „ES", umfasst in seiner komplexen Bedeutung der Begriff „Materie" bei fast allen denkenden körperlichen Lebewesen der höheren geistigen Ordnung, die mir bereits bekannt sind, fast alle Elementarteilchen mit Spin, also Quarks und Leptonen. Darunter verstehen wir Geistwesen bei Quarks die elementaren Bestandteile, aus denen Hadronen, also die Atomkernbausteine, Protonen und Neutronen bestehen und Leptonen, darunter versteht man in der Physik eine Klasse von Elementarteilchen, die zusammen mit den Quarks und den Eichbosonen die fundamentalen Bausteine bilden, aus denen sich die Materie, allerdings nicht zwingend, zusammensetzen kann. Die Wissenschaftler, bei der von mir genannten Spezies, sind in ihrer überwiegenden Mehrzahl davon überzeugt, dass auf der Grundlage der von mir genannten Teilchenstruktur im fundamentalen Aufbau der Bausteine, alle anderen daraus aufgebauten Objekte, wie: Atome, Moleküle, feste, flüssige und gasförmige Materie bis hin zu Sternen und Galaxien bestehen würden. Es existiert unter einigen Wissenschaftlern aus der von mir genannten Spezies auch die Meinung, dass es sowohl Teilchen aus der Energie, als auch Teilchen aus der Materie geben könnte. Damit meinen sie einerseits Impulse der Energie, und andererseits Teilchen der Materie. Allerdings, so ihre Ansicht, gäbe es beides wohl nicht gleichzeitig. Das legt, so denke ich lieber „ES", die Vermutung nahe, dass es ihrer Meinung nach wohl an der Zeit läge, wenn sie Beides, also Impulse und Teilchen, nicht gleichzeitig wahrnehmen können. Möglicherweise sollten diese von mir genannten Wissenschaftler wohl etwas mehr auf ihr Ichbewusstsein achten. Ich möchte es dabei bewenden lassen, es ist ja nicht unser eigentliches Thema. Kurz zusammengefasst noch ein paar Worte.

当然，这不是那么简单。最终，人们获得了关于人类感觉器官的如此无礼的知识，然而，正如我们的灵魂已经知道的那样，必须首先通过思考的过程以面向知识的方式对其进行改变。这些无疑是与过程相关的能量过程。更为严肃地说，亲爱的“
ES”，术语“物质”的复杂含义包括我已经熟悉的几乎所有具有较高精神秩序的思想物质，几乎所有具有自旋的基本粒子，即夸克和轻子.在夸克中，我们的灵性生物理解强子的基本成分，即原子核，质子和中子，以及轻子，在物理学上是指一类基本粒子，它们与夸克和规范玻色子一起构成基本结构可以组成重要的块，尽管不是必须的.我所提到的物种的绝大多数科学家都相信，根据我在构件的基本结构中所命名的粒子结构，可以用它构建的所有其他物体，例如：原子，分子，固体，液体和气体一直到恒星和星系。在我命名的物种中，一些科学家还认为，可能存在来自能量的粒子以及来自物质的粒子。它们一方面意味着能量的冲动，另一方面是物质的冲动。但是，他们认为，两者可能不会同时存在。这表明，我更倾向于认为“
IT”，如果您不能同时感知到冲动和粒子，那将是时候了。也许我任命的科学家应该更多地关注他们的自我意识。我想保留它，这不是我们的实际主题。简要地总结了几个词。

Natürlich möchte ich aus unserem Thema über das Denken der Gedanken die Energie, die Materie und das Bewusstsein nicht gänzlich ausklammern. Diese Grundbausteine für das Bestehen des materiellen Universums sind ja aus dem Denken der Gedanken nicht auszuschließen. Wir werden möglicherweise zu einem späteren Zeitpunkt wieder darauf zurückkommen. Soweit so gut. Zurück zu unserer eigentlichen Thematik, dem „Denken der Gedanken". In unseren zurückliegenden Diskussionen, liebe Estrie, streiften wir zum Teil den Einfluss von glaubensbehafteten Religionen und verschiedenen Sekten bezüglich ihrer Abhängigkeit von einem Gott oder Göttern auf die gesellschaftlichen Denkprozesse der jeweiligen Bevölkerungen auf den unterschiedlich bewohnten Planeten im materiellen Universum. Das bringt mich auf unsere nächste Frage. *In welcher Sprache spricht eigentlich ein Gott, oder die Götter, zu denkenden körperlichen Lebewesen der höheren geistigen Ordnung auf den unterschiedlich bewohnten Planeten im materiellen Universum?* Wie, oder etwas genauer formuliert, liebe Estrie, was sollte ein Gott oder meinetwegen auch die Götter eigentlich sein oder darstellen? Ich meine, diese Frage sollten wir Geistwesen schon stellen dürfen. Wir haben ja schließlich ein größeres, geistiges „Blickfeld" in Be-zug auf ein materielles Universum, in dem sich ja solche göttlichen Wesen möglicherweise aufhalten würden. Bis zum heutigen Zeit-punkt haben wir Geistwesen jedenfalls noch keinen Gott oder gar Götter angetroffen, oder wenigstens bemerkt. Also, zurück zu mei-ner Frage. Was ist das, ein Gott oder die Götter eigentlich? Ich habe mich auf den verschiedenen, mir bekannten und bewohn-ten Planeten einmal umgesehen, und mich bemüht, soweit zugän-gig, in entsprechenden Unterlagen einiges Verwertbares zu diesem Thema zu ergründen. Als Gott, Götter oder Gottheiten werden bei vielen Völkern, auf den mir bekannten Planeten diese Wesen auch als so genannte übernatürliche, allmächtige Gebilde bezeichnet, die über eine große, und nicht naturwissenschaftlich beschreibbare transzendente Macht verfügen würden.

当然，我不想将精力，物质和意识完全排除在我们思考思想的话题之外。这些物质世界存在的基本基础不能从思想的思维中排除。我们可能稍后再讨论。到现在为止还挺好。回到我们的实际主题，即“思想思考”。在我们先前的讨论中，亲爱的埃斯特里（Estrie），我们谈到了忠实的宗教和不同教派对一种或多种神灵的依赖对物质宇宙中不同居住的星球上各个人口的社会思维过程的影响。这使我想到了下一个问题。在物质宇宙中不同居住的星球上，上帝或诸神用哪种语言实际说出具有较高精神秩序的有形生物？亲爱的埃斯特里（Estrie）如何或更精确地表述，一个神，或者如果您愿意，一个神究竟应该代表或代表什么？我的意思是，我们应该允许众生问这个问题。毕竟，相对于可能存在这种神圣生物的物质宇宙，我们拥有更大的精神“视野”。到目前为止，我们的众生还没有遇到或至少没有注意到任何神灵。所以，回到我的问题。是什么，还是神还是神？我环顾了我认识和生活过的各个行星，并尝试在适当的文档中尽可能地找到有关此主题的有用信息。作为神，神或神灵，这些生物在我所知的行星上的许多民族中也被称为所谓的超自然，万能的实体，它们具有巨大的力量，而不是科学上无法描述的超能力。

Damit soll vermutlich zum Ausdruck gebracht werden, dass diese „transzendente Bedeutung“ versucht auf eine gewisse Art und Weise, das Tun und das Handeln eines Gottes oder der Götter als außergewöhnliche Eigenschaften zu beschreiben. Im Verständnis von Mythologien, Religionen und Glaubensüberzeugungen bei Männern, Frauen und auch schon bei Kindern aus der Spezies von denkenden körperlichen Lebewesen der höheren geistigen Ordnung, werden einem Gott oder mehreren Göttern oftmals besondere Verehrungen zuteil und, wie schon von mir gesagt, besondere Eigenschaften zugeschrieben. Darunter fällt die Fähigkeit, nur so als Beispiel, erster Ursprung, Schöpfer oder Gestalter der materiellen Wirklichkeit zu sein. Dabei brauchen wir, liebe Estrie, nur an unseren letzten Besuch auf dem Planeten Erde der Neuzeit zu denken, und natürlich an die so genannte Schöpfungslehre ihres christlichen Gottes, die wir dort zu lesen bekamen. In der doch dieser christliche Gott tatsächlich völlig allein und mit seinen bloßen Händen den Planeten Erde mal so kurzerhand, mit allem was darauf wuchs und lebte, in wenigen Tagen erschuf. Das muss man natürlich nicht unbedingt wissen, was ja auch nicht so einfach in einem Denkzentrum von gebildeten, denkenden körperlichen Lebewesen der höheren geistigen Ordnung ankommen würde. Wichtig wäre für Gottes Macht, dass seine Gläubigen mit fester Überzeugung daran glauben. Der Vollständigkeit halber möchte ich noch hinzufügen, dass auch gewisse religiöse Vorstellungen einer nicht wesenhaften, unpersönlichen „göttlichen Kraft“, bei Völkern aus der von mir genannten Spezies auf bewohnten Planeten, zum Teil aus einem fehlenden Verständnis für unbekannte Religionen, oder aus Vereinfachungsgründen, als Gott oder Götter bezeichnet werden. Nicht unwichtig ist bei solchen einfachsten gläubigen Hinwendungen der Bildungsstand von Männern und Frauen dieser von mir genannten Spezies. Zusammengefasst lässt sich dazu sagen, liebe Estrie, dass mit dem Wort Gott oder den Göttern, ohne weitere Bestimmung, meist nur ein allumfassender Begriff gemeint wird.

这应该表示这种“**超越的含**义”试图以某种方式将一个或多个神的行为描述为非凡的特性。在对来自具有较高精神秩序的有思想的生物物种的男性，女性甚至儿童的神话，宗教和信仰的理解中，通常会给予一个或多个神特别的崇敬，正如我所说，这是赋予财产的特殊尊敬。
举例来说，这包括成为物质现实的第一来源，创造者或设计者的能力。这样做，亲爱的埃斯特里（Estrie），**我**们只需要考虑我们对现代行星地球的最后一次访问，当然也可以考虑我们在那里读到的所谓的基督教神创造教义。在其中，这位基督徒上帝实际上完全是一个人用自己的双手在短短几天内就创造出了这个地球，一切都在其中生长和生活。当然，您不一定非要知道，在受过良好教育，思维能力较高的物质存在的思想中心中，这并不会那么容易。他的信徒们必须坚定信念，相信神的能力，这一点很重要。为了完整起见，我还想补充一点，在我曾在有人居住的星球上命名的物种的人们当中，某些关于非本质的，非人格化的“**神力**”**的宗教**观念，部分是由于对未知宗教的理解不**足，或出于**简化的原因，被称为神。在这种最简单的宗教倾向中，我提到的该物种的男人和女人的教育水平并不重要。总而言之，亲爱的埃斯特里，可以说，“**上帝**”**或**“**众神**”这个词在没有任何进一步定义的情况下，通常仅意味着一个无所不包的术语。

Auch die uns bekannte Metaphysik beschäftigt sich unter anderem mit der Frage nach den Eigenschaften und der Existenz eines solchen Gottes, und natürlich auch mit den ersten Gründen des Seins und der Wirklichkeit. Soweit so gut. Wieder zurück zu unserer Frage: In welcher Sprache spricht ein Gott, oder die Götter, zu denkenden körperlichen Lebewesen der höheren geistigen Ordnung auf den unterschiedlich bewohnten Planeten im materiellen Universum?

Bei einigen meiner Besuche auf bewohnten Planeten der Spezies von denkenden körperlichen Lebewesen der höheren geistigen Ordnung, konnte ich eigentlich nur Geistloses in den zutreffenden Unterlagen nachlesen. Wie zum Beispiel: „Gott versteht und spricht natürlich mit Sicherheit alle denkbaren Sprachen von Männern, Frauen und Kindern aus der von mir ge-nannten Spezies." Und wenn man ihn schon nicht verstehen sollte, „Spricht er halt die Sprache der Liebe." Damit meinen sie vermutlich, die in Partnerschaften zwischen Frauen und Männern dieser von mir genannten Spezies, das Gelebte für ein sich geliebt Fühlen, verantwortlich sein kann. Oder: „Keinem Mann, keiner Frau und keinem Kind erreicht die Sprache so inbrünstig, wie das gesprochene Wort Gottes oder der Götter". „Wenn ein böses Wort bei einem Mann, einer Frau oder eines Kindes den Mund verlassen sollte, muss es wieder eingefangen werden. Nur so werden diese Personen wahrhaft ein Ebenbild Gottes sein können." Oder: „Gott spricht so wie er schreibt." Oder: „Und manchmal ist das Sprechen Gottes besonders machtvoll: Die Stimme von ihm erschallt über den Wassermassen.

我们所知道的形而上学还特别涉及这种神的性质和存在问题，当然也涉及存在和现实的首要原因。到现在为止还挺好。回到我们的问题：在物质宇宙中不同居住的行星上，神或诸神用哪种语言与具有较高精神秩序的有思想的有形生物说话？

在我访问一些具有较高精神秩序的有形生物的人类星球时，我实际上只能在相关文件中查找乏味。例如："上帝肯定理解并说出了我所命名物种中男人，女人和孩子的所有可能的语言。"如果不理解他，"他会说爱的语言。"这大概意味着在我命名的这种物种的男性和女性之间的伙伴关系中，生活是造成被爱的原因。或者："没有男人，没有女人，没有孩子达到像上帝或众神所说的话那样热情的语言"。

"如果一个坏话要在男人，女人或孩子的嘴里留下来，那就必须再次被抓住。这是使这些人真正成为上帝形象的唯一途径。

Der Gott der Herrlichkeit donnert mit seinen Worten über die Wälder. Ein anderes Mal ähneln sie mehr einem sanften, leisen Säuseln. Der Gott und die Götter kennen alle Sprachen, Tonarten und Dialekte von denkenden körperlichen Lebewesen der höheren geistigen Ordnung auf bewohnbaren Planeten im materiellen Universum." Entschuldige bitte, liebe Estrie, ich möchte es dabei bewenden lassen. Das wird mir dann doch zu albern. Wieder zurück zu unserem Fragenkomplex. Magst du, liebe Estrie, dazu etwas sagen, oder kann ich mich dazu noch gedanklich auslassen?"
„Bitte, „lieber ES". ich möchte dich nicht aufhalten und höre dir sehr gern zu." „Danke, liebe Estrie, dann lehn dich bitte gedanklich zurück, und ruh dich etwas aus.

荣耀之神用他的话在树林中打雷。**在其他**时候，它们更像是一种温柔，安静的耳语。**上帝和众神知道物**质宇宙中可居住星球上具有较高精神秩序的物质存在的所有语言，语调和方言。“**抱歉**, 亲爱的埃斯特里，我想保留它。这对我来说太傻了。**回到我**们复杂的问题。亲爱的Estrie, **您想**说点什么吗，还是我仍然可以冒险吗？**我不想阻止你, 我非常想听听你的声音。**

Kann man ohne Sprache denken

„Als ich in den Jugendtagen noch ohne Grübelei, da meint ich mit Behagen, mein Denken wäre frei.
Seitdem hab ich die Stirne oft auf die Hand gestützt und fand, dass im Gehirne ein harter Knoten sitzt.
Mein Stolz, der wurde kleiner, ich merkte mit Verdruss: Es kann doch unsereiner nur denken wie er muß."

Wilhelm Busch

Unsere nächste Frage, liebe Estrie, bezieht sich darauf, inwieweit Lebewesen aus der Spezies von denkenden körperlichen Lebewesen der höheren geistigen Ordnung auf bewohnten Planeten, möglicherweise auch ohne Sprache, gleich in welcher Art und Weise, denken könnten? Gegebenenfalls sollte ich vielleicht nicht danach fragen, ob man ohne Sprache denken kann, sondern vielmehr danach fragen, was man ohne Sprache eigentlich denken könnte? Aber gut, vielleicht komme ich später darauf zurück. Ich bleibe vorerst bei der Frage, ob Lebewesen ohne Sprache denken können?

没有语言就可以思考

“**当我**还没有沉思的时候，我很高兴地说我的思想是自由的。
从那时起，我经常将额头托在手上，并发现大脑中有一个硬结。
我的骄傲变得越来越小，我很烦恼地注意到：我们中只有一个人只能按照他的想法思考。”

Wilhelm Busch

亲爱的埃斯特里（亲爱的埃斯特里），我们的下一个问题涉及到人类在多大程度上对人类星球上具有更高精神秩序的有形物质的思考，甚至**可能没有**语言也可能思考？

也许我不应该问您是否可以不用语言而思考，而应该问您实际上可以不使用语言而思考吗？**好吧**，**也**许我稍后再讲。现在，我将坚持一个问题，即如果没有语言，众生是否可以思考？

„Wer zum Denken von Natur die Richtung hat, muss erstaunen und es als ein eigenes Problem betrachten, wenn er sieht, wie die allermeisten Menschen ihr Studieren und ihre Lektüre betreiben. Nämlich es fällt ihnen dabei gar nicht ein, wissen zu wollen, was wahr sei; sondern sie wollen bloß wissen, was gesagt worden ist. Sie übernehmen die Mühe des Lesens und des Hörens, ohne im Mindesten den Zweck zu haben, wegen dessen allein solche Mühe lohnen kann, den Zweck der Erkenntnis, der Einsicht: sie suchen nicht die Wahrheit, haben gar kein Interesse an ihr. Sie wollen bloß wissen, was alles in der Welt gesagt ist, eben nur um davon mitreden zu können, um zu bestehen in der Konversation, oder im Examen, oder sich ein Ansehen geben zu können.„

Arthur Schopenhauer

Wie schon kurz von mir erwähnt, liebe Estrie, ist es wohl vermutlich keine unlösbare Frage, ob, sondern was man ohne nonverbaler Sprachartikulation, möglicherweise gleich welcher Art und Weise, denken kann. Wenn wir beide, liebe Estrie, an die bereits von uns gesammelten Erfahrungen bei Völkern aus der Spezies von denkenden körperlichen Lebewesen der höheren geistigen Ordnung zurückdenken, haben wir bereits einen beträchtlichen Wissensstand darüber, wie Männer, Frauen und Kinder aus der von mir genannten Spezies ohne Sprache, also nonverbal mit einander kommunizieren. Daraus könnte sich auch die Frage ableiten, ob sich die Sprache, gleich in welcher Art und Weise sie zur Anwendung kommen würde, ohne ablaufprozessuale Denkprozesse bei Lebewesen herausbilden würde? Oder kann nur das verbal kommuniziert werden, was Lebewesen davor auch denken oder gedacht haben? Wobei ich damit nicht unterstellen möchte, dass das Gedachte in der zeitlichen Abfolge sofort gesprochen werden müsste. Beides muss also nicht in der gleichen Zeitfolge, also kongruent geschehen.

“**任何具有自然思考方向的人都**应该感到惊讶，并在看到绝大多数人的学习和阅读方式时，将其视为自己的问题。**也就是**说，他们甚至都不曾想知道什么是真实的。**他**们只是想知道怎么说。

他们承担阅读和聆听的麻烦，而至少没有这样一个麻烦值得成为目的的目的，知识和见识的目的：他们不追求真理，根本不对真理感兴趣。**他**们只是想知道世界上所说的话，只是为了拥有发言权，可以在谈话中，考试中生存，或者能够为自己赢得声誉。“

Arthur Schopenhauer

正如我简短提到的，亲爱的埃斯特里，是否可能不是一个无法解决的问题，但是如果没有非语言表达，人们可能会以任何方式思考什么。亲爱的埃斯特里（Estrie），**当我**们俩回想起我们已经与具有较高精神秩序的有形生物的人们一起收集的经验时，我们已经对男人，女人和儿童如何来自物种有了相当的了解。在没有语言的情况下向我提及，即彼此之间非语言交流。这也可能导致这样一个问题，即在没有程序性思考过程的情况下，语言是否会在使用过程中在任何情况下得到发展，而不管其使用方式如何？还是只能口头交流生物曾经想过或曾经想过的事情？尽管我不想暗示必须按时间顺序立即说出这个想法。因此，两者不必在相同的时间序列中发生，即，全等地发生。

Möglicherweise komme ich der Auflösung unserer Frage, ob denkende Wesen, in unserem Fall meine ich die Menschheit aus der Spezies von denkenden körperlichen Lebewesen der höheren geistigen Ordnung, also am Beispiel ihres Heimatplaneten Erde der Neuzeit, den wir ja bei unserem letzten Besuch „erforscht" haben, ein geistiges Stück näher. Aus den schriftlichen Aufzeichnungen zu unserer Thematik ließ sich für uns beide unschwer erkennen, wann sich etwa bei der sich entwickelnden Menschheit eine verbale, und so leidlich kommunikative Sprache entwickelte. Damit eingebunden sind auch andere Formen der zwischenmenschlichen Kommunikation. Wie zum Beispiel: die Zeichensprache, die Gestik und die Mimik. Damit meine ich die Gesamtheit der möglichen Gesten, Mimiken und körperlichen Bewegungen, die als Zeichen für nonverbale Handlungen zur zwischenmenschlichen Kommunikation als solches auch erkannt und verstanden werden sollten. Insbesondere sind das manuelle Bewegungen der Arme, der Hände, der Finger und die des Kopfes, die verbale Mitteilungen in einer jeweiligen Lautsprache unterstützend begleiten können. Gesten, Mimiken und die Zeichensprache sind zweifelsohne ein Ausdruck der nonverbalen Kommunikation, die allerdings, bevor sie zur Anwendung kommen würden, ablaufprozessual auch gedacht werden müssten. Das ist unstrittig. In diesem Zusammenhang möchte ich noch auf die Augensprache bei Lebewesen, gleich welcher Art, hinweisen. Kaum etwas kann überzeugender auf den oder die Gesprächspartner wirken, als ein aufmerksamer Blick in ihre Augen. Kaum etwas anderes, als ihre Augen, können für Lebewesen so anziehend, oder gegebenenfalls auch angsteinflößend oder abstoßen sein. Auch bei der Augensprache gilt, dass das, was die Augen möglicherweise zum Ausdruck bringen sollten, erst überlegt oder kreativ und intuitiv gedacht werden muss.

„Wenn ihr eure Augen nicht gebraucht, um zu sehen, werdet ihr sie brauchen, um zu weinen."

Jean Paul Sartre

我可能会解决我们这个问题的解决方案，在我们的情况下，我是指人类是否来自具有更高精神秩序的有形生物的思考中的人类，因此我们以他们的现代地球为例，与我们的上一次“探索”访问，在精神上更加接近。从关于我们主题的书面笔记中，我们俩都很容易认识到，例如，在不断发展的人类中发展了口头的，如此容忍的交际语言。这也包括其他形式的人际交流。如：手势语，手势和面部表情.我的意思是说，可能的手势，面部表情和身体动作的总数也应该被识别和理解，例如用于人际交流的非言语行为的迹象。特别是这些是手臂，手，手指和头部的手动运动，它们可以支持相应口头语言的口头信息。手势，面部表情和手语无疑是非语言交流的一种表达,但是，在使用这些语言之前，还必须考虑其过程。这是无可争议的.在这种情况下，我想指的是生命中眼睛的语言，无论其类型如何。仔细观察对方的眼睛，几乎没有什么比对您说话的人更令人信服的了。除了他们的眼睛以外，几乎没有其他事物可以对生物如此吸引人，或者也可能令人恐惧或令人反感。同样在谈到眼语时，也必须首先以创造性和直观的方式考虑或思考眼睛应该能够表达的内容

“如果您不睁眼看，您将需要他们哭泣。”

Jean Paul Sartre

„Die Augensprache kennt keine Fremdwörter"

Helga Schäferling

Zurück zu unserer Frage, ob oder was man ohne Sprache denken könnte? Zweifelsohne lässt sich aufgrund von Ausgrabungen und Höhlenmalereien bereits erkennen, jedenfalls soweit ich das in den geschichtlichen Aufzeichnungen auf dem Planeten Erde der Neuzeit nachlesen konnte, dass sich in qualitativ und quantitativ unterschiedlichen sozialen und, soweit man das so sagen kann, auch in handwerklichen Entwicklungsprozessen, sowohl Männer als auch Frauen und Kinder aus dieser Menschheit bereits bemüht waren, sich das tägliche Leben durch die Fertigung von einfachen Werkzeugen zu erleichtern und effizienter zu gestalten. Durch ein gemeinsames Handeln bemühten sie sich, den ständig wachsenden Bedarf von Nahrungsmitteln zu befriedigen. Dass das, liebe Estrie, nicht ohne einer gewissen, und zweifelsohne auch durchdachten Systematik gelingen konnte, kann man schon daraus ableiten, dass die erforderlichen ablaufprozessualen Denkprozesse zwingend unausbleiblich gewesen sein müssen. Und zwar ohne das es für diese notwendigen Denkprozesse eine dafür verständliche verbale oder nonverbale Kommunikation gegeben hat.

“眼睛的语言不懂外来词”

Helga Schäferling

回到我们的问题，如果没有语言，人们是否会想到？毫无疑问，至少从我在现代行星的历史记录中所能读到的内容出发，从发掘和洞穴壁画中已经可以看出，在质和量上有不同的社会，而且据人们所知，手动开发过程中，人类以及人类中的男女儿童都已尝试通过制造简单的工具来使日常生活更轻松，更高效。通过共同行动，他们努力满足对食品日益增长的需求。亲爱的埃斯特里（Estrie），**如果没有一个确定无疑的**，经过深思熟虑的系统就无法成功，则可以从以下事实得出结论：必要的程序思维过程必定是不可避免的。对于这些必要的思维过程，没有任何可理解的口头或非语言交流。

Schon aus solch relativ einfachen, in einer gewissen Weise bereits simplen gesellschaftlichen Handlungsprozessen, lässt sich für uns Geistwesen unschwer erkennen, dass ablaufprozessuale Denkprozesse geschehen, unabhängig von der verbalen oder auch nonverbalen Kommunikation. Diese ablaufprozessualen Denkprozesse, und nicht die Sprache, gleich in welcher Form mit ihr kommuniziert werden sollte, sind das auslösende Element für das Verhalten und Handeln. Das im Handeln und Verhalten ablaufprozessuale „Tun“ resultiert aus dem denkprozessualen „Wollen“, dass beispielsweise im „formalen Denken“, damit möchte ich zum Ausdruck bringen, dass in der Logik, als die Wissenschaft des folgerichtigen Denkens und als Bestandteil des formalen Denkens, bereits die Struktur von „Wollenden“ denkprozessualen Sachargumenten, im Hinblick auf ihre Gültigkeit und Machbarkeit, untersucht werden, erstmal unabhängig vom geistigen Inhalt der Aussagen und letztlich natürlich auch vom möglichen „Tun“. In dieser Phase von ablaufprozessualen Denkprozessen geht es um das „geistige Wollen“ und nicht um das „Tun“ von Verhaltensweisen und dem möglichen daraus resultierendem Handeln. Eine weitere wichtige Frage bezieht sich, bezüglich unseres grundsätzlichem Fragenkomplexes darauf: „Ob“ oder „Was“ Lebewesen, gleich welcher Art, ohne Sprache denken könnten. Damit meine ich in besonderer Weise den Einfluss des „kreative Denken“ in Bezug auf das „Wollen“ und dem möglicherweise daraus resultierendem „Tun“, und was man vielleicht daraus sachlich erklären könnte?

即使从相对简单的，以某种方式已经很简单的社会行动过程中，我们的精神生命体也很容易认识到程序性思维过程的发生，而不管口头或非语言交流。这些程序性思考过程，而不是语言，无论应以何种形式进行交流，都是行为和行动的触发要素。与过程相关的行动和行为来自于思维过程的“想要”，例如，在“形式思维”中，作为形式思维的一部分，“意愿”思维过程论证的结构已经在考虑方面。就其有效性和可行性而言，最初与声明的知识内容无关，当然也最终与可能的“执行”无关。在程序性思维过程的这一阶段，关乎“精神意愿”而不关乎行为和可能产生的行动的“行事”。另一个重要的问题与我们的基本问题有关：没有语言，任何生物都能思考的“无论”还是“什么”。我的意思是，以一种特殊的方式，“创造性思维”相对于“想要”和“做”的影响可能由此产生，并且可以由此客观地解释吗？

Man kann Kreativität nicht aufbrauchen. Je mehr man sie nutzt, umso mehr hat man sie.“

Maya Angelou

Einige Wissenschaftler, besonders die vom Planeten Erde der Neuzeit aus dem Fachbereich Neurologie, kamen in Bezug auf das kreative Denken zu dem Schluss, dass die Kreativität, sachlich begründet, eigentlich kein scharf eingrenzbarer Begriff als solcher sein kann, zumindest was die kognitive Denkfähigkeit betrifft. Damit will ich zum Ausdruck bringen, liebe Estrie, das man unter kognitiven Denkfähigkeiten bei der Menschheit zum Beispiel: die Aufmerksamkeit, die Erinnerung, das Lernen, natürlich auch die Kreativität, das Planen, die Orientierung, die Imagination, die Argumentationsfähigkeit, die Introspektion und den Willen verstehen möchte. Natürlich bleibt dabei noch viel Argumentationsraum zur Spekulation und für alle möglichen Abwandlungen von dieser Definition. Bei unserem letzten Besuch auf dem Planeten Erde der Neuzeit, liebe Estrie, konnte ich auch noch weitergehende Argumentationen zum Thema Kreativität nachlesen und interessanterweise schon einige Hinweise darüber erhalten, inwieweit das „kreative Denken“ Einfluss hat, bei Lebewesen, gleich welcher Art, zu denken ohne dass dafür verbale oder nonverbale Kommunikationsprozesse erforderlich seien.

您不能耗尽创意。使用的越多，您拥有的就越多。”

Maya Angelou

一些科学家，特别是神经病学系现代行星的科学家得出的关于创造性思维的结论是，事实上，合理地讲，创造性实际上并不是一个可以明确界定的术语，至少就认知思维而言。亲爱的埃斯特里（Estrie），**我想借此表达出人**类在认知思维下的能力，例如：注意力，记忆，学习，当然还有创造力，计划，取向，想象力，论辩，内省和想了解意志的能力。当然，对于推测和对该定义的所有可能修改，仍有很大的争论空间。在我们最后一次访问现代地球亲爱的Estrie期间，我能够阅读有关创造力主题的更多论据，**而且有趣的是，我已**经获得了一些有关“创造性思维”对生物的影响程度的信息。哪种类型的思维方式不需要口头或非语言的交流过程。

Gemeint sei damit wohl, soweit ich das nachlesen konnte, dass durch das kreative Denken, ursächlich angeregt durch das „geistige Wollen“ eines Lebewesens, zum Beispiel mit effektiven Methoden Problemlösungsprozesse förderlich begünstigt werden könnten, beziehungsweise durch das Miteinbeziehen von Lösungsfaktoren, wie Problemsensitivität, Ideenflüssigkeit, Flexibilität und Originalität gefördert werden könnten? Aus Sicht von uns Geistwesen, ist Kreativität ein Ergebnis aus dem „geistigen Wollen“, für eine möglichst zeitnahe Lösung eines meist sehr schwer lösbaren Problems, mit „ungewöhnlichen“ und oft „unbekannten“, noch nicht gedachten Algorithmen und konkreten Lösungsansätzen mental zu entwickeln. Nicht gleichsetzen sollte man diese Erkenntnis zum kreativen Denken mit dem Begriff des „lateralen Denkens“. Damit ist so eine Art von Querdenken gemeint. Also eine Denkmethode, die im Rahmen der Anwendung von Kreativitätstechniken möglicherweise auch zur Lösung von Problemen, oder Ideenfindung angewendet werden kann. Etwas kurz von mir gefasst, liebe Estrie, lässt sich zum kreativen Denken auch feststellen, dass es eine oftmals spontane und nicht „alltägliche“ denkprozessuale Ideen suchende Art zu denken ermöglicht. Es beinhaltet ein Heraustreten aus dem gewöhnlichen Denkalltag, um zu echten, und bis dahin noch unbekannten alternativen Problemlösungen zu gelangen. Noch einige Gedanken zu unserem Thema: „Kann man ohne Spra-che denken?“ Dazu zwei simple Beispiele:

据我所读，这意味着可以通过创造性思维来促进解决问题的过程，例如通过有效的方法，或通过包括诸如因为可以提高问题的敏感性，思想的流动性，灵活性和真实性？从我们众生的角度来看，创造力是“**精神意志**”**在精神上开**发出一种通常很难解决的解决方案的结果，这种解决方案通常是“**不**寻常的”**并且通常是**“**未知的**”，**尚未想到的算法和具体解决方案。不**应将这种创造性思维的知识与“**横向思**维”**一**词等同起来。这意味着一种横向思考。换句话说，在创造技术的应用框架内，也可以用来解决问题或产生想法的一种思维方法。亲爱的埃斯特里（Estrie），**我想**简单地说一下，也可以说，创造性思维使思维方式通常是自发的，而不是“**日常**”**的与**过程相关的想法。它涉及到摆脱日常思维，以找到真正和迄今为止未知的问题替代解决方案。关于我们的主题的其他一些想法：“**您能没有**语言就能思考吗”**两个**简单的例子：

Die Geburt eines Kindes ist, wie dieser Spruch zur Geburt es so schön ausdrückt, etwas ganz Besonderes, was die Mutter und oft auch der Vater immer in Erinnerung behalten werden. Es ist ein nachhaltiges, einzigartiges Erlebnis. Und zumeist ist es für die Eltern ein großes Glück.

Albertine de Saussure

Man stelle sich die frühe Kindheit eines kleinen Jungen oder eines kleinen Mädchens vor, um bei der Spezies Mensch vom Planeten Erde der Neuzeit zu bleiben. Bei so einem Anblick werden vermutlich viele Männer und Frauen dieser Spezies davon ausgehen können, dass diese Kleinkinder der Sprache noch nicht mächtig sein können. Das man allerdings ziemlich sicher bereits weiß, dass sie über etwas nachdenken, was möglicherweise gerade in ihrem Kopf vorgehen mag, gleich was es sein sollte, das ist so ziemlich sicher. Zur Kontrolle würde ein Blick in das Gesicht so eines Babys genügen. An der Mimik könnte man vieles bereits erkennen. Die Frage wäre also nicht, „ob" sie denken, sondern eher „was" sie denken. Sie denken, soweit das die Männer, Frauen und die sprachkundigen Kinder auch oftmals tun, in Bildern und bildhaften Vorstellungen, die eigentlich keine Sprache in Wort oder Schrift benötigen.

正如出生所讲的那样，孩子的出生是一件非常特别的事情，母亲甚至常常是母亲也是如此父亲将永远被记住。
它是一个可持续的独特体验。
大部分是对于父母来说，这是非常幸运的。

Albertine de Saussure

想象一下，一个小男孩或女孩在童年时代与现代地球上的人类生活在一起的情况。在这种情况下，许多这种物种的男人和女人都可以认为这些小孩还不会说这种语言。但是，几乎可以肯定的是，您已，经知道自己正在思考某种可能正在发生的事情，无论它应该是什么这几乎是肯定的。

看着这样一个婴儿的脸足以控制。您已经可以通过面部表情识别很多东西。因此，问题不是他们认为的是“如果”，而是他们认为的是“什么”。就男人，女人和有语言的孩子而言，他们经常以图片和图画的想法思考，而这些图画和图画的思想实际上并不需要任何口语或书面语言。

Und dann gibt es manche auch komplizierte Gedanken. Dafür taugt die Sprache oftmals herzlich wenig. Das wird solchen Män-nern und Frauen, die es betreffen sollte schnell bewusst, wenn sie sich vor-stellen sollten, sie müssten möglicherweise einem Freund nur mit Worten erklären, wie man zu einem Kleidungsstück eine passende Krawatte richtig binden sollte? Oder wie man auf einem Fahrrad, ein Fortbewegungsmittel vom Planeten Erde der Neuzeit, das Gleichgewicht hält, damit man nicht von diesem Fahrrad herun-terfällt. Solche „Erklärungen" fordern das Denken heraus, und nicht zwingend die Sprache.

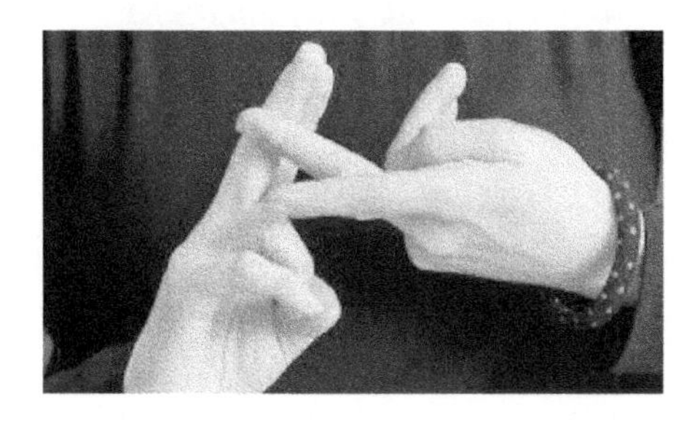

„Es hört doch jeder nur, was er versteht."

Johann Wolfgang von Goethe

Das zweite Beispiel möchte ich Männern, Frauen und Kindern widmen, um wieder auf dem Planeten Erde der Neuzeit Bezug zu nehmen, die weder hören noch sprechen können, weil die nötigen biologischen Voraussetzungen dafür durch Krankheit oder Unfall für diesen Personenkreis nicht mehr funktionstüchtig sind. Die Bezeichnung „taubstumm" wird von gehörlosen Personen des von mir genannten Personenkreises oftmals als ziemlich diskriminierend empfunden, weil der Wortteil von taubstumm vielleicht eine gewisse Art von negativer Konnotation enthält.

然后，还有一些复杂的想法。语言通常对此没有多大用处。

这些男人和女人应该引起关注，当他们想到可能不得不用一个简单的单词向朋友解释时，便很快意识到这一点，该如何将一条合适的领带系在一件衣服上？

或者如何在自行车上保持平衡，这是现代行星从地球运输的一种方式，这样您就不会从这辆自行车上摔下来。这样的**"解释"挑**战了思维，而不一定挑战语言。

"每个人都只会听到他的理解。"

Johann Wolfgang von Goethe

我想将第二个例子专门介绍给男人，女人和儿童，以使他们回想起既不能听也不会说的现代地球，因为这群人由于疾病或事故所必需的生物学先决条件已不再起作用。"聋哑"一词在我提到的人群中通常被认为具有歧视性，因为"聋哑"一词可能包含某种负面含义。

Darunter verstehen vermutlich einige Menschen der von mir genannten Spezies vom Planeten Erde, dass möglicherweise dieses oder jenes Wort eine unterschiedliche auslegbare Bedeutung haben könnte, und es käme wohl nicht selten vor, dass gegen gehörlose und sprachlich stumme Personen gerne und wohl auch oft die Meinung vertreten werden würde, sie seien dümmlich oder nur geistig eingeschränkt handlungsfähig. Jedenfalls konnte ich das, liebe Estrie. aus den zutreffenden Schriften auf dem Planeten Erde der Neuzeit so nachlesen. Unter einer „negativen Kommunikation“, um noch kurz darauf einzugehen, versteht man bei den Menschen auf diesen von mir genannten Planeten Erde, einerseits eine verbale Auseinandersetzung die gelassen, rücksichtsvoll und sachlich, oder auch andererseits kritisch, unsachlich, nörgelnd oder gar verletzend geführt werden könnte, in erkennbarer Weise immer mehr an Heftigkeit zunimmt und oftmals kein einvernehmliches Ende findet.

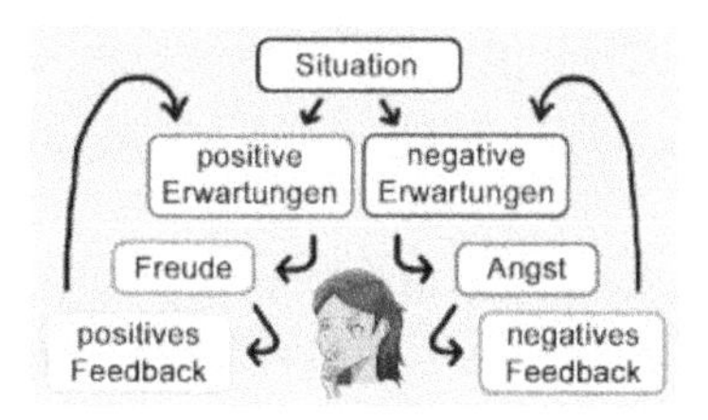

„Die Kunst richtig miteinander zu kommunizieren ist wie laufen lernen man fällt so oft auf die Nase bis man liebevoll an der Hand genommen wird“

Wilma Eudenbach

Gehörlose Menschen erachten die Sprechfähigkeit beziehungsweise die Sprachgewandtheit für sich selbst weniger wesentlich, als zum Beispiel die Kommunikationsfähigkeit. Sie können durchaus kommunizieren, sei es nun in der so genannten Gebärdensprache, oder sei es, so möglich, in der Lautsprache.

这样一来，我从地球上提到的某些物种的人可能会理解，这个或那个词可能具有不同的可解释的含义，并且聋哑和语言上沉默的人很高兴并且经常代表他们的见解，这种情况很少发生。变得愚蠢或行动能力有限。

至少我可以，亲爱的埃斯特里。**因此**，请阅读适用于现代地球的经文。

我已经提到的这个星球上的人们会很快理解“负面交流”，**一方面是冷静**，**体**贴和客观的口头讨论，另一方面是批评性的，无关紧要的，ing**的甚至可能**导致伤害，严重程度以可识别的方式增加，并且往往没有达到友好的目的。

“彼此之间进行适当沟通的艺术就像学习走路-您经常摔倒在脸上，直到您被手牵着手为止”

Wilma Eudenbach

聋人认为，说话的能力或语言的流利性对自己而言不如沟通能力那么重要。**您**绝对可以使用所谓的手语或可能的话进行交流。

Daher wollen nicht hörende Menschen aus dieser Spezies, so konnte ich nachlesen, wohl auch gerne gleichberechtigt behandelt werden, meiden allerdings in erkennbarer Weise die negative Kommunikation. Wieder zurück zum Denken ohne Sprache. Mit dem Denken beschäftigt sich angeblich das menschliche Gehirn, um wieder auf diese Spezies vom Planeten Erde Bezug zu nehmen, also diese sechzig Prozent Fett und die vierzig Prozent Proteine, auch ohne das es einer verbalen kommunikativen sprachlichen Voraussetzung, gleich in welcher Art und Weise, bedarf. Ich hatte das ja bereits am Beispiel eines Kleinkindes aus der Spezies Mensch vom Planeten Erde der Neuzeit, erwähnt. Wonach Babys zwar noch nicht sprechen können, aber sehr wohl schon denken, um gegebenenfalls eine Sprache zu erlernen. Von Geburt an taube Menschen, um wieder auf den Planeten Erde Bezug zu nehmen, können selbstverständlich denken ohne einer Form von nonverbaler Sprache. Ich konnte mich bei unserem letzten Besuch auf der Erde der Neuzeit auch davon überzeugen. Ihre Sprache für die nonverbale Kommunikation ist natürlich im Verlaufe ihres weiteren Lebens die so genannte „Gebärdensprache“, und deshalb denken sie, nicht nur aber auch, in ihr und mit ihrer Hilfe. Wie wir Geistwesen wissen, liebe Estrie, beschäftigt sich das Ichbewusstsein von Lebewesen natürlich mit dem Denken, eingebettet in der geistigen Energie. Für den größten Teil dieses „geistigen Tuns“ kommt es ohne Sprache aus. Das ist insoweit unstrittig. Allerdings kann die Sprache, gleich in welcher Art und Weise mit ihr verbal oder nonverbal kommuniziert wird, den verschiedenen Lebewesen helfen, ihr gesellschaftliches Leben sozial und kulturell besser zu gestalten. Die verbale und nonverbale Sprache ist bei Lebewesen, nur so als kleines Beispiel, wie ein Werkzeug, das ihnen das Denken möglicherweise erleichtern kann. Dennoch, das sei hier nochmals festgehalten, die verbale und nonverbale Sprache ist für ablaufprozessuale Denkprozesse nicht erforderlich. Ich möchte, liebe Estrie, zum Thema „intuitives Denken“ noch einige Sätze anmerken.

因此，我能够阅读，没有听到这种物种的人希望得到同等的对待，但要避免以可识别的方式进行负面交流。回到没有语言的思考。据称，人类大脑需要思考，以便从地球上回溯该物种，即这60%的脂肪和40%的蛋白质，即使不需要以任何方式进行口头，交流的语言前提。我已经以现代地球上人类物种的小孩为例提到了这一点。根据哪个婴儿还不能说话，但是他们已经在思考以便在必要时学习一种语言。为了重返地球，聋哑人当然可以在没有任何形式的非语言语言的情况下进行思考。在我们上一次访问近代地球时，我能够说服自己。他们用于非语言交流的语言当然是他们晚年生活中的所谓"手语"，因此他们不仅在其中而且在其帮助下思考。亲爱的埃斯特里（Estrie），我们知道灵性生物，对生物的自我意识自然与思维有关并嵌入了精神能量。在这种"精神活动"的绝大部分中，它是没有语言的。在这方面，这是无可争议的。但是，无论通过语言或非语言方式进行交流，语言都可以帮助各种生物更好地在社会和文化上塑造其社会生活。言语和非言语语言都存在于生物中，就像一个小例子一样，就像一种工具，可以使他们的思维变得更容易。尽管如此，这里应该再次指出，程序性思维过程不需要口头和非语言的语言。亲爱的埃斯特里，我想在"直觉思维"这个主题上再加上几句话。

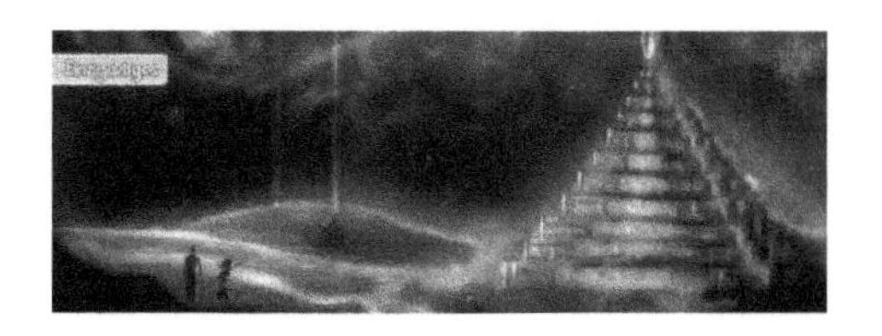

„Der intuitive Geist ist ein heiliges Geschenk und der rationale Verstand sein treuer Diener. Wir haben eine Gesellschaft geschaffen, die den Diener verehrt und das Geschenk vergessen hat.“

Albert Einstein

Liebe Estrie, wir haben uns ja in den Archiven der Menschheit vom Planeten Erde, um bei dieser Spezies zu bleiben, ausgiebig über ihre Kenntnisse des Denkens informiert. Die Bedeutung des Denkens reicht, ihren Erkenntnissen nach, vom Denken an etwas „Bestimmtes“, im Sinne von sich möglicherweise an etwas erinnern können, über das „Nachdenken“, im Sinne von etwas abzuwägen, zu vergleichen oder widersinnig gegenüber zu stellen, bis hin zu über etwas so oder so nachzudenken. Im Sinne von einer bestimmten Meinung zu einer Sache zu haben. In der Kognitions- oder Denkpsychologie bezeichnet man das Denken der Gedanken auch als einen Prozess der Informationsverarbeitung, insbesondere die Verarbeitung bildlicher oder sprachlicher Symbole. Dabei wird davon ausgegangen, dass die Symbole in Form so genannter Netzwerke gespeichert werden. Diese Netzwerke weisen unter anderem auch eine hierarchische Gliederung auf. So die Meinung einiger Wissenschaftler dieser Spezies Mensch vom Planeten Erde, so dass innerhalb eines aktuellen Denkprozesses und ähnlich ablaufender Denkprozesse auf Begriffe innerhalb solcher Gliederungen zugegriffen werden könnte. Wir haben ja über diese Thematik bereits ausführlich gesprochen, liebe Estrie.

“直觉的思想是神圣的礼物，理性的思想是其忠实的仆人我们创建了一个崇拜仆人却忘记了礼物的社会。”

Albert Einstein

亲爱的埃斯特里（Estrie）：为了与这个物种共存，我们已在行星地球人类档案中广泛地了解了他们的思想知识。根据他们的发现，思考的含义从思考可能会记住某件事的**“特定”事物到**权衡某事物，比较它或以一种无意义的方式面对它的**“思考”。以一种或另一种方式思考某件事**。对某件事有某种意见。在认知或思想心理学中，思想的思考也被称为信息处理的过程，特别是图形或语言符号的处理。假定符号以所谓的网络的形式存储。这些网络也具有层次结构。这是一些来自地球的人类物种的科学家的观点，因此可以在当前的思维过程和类似的思维过程中访问此类分类**中的**术语。亲爱的Estrie，**我**们已经详细讨论了这个主题。

Denken besteht jedoch nicht nur allein im Abarbeiten vorhandener Wort- und Bildstrukturen, sondern vor allem im Aufbau neuer Verbindungen zwischen den einzelnen Elementen des Denkprozesses. Denken kann daher auch als ein intuitiv ablaufprozessualer Vorgang verstanden werden, in dessen Verlauf neue Erkenntnisse entwickelt und hervorgebracht werden können, in dessen Zielsetzung nach etwas „Neuem“ oder etwas „Anderem“ die Sehnsucht und die Neugierde eine entscheidende Rolle spielt. Auf dieses Thema komme ich, wie schon erwähnt, noch zurück. Nicht zu unterschätzen ist die Fähigkeit des Denkens der Gedanken für die Herausbildung von Entscheidungsprozessen, Urteilen und logischen Schlussfolgerungen bei der kognitiven Hinwendung zu bestimmten Charaktereigenschaften, inwieweit diese sich in durchaus gewollten ablaufprozessualen Handlungen auswirken könnten, oder besser ich sage, sollten. Interessant sind in diesem Zusammenhang zwei unterschiedlich geprägte Überlegungen von Wissenschaftlern und Philosophen auf dem Planeten Erde, die davon ausgehen, dass sich im intuitiven Denken der Gedanken, hier wieder bezogen auf Männer, Frauen und Kinder aus der Spezies Mensch, einerseits die objektiv realistisch gegebene Wirklichkeit abspiegelt, und andererseits durch das intuitive Denken der Gedanken selbst die Wirklichkeit konkret strukturiert werden würde. Wir Geistwesen wissen natürlich, dass das Denken der Gedanken und nur das reale Denken der Gedanken in der materiellen Welt, in der Welt der körperlich denkenden Lebewesen der höheren geistigen Ordnung und in der Welt von uns Geistwesen, die geistigen mentalen Entstehungsgrundlagen und die zu ihnen gehörenden energetischen Gesetzmäßigkeiten geistig bieten kann. Kausale geistige, energetische und materielle Gesetzmäßigkeiten entwickeln sich auch aus intuitiven Denkprozessen der Gedanken, die sich auch denkende körperliche Lebewesen und denkende körperliche Lebewesen der höheren geistigen Ordnung, wie zum Beispiel die Spezies Mensch hier auf dem Planeten Erde, zunutze machen.

但是，思考不仅在于研究现有的单词和图像结构，而且首先在于在思维过程的各个要素之间建立新的联系。因此，思考也可以理解为与过程相关的直观过程，在此过程中可以开发和产生新的见解，在这些过程中，对**“新的”或“不同的”渴望和好奇心的目**标设定起着决定性的作用。如前所述，我将**回到**这个主题。不可低估的能力是，思考关于认知过程中决策过程，判断和逻辑结论的形成的思想会转变为某些性格特征，这些能力在多大程度上可以影响我，或者说我会更好地对某些性格产生影响程序上的动作。在这种情况下，行星上科学家和哲学家对两种不同形状的考虑很有趣，他们认为，在思想的直觉思考中，这里又基于人类的男人，女人和孩子，一方面是客观现实的现实。另一方面，通过思想本身的直觉思考，现实将被具体地构造。我们的灵体当然知道，在物质世界中，在更高的精神秩序的身体思想者的世界中以及在我们灵性的世界中，思想的思想只有思想的真实思**想，**
精神起源和精神上可以为他们提供属于他们的精力充沛的规律。因果的精神，能量和物质规律也从直观的思想思维过程中发展而来，思维过程也利用了诸如地球上的人类之类的思维生物和思维高级的思维生物。

Apropos, was die intuitiven, ablaufprozessualen Denkprozesse betrifft, liebe Estrie. Auf den meisten mir bekannten und bewohnten Planeten verstehen die dort lebenden Bewohner, aus der Spezies von denkenden körperlichen Lebewesen der höheren geistigen Ordnung, in ihrer Mehrheit eine besondere geistige Fähigkeit, Einsichten in Sachverhalte, Sichtweisen, Gesetzmäßigkeiten oder die subjektive Stimmigkeit von Entscheidungen zu erlangen, ohne dabei den diskursiven Gebrauch des Verstandes zu benutzen. Darunter versteht man bei dieser von mir genannten Spezies, dass man bestimmte Aufgaben versuchen kann intuitiv zu lösen, indem man sich bemüht, den „diskursiven Ansatz" möglicherweise intuitiv anzugehen. Man kann allerdings auch nur den „diskursiven Ansatz" wählen, und analytisch logisch vorgehen. Also zum Beispiel über etwas nachdenken, ohne gleich bewusst daraus gewisse Schlussfolgerungen ziehen zu wollen. Für den geistig ablaufprozessualen Denkbegriff der Intuition gibt es auf den von mir besuchten Planeten und den dort lebenden und gebildeten Männern und Frauen aus der Spezies von denkenden körperlichen Lebewesen der höheren geistigen Ordnung zum Begriff der Intuition eine ziemlich einheitliche, und in den meisten Fällen eine ausgesprochen philosophisch geprägte Begründung. Zusammengefasst lässt sie sich etwa so formulieren. *Die Intuition ist die Fähigkeit, Einsichten in Sachverhalte, in zum Teil noch unbekannte Sichtweisen, Gesetzmäßigkeiten, oder die subjektive Stimmigkeit von eigenen und nicht eigenen Entscheidungen zu erlangen, ohne einen diskursiven Gebrauch des Ver standes in Anspruch zu nehmen, also ohne eine bewusste Schlussfolgerung ziehen zu wollen. Intuition ist eine mentale, ablaufprozessuale Dehnfähigkeit, die man auch bei konkreten kreativen ablaufprozessualen Entwicklungsprozessen erkennen kann.*

亲爱的埃斯特里（Estrie），谈到涉及直觉，程序性思维过程的问题时。在我认识和居住的大多数星球上，居住在那里的居民从具有较高精神秩序的有形有生命体的物种中了解到，大多数人具有特殊的智力能力，可以洞悉事实，观点，法律或世界。决策的主观一致性，而无需使用思维的话语性。在我提到的这种物种的情况下，人们了解到，可以尝试通过直观地尝试"递归方法"来尝试直观地解决某些任务。但是，人们只能选择"递归方法"，并在分析和逻辑上进行。例如，在思考某件事时不自觉地想从中得出某些结论。对于与心理过程相关的直觉概念，在我访问过的行星以及在那里生活和受过教育的男人和女人的思想中，有一个相当统一的直觉概念，这些思想是从较高灵性秩序的有形生命体的种类中获得的。在大多数情况下，这绝对是哲学上的辩护。总之，它可以表述成这样。直觉是指在不运用话语理解的情况下，即在不自觉地运用事实的情况下，获得对事实的洞察力，对部分未知的观点，法律或自己而不是自己的决定的主观一致性的洞察力的能力。结论。直觉是与过程相关的心理弹性，也可以在特定的与过程相关的创造性开发过程中得到认识。

Der bei solchen mentalen Entwicklungsprozessen begleitende „Intellekt“, führt letztendlich ablaufprozessual nur noch das aus, oder prüft gegebenenfalls auch bewusst die möglichen mentalen Ergebnisse, die in den geistigen Aktivitäten von Charaktereigenschaften ihre Ursache haben, und im Ichbewusstsein eines Lebewesens gespeichert sind. Wobei der Begriff „Intellekt“ aus dem Verständnis von denkenden körperlichen Lebewesen der höheren geistigen Ordnung heraus, wohl mehr ein philosophischer Begriff sei. Er bezeichnet, auf der Grundlage der Denkweise der von mir geannten Spezies die Fähigkeit, etwas geistig ablaufprozessual zu erfassen, und die Instanz bei der von mir genannten Spezies, die für das Erkennen, Erfassen und Denken zuständig sein könnte, ihrer Mei-nung nach der „Intellekt“, wird möglicherweise als Synonym für den „Verstand“ verwendet. Nicht unwichtig ist es für uns Geistwe-sen zu wissen, dass diese von mir genannte Spezies unter dem Begriff „Verstand“ versteht, Begriffe zu begründen, und diese mit möglichen Urteilen, also Entscheidungen zu verbinden. Erkenntnisorientiert wäre es allerdings hilfreich für Männer und Frauen dieser Spezies, wenn sie sich bemühen würde, mit ihrem Ichbewusstsein besser in Verbindung zu kommen, um mit diesem geistigen Zentrum eine mentale Kommunikation zu entwickeln. Es führt sie mit seinen ablaufprozessualen Denkprozessen, mittels der Charaktereigenschaften, sowohl durch das zeitlich begrenzte materielle Leben auf einem bewohnten Planeten im materiellen Universum, und nach dem Tod des Körpers der von mir genannten Spe zies, ist das Ichbewusstsein der Inbegriff für das geistige Leben, wo immer es auch sein sollte. Aber so weit sind bei dieser von mir genannten Spezies die Erkenntnisse dafür noch nicht vorgedrungen, leider!

伴随着这种心理发展过程的“智力”最终仅执行与过程相关的过程，或者在必要时也有意识地检查由性格特征的心理活动引起的，并存储在对孩子的自我意识中的可能的心理结果。一个生物。因此，从对高级精神秩序的思想存在的理解中理解的“智力”一词可能更像是一个哲学术语。根据我所命名物种的思维方式，它表示掌握与心理过程相关的某些事物的能力，以及我所命名物种中根据其所承担的负责识别，把握和思考的权威。意见“智力”可以用作“思想”的同义词. 对于我们的众生来说，知道我所命名的这个物种通过“智力”一词理解以证明其合理性并使它们与可能的判断即决定联系起来并不是不重要的。但是，以知识为导向的方式，如果该物种的男性和女性试图与自我意识更好地接触，以便与这个精神中心发展心理交流，将对他们有帮助。它通过性格特征引导您通过其过程性思维过程，既通过物质宇宙中有人居住的星球在时间上有限的物质生活，也可以在我命名的物种死亡后自我意识是精神生活应有的缩影。但是，不幸的是，我命名的这个物种的发现还没有发展到现在！

Zugute möchte ich den Neurologen auf den von mir besuchten Planeten halten, jedenfalls soweit ich das erkennen konnte, dass sie den möglichen Informationsaustausch zwischen dem „enterichen Nervensystem“, im Volksmund dieser Spezies nennt man dieses System auch „Bauchhirn“, und dem Gehirn im Kopf dieser Spezies auch eine gewisse Rolle bei den intuitiven Entscheidungen, man nennt sie auch „Bauchentscheidungen“, zukommen lassen. Soweit so gut. Noch ein paar Gedanken zu den wesentlichen „Merkmalen“ der Intuition.

Es gibt gewisse Menschen, denen würde man am liebsten den Teufel als ständigen Gast in ihrem Hause wünschen. Aber, man tut es nicht. Das Bauchgefühl sagt nein. Denn besser wäre es für solche Personen, sie würden sich in ihrem Leben einmal selbst begegnen.

Dietmar Dressel

我想让神经科医生留在我所拜访的行星上，至少据我所知，它们是“肠神经系统”之间的信息交换，在该物种的白话中，该系统也被称为“腹脑”，以及该物种在头部的大脑在直觉决策中也有一定作用，它们也被称为“肠道决策”。到现在为止还挺好。关于直觉的基本“特征”还有一些思考。

对于某些人，他们希望恶魔成为他们家中的永久客人。但是你没有. 直觉说不。因为对他们来说会更好一生中会见一次的人认识你自己.

Dietmar Dressel

。

Als allgemeine Aspekte der Intuition werden beispielsweise aus unterschiedlichen, voneinander abweichenden oder auch widersprechenden Positionen heraus angesehen, dass eine besondere Begabung dafür, dass vielleicht auch kurzentschlossene und trotzdem gute Entscheidungen getroffen werden könnten, ohne das dafür die zugrunde liegenden Zusammenhänge explizit vielleicht zu verstehen wären. Im Volksmund der Bevölkerung, auf den von mir besuchten Planeten meint man dazu meist, etwas salopp von mir formuliert: „Der oder die Personen würden sich das möglicherweise „aus dem Bauch“, oder aus dem Hemdsärmel schütteln wollen.

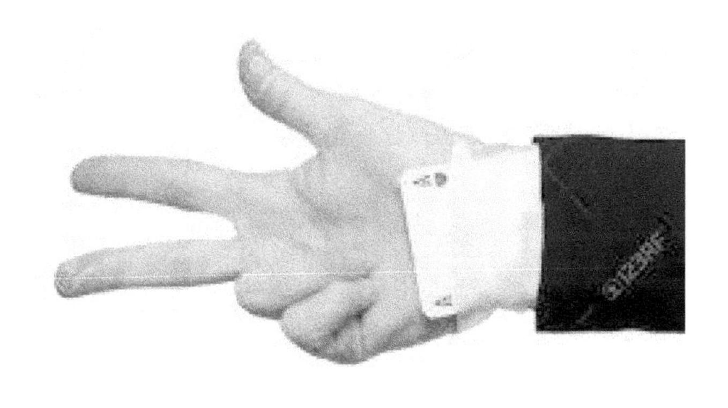

„Ich kann mir doch nicht so viel Geld in so kurzer Zeit aus dem Ärmel schütteln!“

Redewendung

例如，从不同，不同或矛盾的立场可以看出直觉的一般方面，即在没有明确的内在联系的情况下，能够做出自发而又好的决定的特殊才能。**在当地人看来，在我**访问过的行星上，通常指的是我随便提出的一种东西：**"一个人或多个人可能希望将其"从肚子里"或从**衬衫袖子上摇出来。

"我不能在这么短的时间内从口袋里掏出那么多钱！"

短语

Die kurzentschlossene, eingebungsmäßige Einsicht in mögliche Zusammenhänge, und ihre spontane Erkenntnis ohne bewusste und rational bedingte mentale Ableitungen, oder Schlussfolgerungen, sowie auch die Entwicklungen völlig neuartiger Erfindungen und Ideen, sind ein signifikanter Hinweis oder möglicherweise sogar ein Beweis für konkrete ablaufprozessuale intuitive Denkprozesse des Ichbewusstseins von denkenden körperlichen Lebewesen der höheren geistigen Ordnung im materiellen Universum.

Ich möchte
Menschen um mich
haben, die durch
Zufall in mein Leben
purzeln und mit
voller Absicht
bleiben.

„Zufall ist ein Wort ohne Sinn. Nichts kann ohne Ursache existieren.“

Voltaire

„Angeblich würde der so genannte Zufall nur einen mental vorbereiteten Geist in seinem schlummernden menschlichen Bewusstsein treffen können.“ Diesen Spruch, liebe Estrie, meine ich, einmal bei unserem letzten Besuch auf dem Planeten Erde der Neuzeit gehört zu haben. Und eine scheinbare Begründung dafür, oder besser ich sage eine Befähigung dazu, hörte ich gleich mit.

对可能的联系及其自发知识的自发，鼓舞性见解，没有有意识的和合理的条件性心理推论或结论，以及全新发明和思想的发展，是对具体程序，直观思维过程的一个重要指示，甚至可能是一个证明。在物质宇宙中思考具有更高精神秩序的物质存在的自我意识。

“巧合是一个没有意义的词。没有原因就不可能存在。”

Voltaire

“**据推**测，所谓的巧合只能在其沉睡的人类意识中满足一个**心智成熟的**头脑。”亲爱的埃斯特里，我想我在上一次访问现代行星时就听到了这句话。这是一个明显的原因，或者说，我会说有这样做的能力，我马上就听到了。

Soweit ich mich erinnere, hatte sie folgenden Inhalt: „Das so ein vorbereiteter Geist die Fähigkeit wohl besitzen würde, Eigenschaften und Emotionen in Sekundenbruchteilen, scheinbar unbewusst oder bewusst, komplex und wohl auch instinkthaft in der Lage wäre, sie möglicherweise auch geistig alle erfassen zu können. Wie du ja weißt, liebe Estrie, ist der so genannte Zufall für uns Geistwesen kein Thema, mit dem wir uns näher auseinandersetzen wollen. Für mich ist dieser so genannte Zufall eher so etwas wie ein Raum ohne Inhalt. Magst du, liebe Estrie dazu noch etwas sagen, oder kann ich das Thema überspringen?“ „Ruh dich ein wenig aus, lieber „ES“, ich möchte schon ein paar Sätze dazu anmerken.“ Gut, liebe Estrie, dann werde ich dir aufmerksam zuhören.“ Lieber „ES“, du hattest ja kurz über deine Erfahrungen, jedenfalls was die verschiedenen Zufallsprozesse bei der Bevölkerung des Planeten Erde der Neuzeit betrifft, gesprochen. Ich möchte ebenfalls auf diesen Planeten Bezug nehmen, weil sich meines Wissens nach Teile der Wissenschaft, die sich mit dem so genannten Zufall auseinandersetzten, und dabei auf die sonderlichsten Begründungen kamen. Insoweit ich das so zur Kenntnis nehmen konnte. Ich möchte allerdings, wenn es um ernsthafte Schlussfolgerungen zu dem Thema Zufall gehen sollte, doch mehr meine eigenen Überzeugungen und Kenntnisse dazu einfließen lassen. Einige Wissenschaftler von diesem Planeten Erde der Neuzeit gehen davon aus, dass sich bestimmte wissenschaftliche Bereiche, jedenfalls wenn es sich um den geistigen Einfluss des Zufalls handeln sollte, sich durchaus bestimmte Teilbereiche der klassischen Philosophie mit der Frage, ob der Planet Erde der Neuzeit, als ein geschlossenes System, natürlich auch mit seiner gesamten Bevölkerung im innersten deterministisch, damit meinen sie kausal eindeutig vorherbestimmt gewesen seien, oder wohl eher zufällig entstanden sein könnte? Wie wir wissen, „ES“, stellt sich auf den ersten Blick die Frage, ob der jeweilige Beobachter lediglich zu wenige Informationen hatte, um eine exakte Vorhersage zu treffen, oder ob das beobachtete System möglicherweise in sich zufällig ist.

据我所记得，它具有以下内容："这样一个准备好的头脑将可能具有几分之一秒的属性和情绪的能力，显然是在无意识或有意识的情况下，复杂且可能是本能的，它们也可能是能够在精神上掌握一切如您所知，亲爱的埃斯特里（Estrie），所谓的巧合不是我们想要更深入地处理的精神存在的话题。对我来说，这种巧合更像是一个没有内容的空间。亲爱的Estrie，您想说点别的话吗？或者，我可以跳过这个话题吗？""放松一点，亲爱的"
IT"，我想补充几句话。""好吧，亲爱的Estrie，那么我会注意的听您说"亲爱的IT"，您简短地讲述了您的经历，至少涉及影响现代地球人口的各种随机过程。我也想提及这个星球，是因为据我所知，科学的各个部分处理所谓的巧合，并提出了最特殊的原因。据我所知。但是，在就巧合问题得出严肃结论时，我想结合我自己的信念和知识。来自这个现代行星地球的一些科学家认为，至少在机会的精神影响方面，某些科学领域肯定是古典哲学的某些子领域，其中涉及到现代行星地球是否是封闭系统当然，它的全部人口也处于最确定的地位，这意味着它们是因果明确地预先确定的，还是可能是偶然产生的？众所周知，"

ES"一眼便出现了问题，即相应的观察者是否掌握的信息太少而无法做出准确的预测，或者观察到的系统本身是否可能是随机的。

Bei den deterministischen Systemen, also bei den kausal eindeutig vorherbestimmten Systemen, ist das Ergebnis eines Experimentes bei identischen Bedingungen meist immer gleich. Während möglicherweise bei einer spontan beobachteten Varianz sich eher darauf schließen lassen könnte, dass der Beobachter an zumindest einer Stelle in seinem Tun ungenau handelte. Interessant ist die Feststellung einiger Wissenschaftler dieses Planeten Erde im Bereich der Quantenphysik insoweit, dass wohl angeblich eine neuerliche Diskussion unter Berufskollegen auf diesem Planeten Erde ausgelöst haben soll darüber, ob die Welt, gemeint ist wohl eher das materielle Universum, fundamental deterministisch, also kausal eindeutig, oder im innersten eher zufälligen Prinzipien gehorchen könnte? Die vermutlich experimentell nachgewiesene Verletzung der Bellschen Ungleichung impliziert, gemeint sind damit wohl Messreihen an quantenverschränkten Teilchenpaaren, dass die Natur auf mikroskopischer Ebene nicht durch eine sowohl realistische als auch lokale Theorie beschrieben werden könnte. Dies bedeutet unter anderem natürlich auch, dass das Ergebnis eines Experiments, selbst bei Kenntnis aller lokalen Gegebenheiten im Allgemeinen nicht exakt vorhergesagt werden kann und dementsprechend auch verschiedene Konsequenzen aus identischen Ausgangssituationen folgen könnten. So ist es beispielsweise noch nicht möglich, den exakten Zeitpunkt des Zerfalls eines Atomkerns zu bestimmen, und zwar nicht, weil noch bestimmte Eigenschaften und Verhaltensweisen eines Atomkerns möglicherweise noch unbekannt wären, sondern wohl eher deshalb, weil keine greifbaren Ursachen dafür existieren. Im Rahmen der Kopenhagener Deutung der Quantenmechanik spricht man daher von einem objektiven Zufall. Schließlich sollte ja der quantenmechanische Zufall nicht mit Regellosigkeit gleichgesetzt werden. Auch wenn die einzelnen Messergebnisse nicht vorhersagbar sein können, so sind die Wahrscheinlichkeiten ihres Eintretens durch die quantenmechanischen Gesetzmäßigkeiten streng bestimmt. Man mag es nicht glauben, „ES“, ich habe das tatsächlich nachlesen können.

对于确定性系统，即因果明确的预定系统，实验的结果通常在相同条件下总是相同的。自发地观察到的差异可能会得出这样的结论，即观察者在其行动中至少有一点是不正确的。某种程度上说，量子物理学领域的一些科学家的观察很有趣，因为据称该星球上的专业同事之间的重新讨论应该引发了关**于世界是否更可能是物**质的争论.宇宙，从根本上是确定性的，即因果关系是明确的，还是最内在的能够遵循随机原则？可能是通过实验证明证明违反了贝尔不等式，这可能意味着对量子纠缠粒子对进行了一系列测量，而微观层面的本质无法用现实和局部理论来描述。除其他事项外，这自然也意味着即使已知所有当地条件，实验结果也通常无法准确预测，因此，相同的初始情况可能会产生不同的后果。例如，尚不可能确定原子核衰变的确切时间，这不是因为原子核的某些特性和行为可能仍然未知，而是因为没有明显的原因。在哥本哈根对量子力学的解释中，人们谈到了一种客观的巧合。毕竟，量子力学的巧合不应该等同于不规则性。即使单个测量结果无法预测，其出现的可能性也完全由量子力学定律确定。您不想相信它，“ ES”，**我**实际上读过。

Es lohnt sich nicht für uns, lieber „ES", näher darauf einzugehen, weil diese so genannten wissenschaftlichen Behauptungen im krassen Widerspruch zu wirklich nachvollziehbaren Erkenntnissen eines wohl sehr berühmten Physikers auf diesen Planeten Erde stehen. Soweit so gut. Noch ein paar Sätze zum so genannten Zufall und der möglicherweise freien Willensbildung im menschlichen Bewusstsein. Um wieder auf die Menschheit auf dem Planeten Erde Bezug zu nehmen. Ich konnte folgende Ausführungen dazu nachlesen. Zwischen den Begriffen Zufall und freier Wille existiert nach Auf-fassung einiger Wissenschaftler dieses Planeten ein enger Zusam-menhang. Es kann argumentiert werden, so meinen sie, dass eine freie Entscheidung, zumindest teilweise, durch andere Einflüsse nicht beeinflusst ist. Sie wäre also nicht kausal bestimmbar. Dies lässt sich indes gerade auch als Definition von Zufall ansehen: *Nach dieser Auffassung kann es im materiellen Universum ohne Zufall keinen freien Willen geben, da jede Entscheidung bei Kenntnis aller Einflussgrößen vorhergesagt werden könnte. Aber wenn unsere Entscheidungen zufällig zustande kommen, wäre das erst recht nicht, was wir uns unter freiem Willen vorstellen.* Mutige Behauptungen dieser Wissenschaftler. Daraus könnte man auch die Frage ableiten, was und mit welcher kausalen Begründung führte dann zum so genannten Urknall? Wenn überhaupt? Der Widerspruch zwischen einem kausalen bestimmten System und der Unbestimmtheit des freien Willens entsteht nur dort, wo bereits bekannte Erscheinungen mit der Sache an sich gleichgesetzt werden könnten. Wenn also mögliche Erscheinungen Sachverhalte an sich wären, so ist die Freiheit des Geistes möglicherweise verloren. Wenn dagegen Erscheinungen für nichts mehr gelten, als sie in der Tat wären, nämlich nicht ein Sache an sich, sondern bloße Vorstellungen, die nach empirischen Gesetzen zusammenhängen, so müssen sie selbst noch Gründe haben, die nicht Erscheinungen sein könnten.

对于我们来说，更不用说“
IT”了，**它不**值得更详细地介绍，因为这些所谓的科学主张与地球上一位非常著名的物理学家的真正可理解的发现形成了鲜明的矛盾。到现在为止还挺好。关于所谓的巧合以及人类意识中意志的可能自由形成的更多句子。回到地球上的人类。我能够阅读以下有关此内容的评论。根据地球上一些科学家的说法，机会和自由意志这两个词之间有着密切的联系。他们认为，可以争辩说，一个自由的决定不会至少部分地受到其他影响。因此，它不是因果关系可确定的。但是，这也可以看作是机会的定义：根据这种观点，物质世界中没有自由机会就不会有**自由意志**，**因**为可以根据所有影响因素的知识来预测每个决定。但是，如果我们的决定是偶然发生的，那肯定不是我们对自由意志的想象。这些科学家提出了勇敢的主张。从这一点还可以得出这样一个问题，那就是什么以及由于什么原因导致了所谓的**“大爆炸”？如果有的**话因果决定的制度与自由意志的不确定性之间的矛盾仅在已知的现象可以与事物本身等同的情况下出现。因此，如果可能的表象本身就是事实，那么精神的自由就可能会丧失。另一方面，如果外表对任何事物的影响都不再比其实际有效，也就是说，本身不是事物，而是仅根据经验定律相联系的表示形式，那么**它**们自身必须仍然具有不能成为外表的原因。 。

Wie wirklich frei der menschliche Wille wirklich sei, und wie sehr menschliche Entscheidungen von Erfahrungen, Gefühlen und Instinkten geprägt sind, ist ein Untersuchungsgegenstand der Psychologie. Und der ist, soweit ich das feststellen konnte, lieber „ES", unter den Wissenschaftlern auf dem Planeten Erde der Neuzeit voll entbrannt. Ein Mensch mit einem freien Willen hat vielleicht nur einen umfangreichen Erfahrungsschatz, möglicherweise auch moralische Grundsätze und einen scharfen Verstand, die ihm eigenständige, differenzierte Entscheidungen auf fundierter Basis erlauben, welche vielleicht auch kausal bestimmbar absolut zustande kommen. Ein solcher Wille ist immerhin ein Stück weit frei von gesellschaftlichen Zwängen und Gewohnheiten. Wenn sich diese Wissenschaftler vom Planeten Erde der Neuzeit ernsthaft dieser „Suche" nach dem freien Willen und der freien Willensbildung widmen wollen, sollten sie wenigsten sich in konsequenter Weise nicht nur der geistigen Freiheit, sondern vorallem den „Wert des menschlichen Lebens" in ihre wissenschaftlichen Überlegungen mit einbeziehen. Was nützt letztlich ein freier Wille, wenn andererseits „der Wert des menschlichen Lebens" mit Füßen getreten wird und sich dem Werteteiler „Null" beängstigend nähert. Soweit so gut, lieber „ES". Bevor ich zum Schluss kommen möchte, noch ein paar Wort zu den Glaubensdoktrien der meisten Religionen und Sekten auf dem Planeten Erde der Neuzeit. Wohlgemerkt der Neuzeit. Ich habe diese Erkenntnisse nicht aus der Zeit ihrer Entstehungsgeschichte gelesen. Ich möchte bei meinen Gedanken nur auf die christlich katholische Glaubensreligion Bezug nehmen. Nicht weil sie sich so schön aussprechen lässt, sondern weil sie die freie Willensbildung unterbunden und den Wert des menschlichen Lebens in abartigster und unmenschlichster Art und Weise „ausgeraubt, gequält und vernichtet" hat, und offensichtlich immer noch nicht davon loslassen kann. Die christlich katholische Religion auf dem Planeten Erde der Neuzeit setzt keinen freien Willen im Menschen voraus, soweit es sich um die Möglichkeit handelt, sich Gott zuzuwenden oder sich von ihm abzukehren.

人的意志真正有多自由，以及经验，感觉和直觉会决定多少人的决定，这是心理学研究的主题。而且，据我所知，它是“
IT”，**它已**经在现代地球上的科学家中大放异彩。有自由意志的人可能只有丰富的经验，也许还有道德原则和敏锐的思想，这使他能够在有充分根据的基础上做出独立的，差异化的决定，这**也可能是因果关系上可以确定的。**
这样的意愿至少在一定程度上没有社会约束和习惯。如果这些来自近代地球的科学家认真地致力于自由意志和自由意志形成的这种“**研究**”，**那么他**们至少应该始终如一地不仅关注知识自由，而且首先要关注“**人类**的价值”。**生命”的科学考**虑。最终，如果在脚下践踏了“**人**类生命的价值”，**而价**值分配器“**零”正在逼近，那么免**费使用将是免费的。到目前为止，亲爱的“
IT”。**在**结束之前，我想谈一谈现代地球上大多数宗教和教派的信仰教义。介意您是现代人。从创建之时起，我还没有阅读过这些发现.在我的思想中，我只想提及**信仰基督教的天主教。不是因**为它可以如此精美地表达，而是因为它阻止了自由意志的形成，并以最反常和不人道的方式“**破坏，折磨和破坏了”人**类生命的价值，而且显然仍然不能放开它。就这是转向神或远离神的可能性的问题而言，近代地球上的基督教天主教并不以人类的自由意志为前提。

Nur Gott oder die Götter sind die Herrscher der freien Willensunfreiheit des Menschen. Aus und Punkt. Da diese Willensunfreiheit des Menschen zu Schwierigkeiten mit den ultimativen Glaubensdoktrin bei Religionen führt, sind in Teilen dieser von mir genannten Religionsgemeinschaft minimal abweichende Zugeständnisse bezüglich der freien Willensbildung auf dem Planeten Erde der Neuzeit hie und da in den Industrieländern erkennbar. Allerdings wohl eher des lieben Geldes wegen, dass diese von mir genannte Religionsgemeinschaft, besonders aus solchen wirtschaftlich geprägten Ländern, erhält und natürlich auch drin-gend gebrauchen kann. Gäbe es, bitte lieber „ES", rein theoretisch, die berühmtem drei "Gs" nicht, also Geld, Gold und Grundstücke, gäbe es auch keine Religionen und Sekten. So einfach ist das in der Welt des materillen Lebens. Von wegen Gott und die Götter. Möglicherweise ist diese offensichtliche Zusammengehörigkeit von diesen göttlichen Herrschern und den drei "Gs" in den Anfangsbuchstaben zu finden. Weiß mans? Wieder zurück zum intuitivem Denken, lieber „ES". Glaube mir, es war mit dem Thema Zufall ziemlich anstrengend für mich. Könntest du bitte mit dem Thema: „Intuitivem Denken" fortfahren. Ich werde dir sehr gern zuhören und mich dabei vielleicht etwas ausruhen können." „So soll es sein, liebe Estrie." „Gedanklich stehengeblieben waren wir bei den bewussten beziehungsweise unbewussten ablaufprozessualen Denkprozessen. Diese Art von Entscheidungsgründen für eine bestimmte intuitive Willlensentscheidung, liebe Estrie, hat ihre Ursache nicht selten in einem ausgesprochenen bewussten und gefühlsbetonten Gedankenprozess. Möglicherweise fühlen sich solche Art Gründe auch in intrapsychischen Sachverhalten recht wohl. Gemeint ist damit auf dem Planeten Erde der Neuzeit, wenn in einer relevanten Entscheidungssituation von möglichen Handlungsalternativen eine Unvereinbarkeit, oder möglicherweise einander entgegen gerichtete Handlungstendenzen bestehen würden, die gegebenenfalls zu emotionalen Spannungen führen könnten.

人的自由意志自由的统治者只有神或众神。断点。由于人们意志的缺乏导致了对宗教信仰终极信念的困扰，在我所提到的这个宗教共同体的某些地方，关于在现代地球上自由形成意志的最低限度的让步在这里和那里都可以被认识到。在工业化国家。但是，可能是由于我提到的这个宗教团体，尤其是从这些经济主导国家/地区获得的巨额资金，当然可以紧急使用它。如果有的话，宁愿“
IT”，纯粹是理论上著名的三个“
G”，即金钱，黄金和土地，也就不会有宗教和宗派。物质生活世界就是这么简单。因为上帝和众神。这些神圣的统治者和三个“
G”的明显的共同点可能出现在首字母中。你知道吗？回到直觉思维，选择“.

IT”。相信我，巧合的话题对我来说很累。您能否继续讨论主题：“直觉思维”。我会很高兴听听您的声音，也许还能休息一下。““那是应该的，亲爱的埃斯特里。”“我们的思想因与过程有关的有意识和无意识的思考而停止了。亲爱的埃斯特里（Estrie），这种对某种意愿做出直觉决策的决策原因，并非经常是由明确的意识和情感思维过程引起的。在精神内的情况下，这样的原因也可能让人感到很舒服。在现代行星地球上的意思是，在相关的决策情况下，可能的替代性行动方式或可能相互对立的行动趋势不兼容，这可能导致情感上的紧张。

Gott sei Dank, so meinen viele Menschen auf dem Planeten Erde der Neuzeit, gäbe es ja auch noch den „gesunden Menschenverstand“. Soweit so gut. Wieder zurück zur Intuition, liebe Estrie. Intuition hat natürlich auch einen geistig spürbaren Zusammenhang mit der „Logik“ und natürlich auch mit der so genannten „Inneren Logik“ Liebe Estrie, lange Zeit galt die Logik als höchster Maßstab für die sprachliche Rationalität. Soweit ich das bei meinen Besuchen auf bewohnten Planeten bei der dort lebenden und gebildeten Bevölkerung feststellen konnte. Inzwischen beruhigen allerdings einige wissenschaftliche Kreise, damit meine ich besonders Psychologen und Evolutionstheoretiker, insbesondere die vom Planeten Erde der Neuzeit, zusammengefasst mit den Worten: Der Mensch denkt im besten Fall logisch und in Wahrscheinlichkeiten meist intuitiv. Wer sich dabei eher auf sein Bauchgefühl verlässt, kommt damit vermutlich gut durchs Leben. Ein ähnliches Verhalten dazu konnte ich auch auf den von mir erwähnten Planeten feststellen. Grundsätzlich sollte in Bezug auf die Logik gelten, dass sie auf der Grundlage der Philosophie und der kosmischen Philosophie, die Wissenschaft des folgerichtigen Denkens ist und sicherlich auch bleiben wird. Wir Geistwesen haben mit so einer Definition keinen erkennbaren Dissens. Aus und Punkt. Dazu ein praktisches Beispiel aus dem Leben von denkenden körperlichen Lebewesen der höheren geistigen Ordnung. Ein Mann, sagen wir aus der Spezies Mensch vom Planeten Erde der Neuzeit, der bei annehmbaren Wetterbedingungen für Bergwanderungen, selbstverständlich mit einer guten sportlichen Fitness, aus einem unsicherem Gefühl heraus kurz vor dem Berggipfel umkehrt, handelt auf den ersten Blick heraus nicht zwingend logisch. Er handelte möglicherweise aus einer „inneren Logik“ heraus. Gemeint ist damit, dass dieser Mann, gegebenenfalls aus einer intuitiven Eingebung heraus reagierte. Man könnte vielleicht auch aus einem mauen Bauchgefühl dazu sagen, oder vielleicht auch aus einem beginnenden körperlichen Unwohlsein heraus handelte.

感谢上帝，现代地球上的许多人认为仍然存在“常识”。到现在为止还挺好。回到直觉，亲爱的埃斯特里。当然，直觉也与“逻辑”以及当然与所谓的“内在逻辑”亲爱的埃斯特里有精神上的联系，因为长期以来，逻辑一直是语言合理性的最高标准。据我所知，在我探访了居住在那里的受过教育的星球的有人居住的星球时，我发现了这一点。但是，与此同时，一些科学界正在平静下来，我的意思是特别是心理学家和进化论者，尤其是现代行星的心理学家和进化论者，其概括为：充其量，人类从逻辑上思考，并且就概率而言，大多是直觉上的。那些更多依靠自己的直觉的人可能会度过一生。我能够在我提到的行星上确定与此类似的行为。从根本上说，它应该适用于基于哲学和宇宙哲学的逻辑，这是逻辑思维的科学，并且一定会保持不变。我们的灵魂对于这样的定义没有明显的异议。断点。这是一个思考精神上的高级生物的生活中的实际例子。可以说，一个人来自现代地球上的人类，他在可接受的天气条件下（当然具有良好的运动能力）在山峰前不久在山峰附近转身，乍一看不一定是合乎逻辑的。他可能是出于“内在逻辑”而行事的。这意味着这个人在必要时出于直觉的建议而做出反应。您可能还因为肠胃虚弱而说了出来，或者由于刚开始的身体不适而采取了行动。

Die getroffene Entscheidung zur Umkehr selbst basiert in so einem Fall natürlich auf impliziertem Wissen. Damit meine ich, liebe Estrie, die Summe aller im Ichbewusstsein des von mir genannten Mannes gespeicherten Erfahrungen in Bezug auf das Bergsteigen und Bergwandern. Das ist insoweit unstrittig. Wieder zurück zum intuitivem Denken.

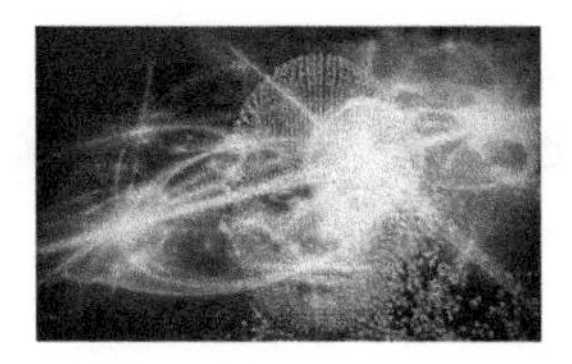

„Wenn du in einer stillen Stunde deines Lebens in dich hineinhören kannst und dabei fühlst, dass du nicht so denkst wie viele anderen, dann ändere es auch nicht.“

Dietmar Dressel

Abschließend möchte ich zum Thema „intuitive Denkprozesse“ zusammengefasst noch ein paar Sätze sagen. Grundsätzlich gilt unter uns Geistwesen, das die Bedeutung der Intuition, also das unbewusste Denken, natürlich keine subjektive Meinung von denkenden körperlichen Lebewesen der höheren geistigen Ordnung darstellt und auch nicht darstellen könnte. Gerade die unbewussten, ablaufprozessualen Denkprozesse, zum Beispiel die so genannten Bauchgefühle, die dem Ichbewusstsein von Lebewesen sehr wohl bekannt sind, sind die eigentliche Willensbildung, also das „Wollen“ ansich, dass dem bewussten Denken von Lebewesen mental näher bringt. Nur diese unbewussten, ablaufprozessualen Denkproesse aus dem Ichbewusstsein, eingebettet im „geistigem Sein“, tragen dazu bei, das Denken und das daraus resultierende Verhalten und Handeln bei der Spezies von denkenden körperlichen Lebewesen der höheren geistigen Ordnung im materiellen Universum zu fördern und zu entwickeln.

在这种情况下，回头的决定当然是基于隐性知识。亲爱的埃斯特里（Estrie），我的意思是，我提到的关于登山和徒步旅行的人的自我意识中存储的所有经验的总和。在这方面，这是无可争议的。
再次回到直觉思维。

“如果您可以在生活中的安静时刻倾听自己的声音，并且感到自己不像其他人那样思考，那么就改变吧也没有。”

Dietmar Dressel

最后，我想总结一些关于“直觉思维过程”的句子。基本上，在我们的灵性生命中，直觉的含义，即无意识的思维，当然不代表也不能代表对更高灵性秩序的物质存在进行思考的主观意见。

正是无意识的，过程性的思维过程，例如众生的自我意识所熟知的所谓的直觉，是意志的实际形成，即“欲望”本身，它带来了对生物的自觉思维在心理上更加接近。

只有来自自我意识的这些潜意识的，过程性的思维过程，才被嵌入“精神存在”中，才有助于在物质宇宙中更高精神层次的有形生物的思考物种中促进和促进这种思想以及由此产生的行为和行动。开发。

Auf dieses Thema werden wir noch zu sprechen kommen, liebe Estrie. Soweit so gut. Noch ein paar erklärende Worte zu dieser Zusammenfassung. Natürlich ist die Intuition für viele Wissenschaftler bei Völkern auf den verschiedenen bewohnten Planeten noch ein relativ unlösbares Rätsel. So scheint es wenigsten für uns Geistwesen. Ich könnte auch sagen, die Intuition befindet sich bei der Spezies von denkenden körperlichen Lebewesen der höheren geistigen Ordnung auf halbem Weg zwischen Hoffnung und wachsender Erkenntnis. Vermutlich erscheint sie dadurch für viele Neurologen dieser von mir genannten Spezies immer noch so mysteriös. Besonders das intuitive Denken wäre es, was ihnen ermöglichte, die materielle Realität unmittelbar zu interpretieren, ohne die nötige Vermittlung von Logik oder Analyse. Es verwendet auch keine verbale Sprache, sondern basiert ja auf Bilder, Zeichen und Empfindungen. Ihr eigentliches Problem dieser noch immer vorherrschenden Unkenntnis bezüglich des intuitivem Denkens besteht in der mangelnden Fähigkeit, sich von den bekannten sechzig Prozent Fett und den vierzig Prozent Proteinen, als dem so genannten Gehirn als Denkzentrum, gedanklich zu lösen, und einmal über den so genannten Tellerrand hinaus zu denken. Im Kontext vom „Kreislauf des kosmischen Lebens" sind alle ablaufprozessualen Denkprozesse eingebettet im Ichbewusstsein von Lebewesen, das seine energetische Beständigkeit im „geistigem Sein" hat. Dafür ist es allerdings notwendig, dass sich die Wissenschaft bei dieser von mir genannten Spezies, insbesondere der Spezies Mensch vom Planeten Erde, sich von allen irgendwie gearteten religiösen Strukturen geistig löst und auch davon Abstand nehmen sollte, dass der Planet Erde der Nabel der Welt sei. Ebenfalls sollte die Wissenschaft von diesem Planeten Erde der Neuzeit geistig sich davon lösen, dass das „Leben" ansich mit dem so genannten „Urknall" seinen Anfang nahm.

亲爱的埃斯特里，我们稍后再谈这个主题。到现在为止还挺好。还有几句话可以解释此摘要。当然，对于许多科学家而言，直觉仍然是各个人类星球上人们之间相对难以解决的难题。至少在我们看来如此。我也可以说，在具有较高精神秩序的有形生物的思考中，直觉介于希望和知识增长之间。也许正因为如此，对于我命名的该物种的许多神经学家而言，它仍然显得如此神秘。特别是凭直觉的思维将使他们能够直接解释物质现实，而无需进行必要的逻辑或分析交流。它还不使用口头语言，而是基于图像，符号和感觉。对于直觉思维仍然普遍存在的无知，您的真正问题是无法从心理上摆脱众所周知的百分之六十的脂肪和百分之四十的蛋白质（所谓的大脑为思想中心），并且一旦脱离了所谓的思维框超越思考。在“宇宙生命的循环”的背景下，所有程序性思维过程都嵌入在生物的自我意识中而自我意识在“精神存在”中具有活力。但是，为此，有必要让我提及的具有该物种的科学，尤其是来自地球的人类物种，在精神上脱离任何形式的所有宗教结构，并且还应避免地球是地球的肚脐这一事实。世界。同样，这个现代行星地球的科学应该从精神上脱离“生活”本身始于所谓的“大爆炸”这一事实。

Auf der Erde der Neuzeit müsste man eigentlich wissen, wo ihr Planet in einem kleinen Sonnensystem, am Rande einer mittelgroßen Galaxis, seine Kreisbahn für eine befristete Zeit eingenommen hat, und das der so genannte Urknall bestenfalls eine haltlose Gedankenspielerei von Wissenschaftlern der Spezies Mensch vom Planeten Erde der Neuzeit ist. Wir Geistwesen wissen, was wir dazu sagen. Soweit so gut, liebe Estrie. Ich denke, zu dem „Was" und in „Welcher Art und Weise" Lebewesen denken, darüber haben wir uns gedanklich gut austauschen können. Sollten wir noch Unklarheiten im Laufe unserer gemeinsamen Diskussion erkennen, werden wir nochmals darauf eingehen. Unser Grundthema ist ja das „Denken der Gedanken". Als nächstes sollten wir uns deshalb dem „Wie" widmen. Ich meine, „Wie" entwickelt sich ein Gedanke, oder besser ich sage: „Wie" entwickelt sich das Denken? Und noch etwas genauer ausgedrückt: Was „ist" eigentlich ein Gedanke? Magst du, liebe Estrie damit beginnen, ich müsste mich erstmal etwas geistig ausruhen." „Ich übernehme das sehr gern, lieber „ES"." Danke, ich werde dir sehr aufmerksam zuhören, liebe Estrie"

在现代地球上，人们实际上应该知道在中型星系边缘的小型太阳系中，您的行星在有限的时间内沿其圆形轨道运行，所谓的“大爆炸”充其量是来自近代地球的物种人类科学家的毫无根据的思想游戏。我们灵性的人知道该说些什么。亲爱的埃斯特里，到目前为止一切顺利。我认为生物思考“什么”和“哪种方式”，我们能够就此交换意见如果我们在联合讨论过程中仍然认识到任何歧义，我们将再次解决它们。我们的基本主题是“思想思考”。因此，接下来我们应该关注“如何”。我的意思是，思想是“如何”发展的，或者说是思想是“如何”发展的？更准确地说：什么是“思想”？亲爱的埃斯特里，您想首先开始精神上的休息吗？“”我很高兴接受这一点，亲爱的“ IT”。

Gedanken und geistige Energie

Ein Gedanke ist erst einmal ein energetischer, ablaufprozessualer Prozess. Einmal völlig losgelöst davon, was ihn auslösen könnte, oder ausgelöst hat. Punkt!

„Einen Gedanken verfolgen - wie bezeichnend dies Wort! Wir eilen ihm nach, erhaschen ihn, er entwindet sich uns, und die Jagd beginnt von neuem. Der Sieg bleibt zuletzt dem Stärkeren. Ist es der Gedanke, dann lässt er uns nicht ruhen, immer wieder taucht er auf - neckend, quälend, unserer Ohnmacht, ihn zu fassen, spottend. Gelingt es aber der Kraft unseres Geistes, ihn zu bewältigen, dann folgt dem heißen Ringkampf ein beseligendes, untrennbares Bündnis auf Leben und Tod, und die Kinder, die ihm entspringen, erobern die Welt.“

Marie von Ebner-Eschenbach

Ein Gedanke oder besser ich sage die Gedanken, um das nochmals zu bekräftigen, sind natürlich als energetische geistige Prozesse, selbstverständlich das mentale Resultat von einem erstrebenswerten, „geistigen Wollen“. Ohne jetzt das „geistige Wollen“ selbst im Einzelnen zu strukturieren. Angeregt und gefördert werden solche energetischen Prozesse bei allen denkenden körperlichen Lebewesen der höheren geistigen Ordnung auf bewohnbaren Planeten im materiellen Universum, und gegebenenfalls auch für alle anderen Lebewesen in dem von mir genannten Lebensraum, durch eine Art Sprache. Wie meine ich das?

思想和精神能量

想首先是一个充满活力的过程性过程。一旦完全脱离可能触发它的因素或触发它的因素。观点！

“追求思想-
这个词有多重要！我们赶紧追赶他，抓住他，他逃脱了我们，狩猎再次开始。最后，胜利仍然来自更强大的胜利。

如果是这样的想法，那么它就不会让我们休息，它会一次又一次地重新出现-戏弄，折磨，嘲笑我们的无能来抓住它。

但是，如果我们的精神力量成功地掌握了它，那么激烈的摔跤比赛就会伴随着幸福，密不可分的生死同盟，而由此而生的孩子们将征服世界。”

Marie von Ebner-Eschenbach

为了重申这一点，一个思想，或者更确切地说，我说该思想，当然是充满活力的精神过程，当然是值得追求的“**精神意志**”**的精神**结果现在无需详细构造“**精神意愿**”**本身**。

这种活力过程在物质宇宙中可居住星球上所有具有较高精神秩序的思想物理生物中得到激发和促进，并且可能还通过一种语言对我已经命名的生活空间中的所有其他生物进行了激发和促进。
我是什么意思

Im temporären Verlauf von qualitativen und quantitativen, sowohl materiellen als auch geistigen Entwicklungsprozessen auf den bewohnbaren Planeten im materiellen Universum, bilden sich bei der Spezies von körperlich denkenden Lebewesen der höheren geistigen Ordnung zur Herausbildung von unterschiedlichen Kommunikationsprozessen verbale und nonverbale Sprachen heraus. In etwas einfach strukturierter Form entwickelt sich das in solchen von mir genannten temporären Entwicklungsprozessen auch bei pflanzlichen und tierischen Lebewesen aus. In einem Satz könnte man das auch so formulieren: *Die Sprache ist, gleich in welcher Form, der Dolmetscher für alle ablaufprozessualen Denkprozesse bei Lebewesen. Punkt!* Auf dieses Thema kommen wir zu einem späteren Zeitpunkt bestimmt noch zu sprechen. Noch ein paar wesentliche Sätze zu diesem „ geistigen Wollen“ und seiner ursächlichen Entwicklungsgeschichte. Auch beim „geistigen Wollen“ gilt, sicherlich auch in gedanklich nachvollziehbarer Weise, so wie beim „geistigen Denken“, eine konkrete Definition, die ich wie folgt ausdrücken möchte, lieber „ES“. *Das „geistige Wollen“, ist das sehnsüchtige geistige Verlangen der „geistigen Energie“, eingebettet im so genannten „universellem Nichts“, nach strukturellen ablaufprozessualen und energetischen Entwicklungsprozessen. Einmal völlig losgelöst davon, inwieweit sich das auf geistige, beziehungsweise materielle Veränderungsprozesse in dem von mir genannten „universellem Nichts“ auswirken würde. Punkt!* Wenn es sich um die Thematik Energie handelte, habe ich bei meinen Recherchen auf bewohnten Planeten nicht selten feststellen können, dass diese unentbehrliche physikalische Größe nicht den Stellenwert bei der Spezies von denkenden körperlichen Lebewesen der höheren geistigen Ordnung einnimmt, der ihr gebührt. Nicht selten kann man erkennen, wie sie, nur so als Beispiel, materielle und wirtschaftliche Vorteile von energetischen Prozessen nutzen, allerdings selten darüber nachdenken, dass ohne Energie, keine materielle Welt und erst recht nicht das Leben, gleich in welcher Form, existieren würde.

在定性和定量的暂时过程中，物质宇宙中宜居行星上的物质和精神发展过程，在发展中具有较高精神秩序的具有生理思维的生物物种中形成了言语和非言语语言不同的通信过程。它以某种简单的结构形式，以我所提到的临时发展过程发展，也存在于动植物中。您还可以用一句话来这样表述：语言，无论是哪种形式，都是生物中所有程序性思维过程的解释器。观点！我们一定会在以后再讨论这个话题。关于这种“**精神意愿”及其**发展的因果历史，还有一些更重要的句子。我想表达如下，最好是“
IT”的具体定义也适用于“**精神意愿**”，**当然也可以从精神上理解的方式适用于“精神思**维”。

“精神意志”是人们长期以来对“**精神能量”的精神渴望**，**它嵌入了所**谓的“**万物”中**，**用于**结构化程序和充满活力的发展过程。因为这一次完全脱离了我所称的“**万物”中影响心理或物**质变化过程的程度。观点！当谈到能源问题时，在我对有人居住的行星的研究中，我经常能够发现，这种不可缺少的物理量在思考具有更高精神秩序的有形生物时不具备应有的地位。例如，看到它们如何利用能量过程的物质和经济优势并不少见，但很少考虑这样一个事实：没有能量，就没有物质世界，当然也没有生命，无论以哪种形式存在。

Die „geistige Energie“, gleich in welcher Art und Weise man sie beurteilen möchte, hat eine signifikante Beziehung zum Wollen. Das mag auf den ersten Blick ungewöhnlich erscheinen, ist aber so. Punkt!

„Fühle die geistige Energie und achte auf die Stimme des geistigen Wollens.“

Dietmar Dressel

Diese „signifikante Beziehung“ ist bei näherer Beurteilung auch in allen anderen Energieformen zu erkennen. Man nehme sich als Beispiel nur die „Thermische Energie“. Diese Energieform ist die Energie, die in der ungeordneten Bewegung der Atome oder Moleküle eines Stoffes gespeichert ist. Sie ist eine extensive Größe und ist Teil der inneren Energie. Sie hat, sowie die „geistige Energie“, eine signifikante Beziehung zum Wollen, indem sie beispielsweise in der Kraftwerkstechnik, die Nutzung von fossilen, regenerativen und nuklearen Energiequellen ermöglicht. Auch in der optischen Energie ist so ein signifikantes Verhalten erkennbar. Die Bewegungsenergie, oder seltener bezeichnet, die Geschwindigkeitsenergie ist, wie wir wissen die Energie, die ein Objekt aufgrund seiner Bewegung enthält. Sie entspricht der Arbeit, die aufgewendet werden muss, um das Objekt aus der Ruhe in die momentane Bewegung zu versetzen. Sie hängt von der Masse und der Geschwindigkeit des bewegten Körpers ab. Diese kinetische Energie, wie sie auch als solche so bezeichnet werden könnte, ist eine Energieform, die ein Objekt aufgrund seiner Bewegung enthält. Sie sucht als „lebendige Kraft“ unaufhaltsam die Nähe zum „geistigen Wollen“. Soweit so gut. Diese „Eigenschaften“ der Energie etwas „geistig zu wollen“, lässt sich von uns Geistwesen, aufgrund unserer gemeinsamen Erfahrungen, ausnahmslos auf alle Energieformen übertragen. Auch hier gilt:
„Die Energie ist in ihrem Bemühen nützlich zu sein, der „mentale Erfüllungsgehilfe“ für das „geistige Wollen“. Punkt! „

无论人们如何判断，“**精神能量**”**都与意志密切相关。乍一看**这似乎很不寻常，但这是事实。观点！

“感受精神能量，注意精神意志的声音。”

Dietmar Dressel

仔细评估后，也可以在所有其他形式的能量中看到这种“**重要关系**”. **以**“热能”为例。这种能量形式是存储在物质的原子或分子的无序运动中的能量。它数量庞大，是内部能量的一部分。与“**精神能源**”**一**样，它与意志密切相关，例如，它可以在电厂技术中使用化石能源，再生能源和核能能源。在光能中也可以看到重要的行为。众所周知，运动的能量，或更罕见地称为速度的能量，是物体由于其运动而包含的能量。它对应于为了使物体从静止运动到瞬时运动而必须花费的工作。它取决于运动物体的质量和速度。这种动能，也可以称为运动能，是物体由于其运动而包含的一种**能量形式**。**作**为一种“**生命力**”，**它无情地**寻求与“**精神意愿**”**的**亲密关系。到现在为止还挺好。基于我们的共同经验，我们的精神存在使我们能够毫无例外地将能量的这些“**属性**”转换为所有形式的能量。同样适用于这里：

“**精力是在努力**发挥作用的过程，是“**精神替代品**”对于“**精神意愿**”**的作用**。观点！”

Ich möchte, in Bezug auf unser eigentliches Thema, dem „Denken der Gedanken“, nicht weiter darauf eingehen. Wir haben uns ja darüber schon ausgiebig gedanklich ausgetauscht. Ich möchte mich bei meinen weiteren Gedanken auf das „geistige Sein“, eingebettet in der geistigen Energie, konzentrieren. Nach unseren bisherigen Erkenntnissen, lieber „ES“, möchte ich noch etwas Grundsätzliches formulieren: *Nur dieses „geistige Sein“, eingebettet in der „geistigen Energie“, gibt durch sein „geistiges Wollen“ dem „Kreislauf des kosmischen Lebens“, auf der physikalischen Grundlage von energetischen ablaufprozessualen Wandlungsprozessen, die „geistige Energie“ und damit die „geistige energetische Beständigkeit“ für seine ewige „Existenz“.* Über die unstrittige Beständigkeit der Energie, auf der Grundlage des Energieerhaltungssatzes, haben wir uns ja bereits ausführlich unterhalten. Nur der Vollständigkeit wegen möchte ich das auch in einer grundsätzlichen Festlegung artikulieren.

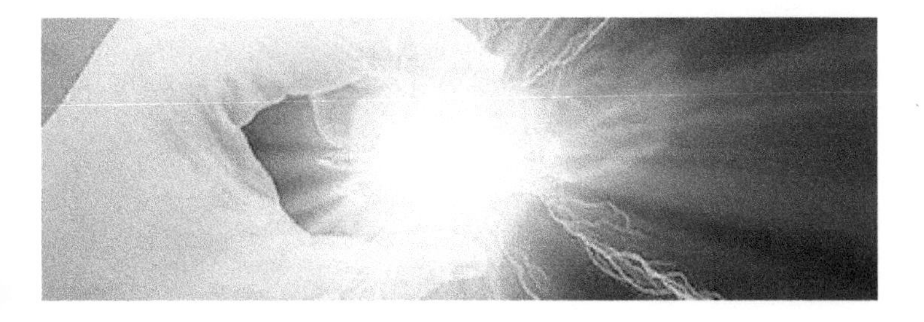

Der Energieerhaltungssatz drückt aus, dass die Energie eine Erhaltungsgröße ist, dass also die Gesamtenergie eines abgeschlossenen Systems sich nicht mit der Zeit ändert. Energie kann zwischen verschiedenen Energieformen umgewandelt werden. So variabel im Universum Energieformen erscheinen mögen, sie unterliegen alle dem Energieerhaltungssatz der Physik. Demnach geht Energie niemals verloren.

我不想就我们的实际话题“思考思想”进一步探讨这一点。我们已经就此进行了广泛的交流。在我的进一步思考中，我想专注于精神能量中所包含的“精神存在”。根据我们以前的知识，亲爱的“IT”，我想提一个更基本的东西：只有嵌入“精神能量”中的“精神存在”才通过其“精神意志”放弃了“宇宙生命的循环”。能量变化过程的物理基础，“精神能量”以及因此而来的“精神存在”，是其永恒的“存在”. 我们已经在能量守恒定律的基础上广泛讨论了无可争辩的能量持久性。为了完整起见，我也想在基本定义中阐明这一点。

能量守恒定律表示能量是一个守恒量，即一个封闭系统的总能量不会随时间变化。能量可以在不同形式的能量之间转换。尽管能量形式可能会在宇宙中出现，但它们都受物理学中能量守恒定律的约束. 因此，能量永远不会丢失。

Lieber „ES“, ich möchte auf meine Gedanken, in Bezug auf unser Wissen über dieses „geistige Sein“, eingebettet in der „geistigen Energie“ eingehen, wonach der Kreislauf des kosmischen Lebens durch physikalische, chemische, biologische und energetische ablaufprozessuale Wandlungsprozesse, die „geistige Energie“ und die „geistige energetische Beständigkeit“ für seine ewige „Existenz“ ermöglicht wird. Entschuldige bitte lieber „ES“, ich hatte ja bereits darauf hingewiesen. Für diese Thematik erscheint es auf den ersten Blick möglicherweise notwendig, auf die Entwicklung dieses Lebensraumes, damit meine ich den Lebensraum des “geistigen Seins“, eingebettet in der geistigen Energie, näher einzugehen.

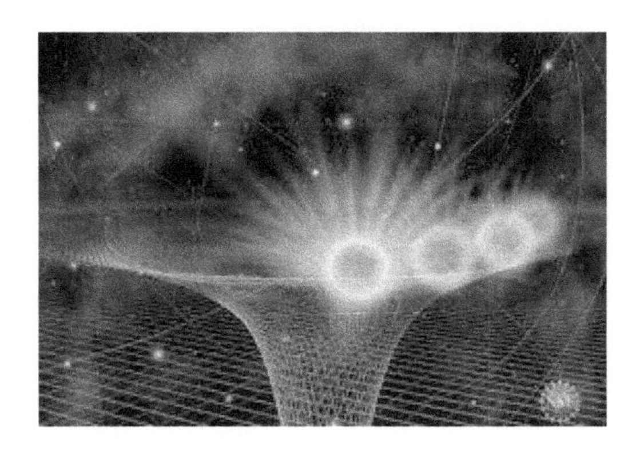

„Das „geistige Sein“, eingebettet in der „geistigen Energie“, ist die Heimat des „geistigen Wollens“ und des „geistigen Fühlens“.

Dietmar Dressel

亲爱的“
IT”，我想对我们关于“精神存在”的知识进行思考，它被嵌入“精神能量”中，据此，宇宙生命通过物理，化学，生物和高能过程循环在变化中，“精神能量”和“精神能量恒定”因其永恒的“存在”而成为可能。
请原谅“
IT”，我已经指出了。乍一看，这个话题似乎有必要更仔细地研究这种生活空间的发展，我的意思是“精神存在”的生活空间嵌入了精神能量。

嵌入“精神能量”中的“精神存在”是“精神意志”和“精神感觉”的故乡。

Dietmar Dressel

Das geistige Sein und das Denken der Gedanken

„Jeder Gedanke den man denkt, ist ein geistiges Ergebnis, geboren aus dem geistigen Wollen. Jeder Gedanke ist wie ein Baustein am werdenden Leben, unabhängig davon, wie es sich entwickeln wird.“

Dietmar Dressel

Lieber „ES“, lass mich bitte mit unserer letzten Frage beginnen. „Wie ist möglicherweise dieser Lebensraum des „geistigen Seins, eingebettet in der „geistigen Energie“, entstanden?“ Oder zutreffender gefragt! „Wie hat er sich gegebenenfalls entwickeln können?“ Um den Kreislauf des kosmischen Lebens auch nur ansatzweise verständlich erfassen zu können, jedenfalls haben wir beide uns darum bemüht, ist es natürlich auch notwendig, die Frage über die Entstehung dieses Lebensraumes zu beantworten, soweit es uns Geistwesen schon möglich ist. Sie führt uns ja schließlich näher zum eigentlichen Schlüssel allen Geschehens und letztendlich zum „Kreislauf des kosmischen Lebens.“ Dazu sollte man allerdings auch wissen, dass im Mittelpunkt dieses grundsätzlichen Geschehens zwei untrennbare Voraussetzungen dafür bestehen müssen und auch bestehen. Es ist einmal die „geistige Energie“ und das darin eingebettete „geistige Sein“. Bei einigen Völkern auf den mir bekannten Planeten wird für das „geistige Sein“ auch häufig die Bezeichnung des „Nichts“ verwendet. Wobei nicht erkennbar ist, was sie damit eigentlich zum Ausdruck bringen wollen. Denn „Nichts“ ist ja nicht gleich „Nichts“. Was sollte also dieses „Nichts“ dann eigentlich sein? Und was verbirgt sich möglicherweise in diesem „Nichts“?

思维的精神能量和思考

每个人都认为这是一种精神结果，源于精神意志。无论思想如何发展，每一个思想都像是生活发展的基石。”

Dietmar Dressel

亲爱的“IT”，请允许我从最后一个问题开始。**嵌入在“精神能量”中的“精神存在的生存空**间是如何产生的？”**或者，“更恰当地被**问到！

“它可能如何发展？”为了能够以一种可以理解的方式掌握宇宙生命的循环，至少我们俩都试图做到这一点，当然也有必要回答有关该栖息地起源的问题，只要我们的灵体已经有可能。毕竟，它使我们更接近所有事件的实际关键，并最终到达了**“宇宙生命的循**环”。**然而，人**们也应该知道，在这一基本事件的中心必须而且还存在两个不可分割的先决条件。一方面，其中蕴含着**“精神能量”和“精神存在”在我所知道的行星上，有一些民族，“无”一**词常被用于**“精神存在”。因此不清楚他**们实际上想表达什么。因为**“无”与“无”是不同的。**

那么这种**“无”**实际上应该是什么呢？**“什么”中可能**隐藏的是什么？

Aber gut, das „Nichts“ soll ja nicht unser eigentliches Thema sein. Beide grundsätzlichen Bereiche für das Bestehen sind ablaufprozessuale Denkprozesse. Damit meine ich das „geistige Sein“, eingebettet in der „geistigen Energie“. Ohne diesem sehnsuchtsvollen „Wollen“ und den daraus resultieren ablaufprozessualen Denkprozessen in seiner vielfältigsten Art und Weise, würde sich nichts, aber auch gar nichts geistig „bewegen“. Etwas beispielhaft vergleichen könntest du das auch, lieber „ES“, mit der digitalen Steuerung von so genannten Computeranlagen, die möglicherweise schon bei technisch fortschrittlichen Lebewesen, aus der Spezies von denkenden körperlichen Lebewesen der höheren geistigen Ordnung auf den verschiedenen bewohnbaren Planeten im materiellen Universum zur Anwendung kommt. Nur wieder so als Beispiel: Ohne dem „geistigen Wollen“, und dem daraus resultierenden ablaufprozessualen Denkprozessen der von mir genannten Spezies, könnte die digitale Steuerung eines Computers nicht entwickelt werden. Und auch zu dieser Feststellung sage ich: Punkt!

Das „geistige Wollen“ und das daraus resultierende „ablaufprozessuale Denken“ ist natürlich auch die Grundlage für das geistige Leben eines Ichbewusstseins von Lebewesen.

Dietmar Dressel

但是，“**无**”**不**应该成为我们的实际话题。存在的两个基本领域都是程序性思维过程。我的意思是“**精神存在**”，**嵌入**“**精神能量**”**中**。**如果没有**这种渴望的“**希望**”**和由此**产生的程序思维过程以最多样化的方式进行，那么什么也没有，绝对没有，会在精神上“**移动**”。**例如**，**您**还可以将亲爱的“
IT”**与所**谓的计算机系统的数字控制进行比较，所谓的计算机系统可能已经用于技术先进的生物中，它们来自具有较高精神秩序的有形生物的物种。在物质宇宙中的各种宜居行星上使用。再举一个例子：如果没有“**智力意愿**”**和我提到的物种所**产生的程序性思维过程，就无法开发计算机的数字控制。我也要对这句话说：时期！

当然，“精神意志”和由此产生的“过程思维”也是生物自我意识的精神生活的基础。

Dietmar Dressel

Das „geistige Wollen“ und das daraus resultierende ablaufprozessuale Denken kann natürlich, für sich allein beurteilt, möglicherweise auch als kreativer und intuitiver Denkprozess verstanden werden, in dessen zunehmendem Verlauf innovative Erkenntnisse entwickelt und hervorgebracht werden können. Natürlich ist das möglich. Ich glaube allerdings nicht, lieber „ES“, ohne dass ich das jetzt weiter im Detail verifizieren möchte, dass wir damit vielleicht einen Dissens hätten, in dessen Kontext nach etwas Neuem oder etwas grundsätzlich Anderem, zum Beispiel die Sehnsucht oder die Neugierde, zwingend eine ergebnisorientierte Rolle spielen möchte. Bezüglich der Sehnsucht, eingebettet im „geistigen Wollen“, mag man vorschnell, möglicherweise auch aus anderen gewichtigen Gründen, bei manchen Volksgruppen aus der Spezies der denkenden körperlichen Lebewesen der höheren geistigen Ordnung dazu neigen, sie gegebenenfalls zu personifizieren. Ihr also einen Körper und ein Gesicht zu geben. Natürlich verbunden mit dem Anforderungsprofil, dass sich die energetischen denkprozessualen Prozesse des „geistigen Wollens“, eingebettet in der „geistigen Energie“, in „dogmatische Glaubensgrundsätze“ für ein höheres, so genanntes göttlich himmliches Wesen umwandeln sollten. Mit der Folge, dass das „geistige Sein“, eingebettet in der göttliche Macht, und in einem dubiosen göttlichen Himmel, eine neue Bestimmung hätte.

当然，“精神意志”和由此产生的与过程有关的思想也可以单独判断，也可以理解为创造性和直觉性的思想过程，在此过程中可以开发和生产创新知识。当然有可能。但是，亲爱的“
IT”**人**员，如果我不想现在更详细地验证这一点，我不认为我们可能会在此背景下持不同意见，因为对于某些新事物或根本不同的事物，例如渴望或好奇心，必定有一个异议希望发挥结果导向的作用。关于嵌入在**“精神意志”中的渴望，可能由于其他重要原因而**过早地倾向于将它们从某些具有较高精神秩序的有形生物的物种中**化身**为某些族裔。所以给它一个身体和一张脸。与需求概况自然相关，嵌入到**“精神能量”中的“精神意志”的充**满活力的思想-
过程应该转变为**“教条信仰”，以**产生更高的所谓的神圣天堂。结果，嵌入神的力量和可疑的神的天堂中的**“精神存在”将有一个新的目的**

Im normalen Sprachgebrauch versteht man unter dem Begriff der Sehnsucht bei der Spezies der denkenden körperlichen Lebewesen der höheren geistigen Ordnung ja eigentlich, etwas allgemein formuliert, mehr ein nicht enden wollendes Verlangen nach möglichen materiellen Veränderungen des eigenen Umfeldes, von bestehenden oder festgefahrenen, gesellschaftlich bedingten Zuständen oder zeitlichen Stagnationen. Sie ist gegebenenfalls auch mit dem schwermütigen Gefühl verknüpft, die gewünschten Veränderungen nicht oder möglicherweise nur eingeschränkt erreichen zu können. Nicht selten kann man bei der von mir genannten Spezies feststellen, dass sich bei dem männlichen oder weiblichen Geschlecht manche von ihnen vor Sehnsucht fast verzehren, so nicht eintreten sollte, was sie sich so sehnsüchtig wünschen, dass es doch eintreten möchte. Die Sehnsucht selbst, so sagt man bei manchen Volksgruppen auf bewohnten Planeten, beziehe sich vielleicht darauf, als etwas anderes „Seiende" wahrgenommen zu werden, was man selbst nicht besitzt, allerdings gern besitzen möchte. Kurz zusammengefasst noch einmal ein kleiner Bezug zur Frage: Was sind eigentlich Gedanken und wie entwickeln sie sich gegebenenfalls? Keine Sorge, lieber „ES", ich weiß ja, das wir das bereits ausgiebig abgehandelt haben. Also nur kurz zwei Sätze dazu. So als kleine Hinführung zum Thema des „geistiges Seins", eingebettet in der „geistigen Energie". *Der Gedanke, oder auch die Gedanken selbst entstehen ja, nur so als Beispiel, lieber „ES", im Wesentlichen aus der aktiven Interaktion im Ichbewusstsein bei uns Geistwesen. Damit meine ich das „geistige Sein" und uns Geistwesen. Bei körperlich denkenden Lebewesen der höheren geistigen Ordnung und bei vielen einfachen Lebewesen, zum Beispiel bei Pflanzen und bei Tieren, soweit sie über die notwendigen Voraussetzungen verfügen, und eingebettet in ihrer Umwelt leben, spielt die aktive Interaktion natürlich auch eine wichtige Rolle. Während sich das reale Denken der Gedanken selbst aus dem „geistigen Wollen", eingebettet in der „geistigen Energie", entwickelt.*

用通常的说法，“渴望”一词指的是具有较高精神秩序的物质存在的物种，实际上意味着，从某种程度上讲，这更是一种永无止境的愿望，要求人们在自身环境中从现有的环境或僵持的，由社会决定的条件中进行可能的物质变化。或暂时停滞。这也可能与忧郁的感觉有关，即无法实现或仅在有限的程度上实现了预期的变化。对于我命名的物种，发现某些雄性或雌性几乎被渴望消耗掉的情况并不少见，因此他们渴望的事情应该发生了。有人对有人居住的星球上的某些种族说，渴望本身可能指的是被视为“不存在”的某种东西，一个人不拥有但想要拥有。简而言之，请参考以下问题：什么是思想，思想如何发展？亲爱的“
IT”，请放心，我知道我们已经对此进行了广泛的处理。因此，只用两句话就可以了。因此，作为对“精神存在”主题的简要介绍，它已嵌入“精神能量”中。作为一个例子，思想甚至思想本身就产生了亲爱的“
IT”，本质上是由于自我意识与我们的精神存在者之间的积极互动而产生的。我的意思是“精神存在”和我们的精神存在。对于具有较高精神层次的生物以及许多简单生物（例如植物和动物）进行物理思考，只要它们具有必要的先决条件并生活在环境中，那么积极的互动自然也起着重要的作用。思想本身的真实思想是从“精神意志”发展而来的，而“精神意志”则嵌入“精神能量”中。

Um die Entwicklung von Gedanken der Sehnsucht, eingebettet im „geistigen Wollen" des „geistigen Seins" möglicherweise nur ansatzweise nachvollziehen zu können, muss man die Fähigkeit zum „geistigen Wollen" verstehen. Etwas kurz von mir gefasst bedeutet diese Fähigkeit des „geistigen Wollens" etwas denkprozessual zu entwickeln, nach was sich zum Beispiel das „geistige Sein", eingebettet in der „geistigen Energie" entscheidungsrelevant sehnt, und sich wünscht und erhofft, dass es auch eintreten möge. Ein Beispiel dazu! Erinnere dich bitte, lieber „ES", an unseren letzten Besuch auf dem Planeten Erde der Neuzeit. Was haben wir von bestimmten Bereichen der gesellschaftlichen Öffentlichkeitsarbeit dieser Spezies Mensch, damit meine ich besonders die Medien und bestimmte kulturelle Bereiche, zur Kenntnis nehmen können. Sie entwickelten in Filmen, Büchern und Theaterstücken lebendige Figuren, bauliche Elemente und alle möglichen technischen Konstruktionen, für die es auf dem Planeten Erde weder in deren Geschichte noch in der Neuzeit vergleichbare oder kopierfähige Beispiele zu finden waren. Sie sind ohne Ausnahme ein Produkt von intuitiven und kreativen Denkprozessen. Damit möchte ich zum Ausdruck bringen, dass nur kreative und intuitive Denkprozesse etwas geistig entstehen lassen, was es so noch nicht gab. Zurück zu unserer Frage, lieber „ES"! Wie ist dieser geistige Lebensraum möglicherweise entstanden? Oder anders gefragt. Wie hat er sich entwickeln können, damit das „geistige Wollen", eingebettet im „geistigen Sein" und der „geistigen Energie", sich in die-ser Weise verwirklichen kann? Bevor sich die Vielfalt des Lebens und der Materie entwickelte, herrschte im Lebensraum des „geistigen Wollens", eingebettet im „geistigen Sein" und der „geistigen Energie", nur die Stille im so genanntem „Nichts", und nichts konnte diese Ruhe stören. Wie schon von mir gesagt, lieber „ES", bedurfte es für alle möglichen Veränderungen im „geistigen Sein" dem „geistigen Wollen". Dafür hatte diese geistige Kraft des „geistigen Wollens" einen Erfüllungsgehilfen.

为了能够理解渴望思想的发展，这种思想嵌入了“**精神存在**”的“**精神匮乏”中**，**必**须理解“**精神缺乏”的能力。**简单来说，“**精神意志”的**这种能力意味着根据思维过程发展某些东西，例如，嵌入“**精神能量**”**中的“精神存在”，渴望决策，并希望和希望也会**发生。一个例子！亲爱的“
IT”，请记住，我们最后一次访问现代地球。我们在社会公共关系的某些领域中为这种人所拥**有的**东西，我尤其是指媒体和某些文化领域。在电影，书籍和戏剧中，他们开发了人物，结构元素和各种技术构造，在地球的历史或现代时代，都找不到可比或可复制的例子. 毫无例外，它们是直观和创造性思维过程的产物。我想表达的是，只有创造性和直觉性的思维过程才能创造出以前不存在的思想上的东西。回到我们的问题，亲爱的“
IT”！这种精神生活空间是如何产生的？或换一种说法。它是如何发展的，才能以这种方式实现嵌入“**精神存在”和“精神能量”中的“精神意志”？在生命和物**质的多样性发展之前，“**精神意志”的生活空**间中所谓的“**什么都没有”只有沉默，它嵌入了“精神存在”和“精神能量”之中**，这一切都无法扰乱。正如我已经说过的，亲爱的“
IT”，“**精神存在”的所有可能**变化都需要“**精神意愿**”。为此，这种“**精神意志”的精神力量具有替代作用。**

Die ursprüngliche mentale Triebfeder zum „Wissen Wollen" ist die „geistige Sehnsucht". Sie ist tief eingebettet im „geistigen Wollen". Während alles spätere Wissen ein Ergebnis daraus ist. Auch dazu möchte ich abschließend sagen: Aus und Punkt. Mit diesem ursprünglichen „geistigem Tun" war die „geistige Sehnsucht", eingebettet im „geistigen Wollen", unablässig bemüht, die mentale Einsamkeit im „geistigen Sein" zu beleben. Zunehmend wurde ihr bewusst, dass es ihr doch gelingen möge, die kleinsten Bausteine des geistigen Lebens mental zu entwickeln, die losgelöst von einer materiellen Abhängigkeit, in einer geistigen Welt, wie der des „geistigen Seins", eingebettet in der „geistigen Energie", existieren könnten. Hilfreich für die Sehnsucht war in diesem Zusammenhang die Tatsache, dass sie, eingebettet im „geistigen Wollen", eine energetische Heimat im „geistigen Sein" und der „geistigen Energie" hatte. Schließlich ist das „geistige Sein", wie du weißt, lieber „ES", eingebettet in der „geistigen Energie". Und die Energie unterliegt auch noch in unserer Zeit unstrittigen physikalischen Gesetzmäßigkeiten. Denke dabei nur an den Energieerhaltungssatz." Aber das ist dir ja bekann, lieber „ES", und dass diese energetischen Wandlungsprozesse sehr eng mit ablaufprozessualen Denkprozessen verbunden sind, versteht sich von selbst. Nicht losgelöst vom Energieerhaltungssatz verlaufen natürlich auch im „geistigen Sein" die ablaufprozessualen Denkprozesse. Es existiert allerdings im „geistigen Sein", eingebettet in der „geistigen Energie" noch kein „Ichbewusstsein". Du erinnerst dich bestimmt noch daran, „lieber „ES", dass wir uns mit diesem Thema „Ichbewusstsein" bereits mental auseinandergesetzt haben. Insofern sind das Denken, und besonders das „geistige Denken Wollen", ablaufprozessual noch nicht darauf ausgerichtet. Gleiches gilt auch für die ablaufprozessualen Denkprozesse bei den Energiewandlungsprozessen im Bereich der geistigen Energie. „Entschuldige bitte liebe Estrie, das kommt in meinem Denkzentrum nur sehr verhalten an."

“想知道”的最初精神动力是“精神向往”。它深深地嵌入了“精神意志”中。虽然所有后来的知识都是它的结果。最后，我还要说：断断续续。有了这种原始的“精神做”，嵌入在“精神匮乏”中的“精神渴望”就不断地试图赋予“精神存在”以精神上的孤独感。她越来越意识到，她可能会在精神上成功地发展出精神生活的最小组成部分，这些精神生活脱离了物质依赖，在诸如“精神生命”的精神世界中，存在于“精神能量”中的精神世界可能存在。对这种渴望的帮助是，它嵌在“精神意志”中，在“精神存在”和“精神能量”中拥有一个充满活力的家. 毕竟，众所周知，“精神存在”是嵌入在“精神能量”中的“
IT”。甚至在我们这个时代，能量仍然受制于无可争辩的物理定律。只要想一想能量守恒定律，“亲爱的“
ES”就知道了，毫无疑问，这些充满活力的转变过程与过程思维过程“精神存在”过程思维过程紧密相关。但是，“精神存在”中还没有嵌入“精神能量”中的“自我意识”。您肯定会记得，“亲爱的”
IT“，我们已经在心理上处理了“自我意识”这个话题。在这方面，思考，尤其是“想从精神上思考”，在过程上还没有与之保持一致。这同样适用于精神能量领域中能量转化过程中的过程思维过程。
“请原谅，亲爱的埃斯特里，在我的思考中心，这非常谨慎。”

„Kein Problem, lieber „ES“, ich erkläre dir das etwas ausführlicher.“ Also zurück zu deiner möglichen, mentalen „Sperre“. Eine völlig neue Art von ablaufprozessualen Denkprozessen ist notwendig, wenn das „geistige Sein“, eingebettet in der „geistigen Energie“, ein „Ichbewusstsein“ herausbilden möchte. Dazu für den Anfang ein paar Sätze zur „ursprünglichen mentalen Triebfeder“ des „Wissen Wollens“, damit ist die „geistige Sehnsucht“ gemeint. Sie ist ja, wie schon von mir erwähnt, tief eingebettet im „geistigen Wollen“ und deren ablaufprozessualen Denkprozesse. Grundsätzlich gilt, lieber „ES“, wenn ablaufprozessual sich zielgerichtet die gewollten Denkprozesse entwickeln sollen, dann ist dafür die Intuition weder als eine so genannte Gemütsverfassung, noch ein übergeistiger Zustand des kognitivem Denkens hilfreich. Und die machtvolle Stimme einer Gottheit schon gleich gar nicht. Entschuldige bitte, lieber „ES“, das mit der machtvollen Stimme einer Gottheit sollte nur ein kleiner Scherz zur geistigen Auflockerung sein. Die Intuition kann möglicherweise eine hilfreiche Form der unbewussten Intelligenz sein. Ja gut, möglicherweise? Soweit man diesen Terminus beim „geistigen Sein“, eingebettet in der „geistigen Energie“ verwenden sollte. Dabei sagt meist der von der Logik beeinflusste Verstand bei vielen Männern, Frauen und auch bei Kindern aus der Spezies der körperlich denkenden Lebewesen der höheren geistigen Ordnung, dass sie etwas so oder so denken oder so oder so handeln sollten. Wenn es da nicht das bekannte Bauchgefühl geben würde, für den, der vielleicht etwas denken oder tun möchte, dabei allerdings gegen den eigenen Verstand zu Felde ziehen müsste. Die mögliche unbewusste Intelligenz zeichnet sich eben meist dadurch aus, dass sich die Spezies der körperlich denkenden Lebewesen der höheren geistigen Ordnung mit ihrem vernunftgeprägten Verstand, vollgepackt mit einem entsprechenden Faktenwissen, eine Türe zu einer völlig anderen Welt öffnet, zu der ein vom Verstand geprägtes Denken und Handeln keinen Zugang finden kann. Wir haben beide schon flüchtig darüber gesprochen.

“**没**问题，亲爱的”
IT”，**我将向您**详细解释。”**回到您可能的，心理上的**“锁定”。**如果嵌入在**“**精神能量**”**中的**“**精神存在**”**想要**发展“**自我意**识”，**那么就需要一种全新的**过程思维过程。首先，有几句话关于“**想知道**”**的**“**原始精神**驱动力”，**意思是**“**精神上的向往**”。**正如我已**经提到的，它深深地嵌**入了**“**精神意志**”**及其程序性思**维过程中。基本上，我更喜欢“
IT”，**如果**预期的思维过程要按照操作过程有针对性地发展，那么直觉既不能作为所谓的心理状态也无济于事，也不是认知思维的超精神状态。当然不是神灵的强大声音。亲爱的“
IT”，请原谅我，那位拥有神灵强大声音的人应该只是开个玩笑，以放松心情。直觉可能是无意识智力的一种有用形式。是的，也许？就人们而言，应将这一术语用于“**精神存在**”，**并嵌入**“**精神能量**”**中。在大多数情况下，受**逻辑影响的思想在许多男人，女人以及在具有较高精神秩序的具有物理思维的生物的孩子中都表示，他们应该以一种或另一种方式思考或以一种方式或另一种方式思考。如果不是因为那些想要思考或做某事，但却不得不采取行动以违背自己的理解的人的直觉。可能存在的潜意识智力通常以以下事实为特征：具有较高的精神形态的具有理性推理能力的具有物理思考能力的生物物种，加上相应的事实知识，为通向一个完全不同的世界打开了一扇门。而智力塑造的举动却找不到通道。我们俩都简短地讨论了这一点。

Wir Geistwesen wissen ja bereits, lieber „ES“, dass die Intelligenz keinesfalls bewusst und durchdacht sei. Und das man die Intuition, etwas salopp formuliert, auch mit einem bestimmten „Bauchgefühl“, oder einem eigenartigen „Bauchkribbeln“ vergleichen kann, ist auch nicht so falsch. Lassen wir es dabei bewenden. Völlig anders verhält sich das bei der ursprünglichen mentalen Triebfeder zum „Wissen Wollen“, also der „geistigen Sehnsucht“. Sie ist tief eingefügt im „geistigen Wollen“. Das wiederum im geistigem Sein“, eingebettet in der „geistigen Energie“ seinen Lebensraum hat. Die geistige Sehnsucht, diese mentale Triebfeder zum „Wissen Wollen“, lieber „ES“, wurde so intensiv wirksam, dass sie tief in die mentale Welt des „geistigen Seins“ eindrang, und sich einen dauerhaften geistigen Raum verschaffte. Aufgeschlossen nahm das „geistige Sein“ die mentale Triebfeder dieser Sehnsucht zum „Wissen Wollen“ an, und wollte sich uneingeschränkt auch auf dieses neue „Denken Wollen“ einlassen und für die Zukunft sein geistiges Handeln und seine geistigen Entscheidungen danach ausrichten. Auch wenn ihr ganz konkrete Gründe dafür noch nicht so recht bewusst waren. Besonders aus Sicht von uns Geistwesen, die wir ja große Bereiche dieser geistigen, ablaufprozessualen Entwicklungsprozesse aufschlussreich verfolgen konnten und auch noch teilweise können, waren es gerade diese von mir genannten Entwicklungsprozesse, welche zu entscheidenden, ergebnisorientierten und ablaufprozessualen Veränderungen in den mentalen Prozessen des „geistigen Seins“, eingebettet in der „geistigen Energie“ führten. Diese geistige Triebfeder, dieser Sehnsucht zum „Wissen Wollen“, beeinflusste mit ihrer mentalen Überzeugung nachhaltig das „geistige Sein“, eingebettet in der „geistigen Energie“, zu geistig substantiellen Veränderungen, um ein „Ichbewusstsein“, also ein eigenes „geistiges Wesen“ zu entwickeln, das vorausschauend einmal in einem geistigen Universum, möglicherweise mit vielen gleichartigen geistigen Wesen ihren geistigen Lebensraum haben wird.

亲爱的“
IT”，**我**们的灵魂已经知道，智能绝不是有意识的和深思熟虑的。而且，可以将直觉与具有某种“**胆量感**觉”**或一种奇怪的**“**胃刺痛**”**的直**觉进行比较，这也不是错的。让我们留在那儿。这种情况与最初的“**想知道**”**的精神主力即**“**精神向往**”**完全不同。它深深地嵌入了**“**精神意志**”**中。反**过来，在“**精神存在者**”**中嵌入的**“**精神存在者**”**具有其生存空**间。精神上的渴望，一种“**想要了解**”**的精神**动力，亲爱的“
IT”，变得如此有效，以至于它深入到了“**精神存在**”**的精神世界，并**为其自身创造了永久的精神空间。心胸开阔，“**精神存在**”**接受了**对“**想知道**”**的渴望的精神**驱动力，并希望充分参与这种新的“**想去思考**”，**并相**应地调整其精神行动和未来的决定。即使她并没有真正意识到其具体原因。尤其是从我们的精神存在者的角度来看，我们能够以揭示性的方式追踪这些智力的，程序性的开发过程的大部分内容，并且也能够部分地加以区分，正是我提到的这些开发过程才是决定性的，结果导向的和程序性的结果，“**精神能量**”**中嵌入的**“**精神存在**”**的心理**过程发生了变化。这种精神上的发源地，渴望“**想知道**”，**并以其精神信念**对“**精神存在**”产生了深远的影响，“**精神存在**”**嵌入了**“**精神能量**”中，**在精神上**发生了实质性的变化，成为了“**自我意**识”，**是一个自己的人，以**发展一个“**精神存在**”，**具有**远见卓识的人一旦在一个精神世界中就会拥有其精神生活空间，可能还有许多类似的精神存在。

„Es war, lieber „ES“, die Geburtsstunde von uns Geistwesen.“ „Bitte, liebe Estrie“, halt eine kleine Weile inne, ich muss das erstmal mental „verdauen“.

Lieber „ES“, bei unserem letzten Besuch, auf dem Planeten Erde der Neuzeit, bekam ich einen philosophisch verfassten Artikel, passend zu unserer Thematik, von einem dort lebenden Schriftsteller zu lesen. Soweit ich mich daran erinnere, hatte der Artikel folgenden Inhalt:

Sich selbst geistig bewusst zu werden heißt nicht immer, sich selbst auch verstehen zu müssen, die eigenen Motive immer gleich prüfen zu wollen, oder möglicherweise gleich deswegen geistig wachsen und reifen zu können. Es kann auch oftmals das Schweigen sein.

Dieses Ruhen in sich selbst, im „geistigen Sein“, eingebettet in der „geistigen Energie“, um von dort aus das geistige Leben wahrzunehmen, ohne zu urteilen und zu vergleichen, ohne Feststellungen und Einschätzungen zu suchen und vorallem ohne der materiellen Habsucht nachzuhetzen. Um dann am Ende über das Denken der Gedanken einen anderen Weg zu suchen. Wie ein Segelboot, das vom Wind getrieben aufs Meer treibt. Da gelten nicht mehr die Regeln des Bekannten, sondern nur noch die unendlichen Weiten des geistigen Universums.

Dietmar Dressel

“那是，亲爱的“IT”，是我们精神生命的诞生时刻。”“请亲爱的埃斯特里”，停顿一会儿，我必须先在精神上“消化”它。

亲爱的“ES”，在我们最后一次访问现代地球时，我收到了一篇哲学性的文章，适合我们的主题，供居住在那里的作家阅读。
据我所记得，这篇文章的内容如下：

在精神上意识到自己并不总是意味着必须了解自己，总是想立即检查自己的动机，或者可能因此而能够在精神上立即成长和成熟。
通常也可能是沉默。
这种自我存在于“精神生命”中，并嵌入“精神能量”中，以便从那里感知精神生活，而无需判断和比较，无需寻找决心和评估，最重要的是无需追求物质贪婪。最后，通过思考来寻找另一种方式。
就像帆船在风的作用下飘向大海。已知规则不再适用，仅适用于精神宇宙的无限扩展。

Dietmar Dressel

„Gut, liebe Estrie, ich habe deine Gedanken zur Geburt von uns Geistwesen verstanden. Wie und was hat das „geistige Sein", eingebettet in der „geistigen Energie", mental unternommen, um in ihrer geistigen Welt der „geistigen Energie" ein „personifiziertes, geistiges Ichbewusstsein" zu entwickeln? Ich bin sicher, liebe Estrie, dass du mir mit deinem Wissen darüber helfen wirst, die Gründungsphase von uns Geistwesen besser verstehen zu können."
„Also gut, lieber „ES", mach es dir geistig bequem, denn meine Gedanken zu diesem Thema werden eine geraume Zeit in Anspruch nehmen.

„Das wahre ethische Individuum ruht mit Sicherheit in sich selbst, weil es keine Pflichten hat, sondern nur eine Pflicht, und weil die Pflicht sich ihm nicht von außen aufdrängt als bloßes Gebot, sondern von innen als der Ausdruck seines innersten Wesens."

Sören Kierkegaard

Beginnen möchte ich mit einem Gleichnis, das für unsere Thematik nicht gänzlich zutreffend erscheinen mag, es trifft allerdings den Kern in der Sache selbst und darauf kommt es uns schließlich an. Für den Anfang dieses Gleichnisses ein dazu passendes Zitat:

„Man fragt sich oft, was tut er, so ein Bürocomputer. Doch ist man ein Genie, kennt man sogar das Wie."

Erhard Horst Bellermann

“好吧，亲爱的埃斯特里，我了解您对我们烈酒诞生的想法。
为了在其“精神能量”的精神世界中发展“个性化的，精神上的自我意识”，在精神上嵌入“精神能量”中的“精神存在”的方式和方式是什么
亲爱的埃斯特里（Estrie），我敢肯定，您会帮助我了解我们精神生命的建立阶段。多少时间。

“真正的道德个体必定会落在自己身上，因为他没有职责而只有职责，并且因为职责是他的职责不是从外部强加为命令，而是从内部强加作为他内心深处的表达。”

Sören Kierkegaard

我想从一个似乎并不完全适用于我们的主题的比喻开始，但这确实触及了问题的核心而这最终对我们而言才是重要的。在此寓言的开头，加上一个合适的引号：

“您经常问自己，办公室计算机的功能是什么。但是，如果你是一个天才，你甚至会知道。”

Erhard Horst Bellermann

Vielleicht hast du auch schon davon gehört, lieber „ES“, dass man bei manchen technisch fortgeschrittenen Bevölkerungsgruppen auf bewohnten Planeten aus der Spezies von denkenden körperlichen Lebewesen der höheren geistigen Ordnung sagt: „Computer sind dumm!“ Bitte nicht zu verwechseln mit unwissend. Das sind System- und Anwendungsprogramme, die diese technischen Anlagen steuern, ganz sicher nicht. Das liegt zum einen daran, dass Computer genau das tun, was ausgebildete Männer und Frauen aus der von mir genannten Spezies ihnen „sagen“, und zum anderen daran, dass Computer dem Grunde nach nur ganz simple Dinge ablaufprozessual tun können. Im Bereich, wie dem „geistigen Denken Wollen“, eingebettet in der „geistigen Energie“, haben sie ja, mangels fehlender Voraussetzungen, grundsätzlich keinen technischen oder geistigen Zugang. Das nur so als Beispiel.

Vereinfacht lässt sich zu meinem Gleichnis noch folgendes sagen:

Ein Computer kann, nur so als Beispiel, zwei Zahlen zusammen addieren, subtrahieren oder multiplizieren. Er kann auch zwei Zahlen miteinander vergleichen. Schriften, Bilder, Grafiken und Werte in einen Speicher einschreiben oder herauslesen und Anweisungen ausführen. Dabei ist es völlig unwichtig, wie ein Computer technisch und materiell gebaut sein mag. Das wäre möglicherweise lediglich eine Frage der Effizienz und des erforderlichen, wirtschaftlichen Aufwandes.

Dieses von mir beispielhaft genannte Anforderungsprofil für Tätigkeiten, die ein Computer ausführen sollte, erledigt er allerdings wesentlich zügiger, als zum Beispiel ein Mann oder eine Frau aus der von mir genannten Spezies. Wir Geistwesen sind ähnlich schnell in unserem Denken und dem daraus resultierenden Handeln wie eine Computeranlage. Und warum? Weil wir in ähnlich energetisch digitaler Weise und ablaufprozessual geistig arbeiten wie so eine technische Anlage.

也许您还听说过，亲爱的“
IT”，**有人从**较高精神层面的有思想的生物物种中居住的行星上，一些技术上先进的人口群体说：“计算机很愚蠢！”请不要将它们与无知相混淆。

当然，这些不是控制这些技术系统的系统和应用程序。
一方面，这是由于计算机完全按照我所说的“**告**诉”**他**们的物种训练了男人和女人，而另一方面，因为计算机基本上只能在程序上做非常简单的事情，这是由于这样的事实流程。

在嵌入“精神能量”的“想要精神上思考”的领域中，由于缺乏先决条件他们基本上没有技术或精神上的帮助。举个例子。

简**而言之，关于我的寓言可以**说**以下几点**：

举例来说，计算机可以将两个数字相加，相减或相乘。**他**还可以将两个数字相互比较。**在内存中写入或**读出字体，图像，图形和值并执行指令。计算机在技术上和材料上的构建方式完全不重要。**那可能**仅仅是效率和必要的经济努力的问题

我作为计算机应执行的活动的示例给出的这种需求概况比例如我提到的物种中的男人或女人要快得多。**我**们的精神生命和计算机系统一样，在我们的思维和所产生的动作方面同样快。**又**为什么呢？**因**为我们像这样的技术系统一样，以类似精力充沛的数字方式工作，并且在心理上与过程相关。

Im Gegensatz zu einem Computersystem sind wir allerdings nicht materiell und energetisch abhängig. Bei uns kann man keinen „Stecker“ ziehen, um das etwas salopp auszudrücken. Wir Geistwesen bestehen nicht einmal im Detail aus Materie, gleich welcher Art sie auch sein mag. Außerdem besitzen wir die Fähigkeit des „geistigen Denken Wollens“, und wir verfügen über die geistige Gabe des kosmischen Fühlens. Das sind sehr wichtige Eigenschaften, die ein geistiges Wesen, wie das „geistige Sein“ und wir Geistwesen, von einer Maschine absolut unterscheiden. Das nur so als Beispiel. Auch die so genannte „künstliche Intelligenz“, wie sie bei einigen Völkern aus der von mir genannten Spezies auf bewohnbaren Planeten teilweise in technischen Anlagen zur Anwendung kommt, kann unsere Fähigkeiten nicht einmal ansatzweise erreichen. Das soll allerdings jetzt nicht unser Thema sein. Wir haben ja darüber schon ausführlich diskutiert. Soweit so gut. Wieder zurück zu uns Geistwesen. Das „geistige Denken Wollen“, eingebettet im “geistigen Sein“ und der geistigen Energie, sowie auch das kosmische Fühlen, sind besondere Gaben von uns geistigen Wesen, die kann die künstliche Intelligenz, als auch die so genannte digitale zukunftsweisende Technologie niemals erreichen, weil sie an einem unüberwindlichen Hindernis nicht vorbei kommt. Sie ist eingebunden in einer materiellen Welt, die nur über eine zeitlich begrenzte Lebensfähigkeit verfügt. Während das „geistige Sein“, eingebettet in der „geistigen Energie“ und wir Geistwesen, energetisch bedingt, ewig leben. Alles Materielle, gleich welcher Art, wird einmal, bedingt durch die energetischen Umwandlungsprozesse physisch sterben. Das ist unstrittig. Aus und Punkt. Wieder zurück zu unserem Thema: Was hat das „geistige Denken Wollen“, eingebettet im „geistigen Sein“ und der „geistigen Energie“ mental unternommen, um in ihrer geistigen Welt der „geistigen Energie“ ein „personifiziertes, geistiges „Ichbewusstsein“ zu entwickeln? Damit meine ich auch, wie schon von mir erwähnt, denkprozessual die Geburt von uns Geistwesen.

但是，与计算机系统相比，我们在物质上和精力上都不依赖。对于我们，您不能随意拔下插头。我们的精神甚至都不是由细节构成的，无论它是什么样的。另外，我们有能力**"会在精神上思考"，并且我**们有宇宙感觉的精神天赋。这些是非常重要的属性，它们将机器（例如**"精神存在"和我**们精神存在）与机器完全区分开。举个例子。即使是所谓的**"人工智能"，也就是我在技**术系统中宜居行星上命名的某些物种所使用的所谓**"人工智能"，甚至都无法开始**发挥我们的能力。但是，这现在不应该成为我们的主题。我们已经对此进行了详细讨论。到现在为止还挺好。再次回到我们的精神世界。嵌入**"精神存在"和精神能量以及宇宙感**觉中的**"精神思考"是我**们精神存在的特

殊礼物，可以通过人工智能以及所谓的面向未来的数字技术永远无法实现，因为她无法克服无法克服的障碍。它被集成在只有暂时生存能力的物质世界中。嵌入在**"精神能量"中的"精神存在"和我**们精神上受到能量限制的生物永远活着。不管是哪种物质，所有物质，都有一天会因充满活力的转化过程而死亡。这是无可争议的。断点。回到我们的话题：**"精神思**维意愿**"嵌入在"精神存在"和"精神能量"，在精神上**创造了**"个性化的，精神的"**发展**"自我意**识**"的**东西**是什么？正如我已**经提到的，我的意思是，按照思想的过程，我们灵魂存在的诞生。

Wie schon von mir erwähnt, lieber „ES“ ist, im weitesten Sinne gedacht, ein „Ichbewusstsein“ und das „Ichbewusstsein“ von uns Geistwesen in ähnlicher Weise aufgebaut, wie das mechanisch digitale Konstrukt einer technisch hochwertigen Computeranlage. Zugegeben das Gleichnis ist leicht hinkend, aber als erklärendes Beispiel kann man es durchaus verwenden. Alles was in uns Geistwesen ablaufprozessual geistig denkt, sich speichert, organisiert und handelnd abwickelt geschieht, dank der geistigen Energie, die uns umgibt, auf rein ablaufprozessualer energetischer Basis. Allerdings ohne jeglichem materiellen Bezug. Unser Ichbewusstsein ist, wie schon von mir gesagt, in ähnlicher Weise aufgebaut, wie ein energetisches komplexes technisches Gebilde. Und wie ein Computer arbeitet, das wissen wir beide sehr genau. Ein zutreffendes Beispiel ist die energetische Übertragung von Wort- und Bilddaten mittels elektromagnetischer Wellen über weite, zum Teil auch kosmische Entfernungen, wie sie teilweise bei bestimmten Volksgruppen der Spezies denkender körperlicher Lebewesen der höheren geistigen Ordnung auf bewohnbaren Planeten in technischen Bereichen der räumlich eingeschränkten intergalaktischen Raumfahrt und in der umfassenden Kommunikation auf den bewohnten Planeten ständig zum Einsatz kommt. Noch ein paar Sätze zu den kleinsten Bausteinen des Lebens, in Bezug auf uns Geistwesen. Wir haben ja beide schon darüber gesprochen.

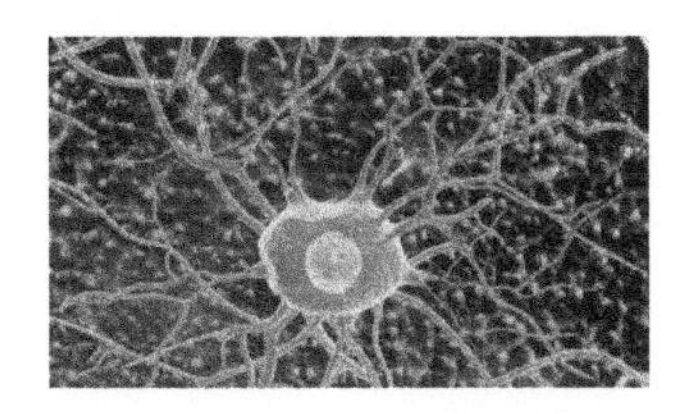

„Aus kleinem Anfang entspringen alle Dinge.“

Marcus Tullius Cicero

正如我已经提到的，从最广泛的意义上讲，"
IT"**是一种"我知"和"我知"，它**们是由我们的灵体以类似于高水平机械数字结构的方式建立的。优质的计算机系统。诚然，该寓言有些许绕，但可以用作说明示例。依靠围绕我们的精神能量，在我们纯粹的与过程相关的能量基础上，我们在过程过程中从精神上思考的所有事物都以积极的方式进行存储，组织和发生。但是，没有任何实质性参考。正如我所说，我们的自我意识是通过类似于充满活力的复杂技术结构来建立的。而且我们都非常了解计算机的工作原理。一个适当的例子是通过电磁波在很长的，有时也是宇宙的距离上进行单词和图像数据的能量传输，就像某些种族群体中某些具有较高精**神秩序的物**质存在于可居住行星上的情况一样。受空间限制的星际空间旅行的技术领域，并经常在有人居住的星球上进行全面交流。关于我们最小的生命组成部分的几句话，与我们的精神存在有关。之前我们都讨论过。

"万事万物都是从一个小的起点开始的。"

Marcus Tullius Cicero

Tief eingebettet im Innersten unseres geistigen Inneren ruhen die „kleinsten Bausteine des Lebens“. In ihnen ist alles gespeichert, was für die Existenz von uns geistigen Wesen notwendig ist. Daraus kannst du, lieber „ES“, bereits ableiten, dass zum Beispiel auch die Entwicklung der „kleinsten Bausteine des Lebens“ für das „geistige Sein“ eine erste und sehr entscheidende geistige Aufgabe für unsere Geburt war.

„Jeder Gedanke ist ein Baustein am werdenden Leben in seiner vielfältigen Gesamtheit. Er entwickelt sich durch das ablaufprozessuale „geistige Denken Wollen“, eingebettet im "geistigen Sein" und der „geistigen Energie"

Dietmar Dressel

Sie, also die kleinsten Bausteine des Lebens, kommen eigentlich bei allen denkenden körperlichen Lebewesen und bei allen denkenden körperlichen Lebewesen der höheren geistigen Ordnung vor, in deren Zellen ein Zellkern eingebettet ist. Alles was erforderlich ist, damit alle von mir genannten Lebewesen, mit allem was notwendig ist, um lebend geboren zu werden und im weiteren Leben sich körperlich und geistig zu entwickeln, ist in ihnen geistig enthalten. Auch ihr Ichbewusstsein, das für das Leben in der geistigen Welt von existenzieller Bedeutung ist, wurde bereits vor der körperlichen Geburt implementiert. Es umgibt die Spezies der denkenden körperlichen Lebewesen der höheren geistigen Ordnung und uns Geistwesen unsichtbar wie ein Schutzschild. So kann man sich das vorstellen. Auf das Thema möchte ich jetzt nicht näher eingehen, wir haben das ja bereits zusammen diskutiert. Eventuell kommen wir zu einem späteren Zeitpunkt nochmals darauf zu sprechen. Zurück zur Aufgabe des „geistigen Seins“ bezüglich der Geburt von uns Geistwesen. Wenn du die Denkorganisation bezüglich der Arbeitsweise unseres Ichbewusstseins gut verstehen möchtest, lieber „ES“, versetz dich doch dafür bitte in die geistige Arbeitsweise in die eines Computers.

“最小的生活组成部分”深深地嵌入了我们精神内部的最内层。一切东西都存储在其中，这是我们精神存在的必要条件。由此，您已经可以推断出，亲爱的“
IT”，例如，为“精神存在”开发“最小的生活组成部分”是我们诞生的首要且非常决定性的精神任务。

“每个思想都是全面发展生活的基石。它通过与过程相关的“精神思维意愿”发展，并嵌入“精神存在”和“精神能量”中

Dietmar Dressel

它们，即生命的最小组成部分，实际上发生在所有思想的物理存在和更高精神等级的所有思想的物理存在中，其中的细胞核被嵌入到它们的细胞中。我所列举的所有生物所必需的一切，以及活着出生并在进一步的生活中在身体和精神上发展所必需的一切，在精神上都包含在其中。您的自我意识对于精神世界中的生活具有至关重要的意义，但在身体出生之前就已经得到了实现。它围绕着具有较高精神秩序的思维生物的物种，对我们而言，它们像保护盾一样是不可见的。这就是您可以想象的。我不想现在更详细地讨论这个话题，我们已经一起讨论了。我们可能会在稍后的时间重新讨论。关于我们灵魂存在的诞生，回到“精神存在”的任务。如果您想很好地理解我们的自我意识的工作方式（而不是“IT”），请把自己放在计算机的心理工作方法中。

Alles was ein Computer tun oder nicht tun sollte, ergibt sich aus dem Ergebnis von dafür notwendigen ablaufprozessualen Denkprozessen von körperlich denkenden Lebewesen der höheren geistigen Ordnung, die auf einer technischen Einrichtung, man nennt sie auch auf einigen mir bekannten Planeten Festplatte, für entsprechende digitale, ablaufprozessuale Arbeitsschritte dafür gespeichert werden. Beispielhaft sei dafür genannt, das Betriebssystem so einer Computeranlage. Ein Betriebssystem ist, um im Sprachgebrauch von dafür ausgebildeten Männern und Frauen aus der Spezies denkender körperlichen Lebewesen der höheren geistigen Ordnung zu denken, eine Zusammenstellung von bestimmten Grundsatzprogrammen, die wiederum die Systemressourcen eines Computers, wie zum Beispiel: Arbeitsspeicher, Festplatten, Ein- und Ausgabegeräte verwaltet und diese bestimmten Anwendungsprogramme bei Bedarf digital oder analog zur Verfügung stellen. Das Betriebssystem bildet somit die Schnittstelle zwischen den Hardware-Komponenten und der Anwendungssoftware des Benutzers. Soweit dieses Beispiel aus der Computerwelt der Spezies denkender körperlicher Lebewesen der höheren geistigen Ordnung. Zurück zu unserer geistigen Welt. Bei uns Geistwesen ist das nicht wesentlich anders organisiert. Auch wir benötigen „Anwendungsdateien“, um bei diesem Begriff zu bleiben, wie zum Beispiel alle Formen von definierten Charaktereigenschaften und geistige Funktionen, die es uns ermöglichen, unsere Umwelt in seiner gesamten Vielfalt und Wirkungsweise wahrzunehmen und mit anderen Geistwesen oder mit denkenden körperlichen Lebewesen der höheren geistigen Ordnung fühlend und verbal zu kommunizieren. Was wir nicht benötigen, ist eine digitale Schnittstelle zwischen Hardware und einer Anwendungssoftware, weil ein Geistwesen eine materielle Struktur nicht besitzt und ihrer auch nicht bedarf. Unsere Existenz beruht auf einer rein geistigen Struktur, eingebettet in der „geistigen Energie“. Und unsere geistigen Fähigkeiten basieren auf der uneingeschränkten Geistesgabe.

计算机应做或不做的所有事情，都源于必要的过程思维过程的结果，这些过程以物理方式思考具有较高精神水平的生物，在技术设备上，它们也被称为在我所知的一些行星上的硬盘驱动器，因为为此，将保存与过程相关的数字化工作步骤。这样的一个例子是这种计算机系统的操作系统。一个操作系统，是从某些具有较高精神层面的思维生物的受过训练的男女的角度出发，是某些基本程序的汇编，这些程序又使用计算机的系统资源，例如：RAM，硬管理驱动器，输入和输出设备，并根据需要以数字方式或类似方式提供这些特定的应用程序。因此，操作系统形成了硬件组件和用户的应用程序软件之间的接口。对于来自计算机世界的这个例子来说，具有如此高的精神秩序的物质存在的例子就这么多了。回到我们的精神世界。对于我们的精神众生而言，它的组织方式并没有太大不同。我们还需要"应用程序文件"来遵守该术语，例如所有形式的已定义角色特征和心理功能，使我们能够以各种多样性和运作方式以及与其他精神生物或思想性物质生物来感知环境。在精神上和言语上交流具有更高精神秩序的生物。我们不需要的是硬件和应用程序软件之间的数字接口，因为精神存在者没有物质结构，也不需要物质结构。我们的存在是建立在一种纯粹的精神结构的基础上的，它被嵌入了"精神能量"中。而且我们的精神才能是建立在精神无限制的基础上的。

Sie entwickelt sich, wie von mir schon erwähnt, durch das ablaufprozessuale „geistige Denken Wollen", eingebettet im "geistigen Sein" und der „geistigen Energie". Mental begleitet wird diese geistige Gabe vom kosmischen Fühlen. Als Geistwesen sind wir natürlich auch frei von jeder Art materiellem Gebundenseins. Diese geistigen Fähigkeiten sind unverrückbar eingebunden in der Grundlage der Logik, als die Wissenschaft des folgerichtigen Denkens, der Ethik, als die Wissenschaft des rechten Handelns und der Metaphysik, als die Wissenschaft der ersten Gründe des Seins und der Wirklichkeit. Aus und Punkt. Soviel zu unserem Thema: „Das Denken der Gedanken", lieber „ES". Bleiben vielleicht noch ein paar Gedanken nach den eigentlichen mentalen Unterschied zwischen der materiellen Welt und der unseren, also der geistigen Welt offen. „Möchtest du, lieber „ES" dazu etwas sagen?" „Eine gute Idee von dir, ‚liebe Estrie. Ich würde wirklich gern noch etwas dazu anmerken." „Dann, lieber „ES", werde ich dir sehr gern aufmerksam zuhören." Beginnen möchte ich bei der Spezies von denkenden körperlichen Lebewesen der höheren geistigen Ordnung. Ich denke, liebe Estrie, wir dürfen das materielle Universum nicht versuchen räumlich oder zeitlich einzuengen, um es möglicherweise den Grenzen des geistigen Vorstellungsvermögens von denkenden körperlichen Lebewesen der höheren geistigen Ordnung anpassen zu wollen. Vielmehr sollten die Männer, Frauen und Kinder dieser Spezies auf der Grundlage ihres sich entwickelnden Wissens, möglichst gestützt auf den geistigen Pfeilern der Logik, als die Wissenschaft des folgerichtigen Denkens, der Ethik, als die Wissenschaft des rechten Handelns und der Metaphysik, als die Wissenschaft der ersten Gründe des Seins und der Wirklichkeit, sich so entfalten, dass sie das räumliche Bild des materiellen Universums auch zu fassen vermögen.

正如我已经提到的，它是通过与过程相关的“**精神思**维意愿”发展而来的，它嵌入了“**精神存在**”和“**精神能量**”**中**。这种属灵的恩赐在精神上伴随着宇宙的感觉。作为神灵，我们当然不受任何物质束缚。这些思维能力被不可移动地整合到逻辑基础中，作为一贯思考的科学，伦理学，正确的行动和形而上学的科学，作为存在与现实的首要原因的科学。断点。对于我们的主题而言，太多了：“**思想的思考**”，**而不是**“
IT”。**关于物**质世界和我们的世界，即精神世界之间的实际心理差异也许还有一些想法尚待解决。
“**您想**谈谈吗？”“**您的好主意**，亲爱的埃斯特里。我真的很想在此添加一些东西。“”**那么**，亲爱的“
IT”，**我非常想仔**细地听你的话。亲爱的埃斯特里（Estrie），**我**们认为，物质宇宙不会试图在空间或时间上缩小，以便可能将其调整到思考具有较高精神秩序的有形生物的心理想象的极限。这个物种应在其发展知识的基础上，尽可能以逻辑的精神支柱为基础，作为逻辑思维的科学，伦理学，正确的行动和形而上学的科学，存在与现实以某种方式展开，使它们发展出物质宇宙的空间形象，也能够把握。

Wenn das Ichbewusstsein von Männern, Frauen und Kindern aus der von mir genannten Spezies sich in allen Dingen des täglichen Daseins vorfindet, und in gewissen Differenzierungen die ganze Materie ausfüllen kann, so ist das Ichbewusstsein die wahre Wirklichkeit und die wahre Form in allem Geschehen ihres zeitlich befristeten materiellen Lebens auf einem bewohnbaren Planeten. *Das Ichbewusstsein und das „geistige Sein" ist das konstituierende Formalprinzip des Universums und dessen, was es enthält. Aus und Punkt.* Nur ein sehr dummes denkendes Wesen, nicht zu verwechseln mit einem unwissenden denkenden Wesen, aus der Spezies der den-kenden körperlichen Lebewesen der höheren geistigen Ordnung, kann die Einstellung vertreten, im materiellen Universum gäbe es nichts anderes als das kosmische Licht, das denkende körperliche Lebewesen der höheren geistigen Ordnung wahrnehmen können. Es ist geradezu unsinnig und in hohem Maße dumm annehmen zu wollen, es gäbe im materiellen Universum keine anderen denkenden körperlichen Lebewesen der höheren geistigen Ordnung und keine anderen denkenden geistigen Wesen, also uns Geistwesen.

„Der blaue Planet Erde ist ein wunderbares „Fleckchen" im Universum. Nur schade, dass die Bewohner es so schlimm zurichten und ruinieren!"

Willy Meurer

„Wir dürfen das Weltall nicht einengen, um es den Grenzen unseres Vorstellungsvermögens anzupassen, wie der Mensch es bisher zu tun pflegte. Wir müssen vielmehr unser Wissen ausdehnen, so dass es das Bild des Weltalls zu fassen vermag."

Sir Francis von Verulam Bacon

如果我命名的物种中的男人，女人和孩子的自我意识在日常存在的所有事物中都能找到，并且在某些分化中可以填充所有物质，那么自我意识就是万物的真实存在和真实形式。时间的事件限制了宜居星球上的物质生活。自我意识和**"精神存在"是宇宙及其所包含的形式形式原**则。断点。只有一种非常愚蠢的思想存在，而不是与无知的思想存在相混淆，从具有较高精神秩序的有形生命体的思想种类中，可以采取这样的立场，即在物质宇宙中，除了宇宙光之外，没有什么其他的思想肉体的可以感知到更高属灵秩序的生物。想要假设在物质世界中没有其他思想上的精神存在，也没有**其他思想上的精神存在，即我**们属灵的存在，那是彻头彻尾的荒谬，在很大程度上是愚蠢的。

"蓝色星球是宇宙中一个奇妙的"斑点"。居民让它变得如此糟糕并毁了它只是一种耻辱！"

Willy Meurer

"迄今为止，我们不允许人类缩小宇宙，以使其适应我们的想象极限，就像人类迄今为止所看到的那样。以前做. 相反，我们需要扩展我们的知识这样它就可以掌握宇宙的画面。"

Sir Francis von Verulam Bacon

Noch ein paar Sätze zu unserem Thema: „Das Denken der Gedanken“. Grundsätzlich gilt in der materiellen Welt, liebe Estrie, dass nicht alle Informationen, gleich welcher Art und welcher Inhalte, für jeden Mann, jede Frau und für jedes Kind aus der von mir genannten Spezies erkennbar und verfügbar sein sollten, nur weil die wirtschaftlichen, politischen, privaten Interessen und natürlich auch die Interessen eines Staates nun mal nur für die interessant sind, die sie ausgiebig nutzen wollen. Letztlich geht es ja meist um sehr viel Macht und um eine große Menge Geld. Und in diesem hochsensiblen Bereich von Macht und Geld hat die Freiheit der Gedanken, eingebettet im „Denken der Gedanken“ grundsätzlich keinen geistigen Raum!

„Gehirn, ein Organ, mit dem wir denken, dass wir denken.“

Ambrose Bierce

„Unser Leben ist das Produkt unserer Gedanken.“

Marcus Aurelius

关于我们的主题的另外几句话："思想的思考"。基本上，在物质世界中，亲爱的Estrie，并不是我所命名的物种中的每个男人，每个女人和每个孩子都应该能够识别和获得所有信息，无论类型和内容是什么，仅仅是因为经济，政治，私人利益，当然还有国家利益，只对那些想广泛使用它们的人感兴趣。最终，它通常涉及很多功能和很多金钱。在权力和金钱这个高度敏感的领域中，嵌入在``思想思考"中的思想自由基本上没有精神空间！

"大脑，是我们认为我们思考的器官。"

Ambrose Bierce

"我们的生活是思想的产物。"

Der Kreis des Denkens der Gedanken schließt sich

Liebe Estrie, wie schon von dir erwähnt, macht es das „geistige Denken Wollen“, eingebettet im “geistigen Sein“ und der „geistigen Energie“, sowie auch das kosmische Fühlen möglich, nicht nur ein personifiziertes Geistwesen, also ein Ichbewusstsein zu entwickeln, sondern schafft auch die Voraussetzungen dafür, dass das Ichbewusstsein ein untrennbarer Bestandteil in den kleinsten Bausteinen des Lebens werden sollte. Es begann eine epochale Etappe zur Entwicklung des geistigen Universums. Und eine weitere, bahnbrechende Herausbildung zeichnete sich damit bereits ab. Du erinnerst dich, liebe Estrie, an unser Gespräch über den geistigen Aufbau unseres Ichbewusstsein, unter zu Hilfenahme eines Gleichnisses zu einem technischen Gerät mit Namen Computer, so wie dieses Gerät bei der Spezies der denkenden körperlichen Lebewesen zum Teil verwendet wird. In diesem Zusammenhang sprachen wir auch von so genannten „Anwendungsdateien“, die den gesamten Bereich der Charaktereigenschaften betreffen. Charaktereigenschaften sind natürlich eng und ausnahmslos an materielle Lebensverhältnisse gebunden, so wie sie nur auf einem bewohnbaren Planeten für eine begrenzte Zeit möglich sein können. Ich meine damit, wie schon erwähnt, bewohnbare Planeten, so wie sie von allen möglichen Lebewesen während der Zeit des Bestehens so einer Planetenkugel, insbesondere von der Spezies der denkenden körperlich Lebewesen der höheren geistigen Ordnung genutzt werden. Um diese Welt des materiellen Lebens zu ermöglichen, begann das „geistige Denken Wollen“, eingebettet im “geistigen Sein“ und der geistigen Energie, sowie auch das kosmische Fühlen, die kleinsten Teilchen der Materie zu entwickeln. Das heißt, die ablaufprozes-sualen, geistig energetischen Voraussetzungen dafür zu begründen, damit diese Teilchen Materie herausbilden können.

思想圈关闭

亲爱的埃斯特里（Estrie），**正如您已**经提到的，它使“**精神思**维匮乏”，“**精神存在**”**和**“**精神能量**”**中所**蕴含的东西以及宇宙感觉成为可能，而不仅仅是人格化的精神存在，即自我在发展意识的同时，也为自我意识创造了条件，使其成为生活的最小组成部**分中不可分割的一部分。精神世界**发展的一个划时代的阶段开始了。另一个突破性的发展已经出现。亲爱的埃斯特里（Estrie），**您**还记得我们在关于一种称为计算机的技术设备的寓言的帮助下，关于我们自我意识的精神结构的对话，因为这种设备部分地被有思想的生物使用。在这种情况下，我们也提到了所谓的“应用程序文件”，**它涉及整个字符特征。角色特征当然**紧密相关，并且毫无例外地与物质生活条件相关，因为它们只能在可居住的星球上有限的时间内出现。我的意思是，正如已经提到的，宜居行星，因为在存在这样一个行星球体时，所有可能的生物都使用它们，特别是具有较高精神秩序的有思想的生物的物种。为了使这个物质生活世界成为可能，嵌入在“**精神存在**”**和精神能量以及宇宙感**觉中的“**精神思考意愿**”**开始**发展出最小的物质粒子。这意味着要证明与过程相关的精神的和充满活力的先决条件，以便这些粒子可以形成物质。

Die kleinsten Teilchen der Materie entstehen nicht gedankenlos, unkontrolliert und planlos, sondern aus dem universellen Zweck ihrer geistigen Bestimmung. Punkt.

Mit der geistigen Herausbildung des „Ichbewusstseins" und des geistigen „personifizierten Bewusstseins", mental eingebettet in den „kleinsten Teilchen des Lebens" und im „geistigem Sein", und der Herausbildung der „kleinsten Teilchen der Materie", mental begründet durch das „geistige Denken Wollen", eingebettet im "geistigen Sein" und der geistigen Energie, sowie auch das kosmische Fühlen, waren die grundsätzlichen Voraussetzung für die Entwicklung einer materiellen Welt und damit für die Herausbildung des materiellen Lebens in seiner vielfältigsten Form begründet. Punkt.

Damit schließt sich für das „Denken der Gedanken" der Kreis seines ewigen mentalen Wirkens.

最小的物质粒子不是出于思考，不受控制和偶然的事情，而是来自其精神目的的普遍目的。

随着“I意识”的精神发展和精神“人格化意识”的发展，心理上“生命的最小微粒”和“精神存在”中的精神嵌入，以及“物质的最小微粒”的发展在心理上得以发展。嵌入在“精神存在”中的“精神想想”，精神能量以及宇宙感觉，是物质世界发展的基本前提，因此也是物质生活以其最多样化的形式发展的基本前提。

这为“思想思考”关闭了其永恒的思想活动圈。

Im Folgeroman: „Der Kreislauf des kosmischen Lebens", werden sie lesen können, wie das geistige und das materielle Leben in der kosmischen Welt das Zueinander finden werden. Erscheinungsdatum Ende Julie 2021.

Was geschah v o r dem Urknall? Wie entwickelten sich die kleinsten Bausteine des Lebens und der Materie? Besitzen denkende körperliche Lebewesen der höheren geistigen Ordnung, also zum Beispiel Menschen, ein Ichbewusstsein auf der Grundlage des Energieerhaltungssatzes? Worin schließt sich der Kreislauf des kosmischen Lebens?

Gibt es einen Zweck, warum die universelle Welt in ihrer Gesamtheit existiert? Und dafür, dass sie gerade so eingerichtet ist, wie sie ist? Gibt es sowas wie Gott oder Götter? So wie sie auf manchen bewohnbaren Planeten bezeichnet werden? Und wenn ja, was sollten wir über ihn oder sie wissen? Sind sie möglicherweise ein Produkt geistiger Fantasy von denkenden körperlichen Lebewesen der höheren geistigen Ordnung als Mittel zur Machtentfaltung und Machterhaltung? Was kennzeichnet die Spezies von denkenden körperlichen Lebewesen der höheren geistigen Ordnung aus? Gibt es so etwas wie das „Geistige", insbesondere einen grundlegenden Unterschied zwischen „Geist" und „Materie"?

Dieser Roman: „Das Denken der Gedanken" wird ab Ende Mai 2021 im nationalen und internationalen Buchhandel und bei den meisten Internetportalen sowohl als Buch als auch als E – Book zu kaufen sein.

Viele interessante Stunden beim Lesen dieses außergewöhnlichen Romans wünscht ihnen ihr –

Dietmar Dressel

在后续小说《宇宙生命的循环》中，您将能够了解精神生活和物质生活如何在宇宙世界中找到彼此。发行日期为2021年7月。

大爆炸之前发生了什么？最小的生命和物质基础是如何发展的？具有较高精神秩序的有思想的生物（例如人类）是否具有基于能量守恒定律的自我意识？宇宙生命的循环在哪里结束？

为何整个世界都存在是有目的的？事实是它是按原样设置的？有神灵吗？当它们被称为某些宜居行星时吗？如果是这样，我们应该对他或她了解些什么？它们是否可能是精神幻想的产物，即将更高精神秩序的物质思考为发展和维持力量的手段？具有较高精神秩序的思维有形生物的特征是什么？是否有“精神”之类的东西，尤其是“精神”与“问题”之间的根本区别？

这本小说：将于2021年5月下旬在国内和国际书店以及大多数互联网门户网站上以书和电子书的形式提供。

祝您阅读这本非凡的小说有很多有趣的时间-

Dietmar Dressel

Der Autor

Es kommt die Zeit, da rückt das 65. Lebensjahr in greifbare Nähe endlich, denkt man erleichtert, in Pension. Soweit so gut! Es dauert nicht lang, und man feiert im Kreise der Familie den 66. Geburtstag und stellt dabei mit zunehmender Ungeduld fest, dass so ein Tag, mit seinen 24 Stunden, ziemlich lang sein kann. Familie, Enkelkinder, Faulenzen, Reisen und gelegentliche botanische Experimente bei der Gartenarbeit reichen nicht mehr aus, um den Tag ein interessantes Gesicht zu geben, was tun? An dieser Frage kommt man nicht mehr vorbei, möchte man nicht den Rest seines Lebens auf der Couch und vorm Fernseher verdösen. Warum, so fragte ich mich, die vielen Gedanken und Ideen, die sich im Laufe eines Lebens gesammelt haben überdenken und, so möglich, schriftlich verarbeiten. Ich glaube, es ist meine innere Stimme, die ständig mit mir diskutieren möchte. Und so fließen die Gedanken, wie von Geisterhand gelenkt, schon fast von allein in die Tastatur meines Computers.

The time comes when the age of 65 is finally within reach, one thinks with relief, into retirement. So far so good! It doesn't take long before you celebrate your 66th birthday with your family and realize with increasing impatience that such a day, with its 24 hours, can be quite long. Family, grandchildren, lazing around, traveling and the occasional botanical experimentation while gardening are no longer enough to give the day an interesting face, what to do? You can't avoid this question if you don't want to doze off on the couch and in front of the television for the rest of your life. Why, I asked myself, rethink the many thoughts and ideas that have accumulated in the course of a lifetime and, if possible, process them in writing. I think it's my inner voice that wants to argue with me all the time. And so the thoughts flow, as if guided by magic, almost by themselves into the keyboard of my computer.

终于到了65岁的时候了，人们如释重负地想到退休。到现在为止还挺好！不久之后，您便可以与家人庆祝自己的66岁生日，并且越来越不耐烦地意识到，一天24天的时间可能会很长。家人，孙子，闲逛，旅行和园艺时偶尔进行的植物实验已经不足以使一天的生活变得有趣，该怎么办？如果您不想在余生中在沙发上和电视机前打do睡，就无法避免这个问题。我问自己为什么要重新思考一生中积累的许多思想和想法，并在可能的情况下以书面形式进行处理。我想是我内心的声音想一直与我争论。这样，思想就好像是在魔术的引导下，几乎是自己流进了我的计算机的键盘中。

Mehr Informationen unter
BoD Verlag

Greedy ally: Fantasy Book-Chinese-German Bilingual

The novel: "Greedy Ally", is possibly an essential, a meaningful spiritual platform of the spiritual being, embedded in the spiritual energy for all spiritual and physically thinking beings in the universe? Yes well and what should the answer be, please? She carefully and carefully searches for the relevant questions in this novel. If one thinks with the principles of logic, ethics and metaphysics, one approaches the possible answers only with vigilant senses. Book block in Chinese language!

The suffering of the earth: Bilingual: Chinese and German

How was the planet born and how did it find a pleasant and for it tolerable orbit around a warm sun? Planet Earth, a small viable planet on the edge of a galaxy, is doing well. What one cannot necessarily say about his thinking physical beings, that is, people as they are called. They get what they can get, are jealous to the point of declining and ultimately cruelly kill each other. The book text is in Chinese script!

The purpose of life: Bilingual in Chinese and German

Every thinking corporeal living being of the higher spiritual order on habitable planets, including the people from planet earth, determine for themselves what and how much they want to own and how they decide, think and act, also practically to realize. This happens out of free decision and will formation. However, everyone bears responsibility for it alone! Not a so-called divine figure in heaven and certainly not the others. The book text is in Chinese.

Mehr Informationen unter BoD Verlag

Aphorismen and Zitate: English und Deutsch

To be self-critical, I mean that many quotes and wisdoms aim to reflect on one's own and self-exemplified behavior. An aphoristic, catchy phrase should possibly stimulate one's own ability to reflect. What is so important in life? What really counts for the individual person? These questions are often important. The following quotes and wisdoms can all be found in my seventy-six published novels.

The Philosophy through the ages: Fantasy novel English und Deutsch

The secret of philosophy through the ages. Admittedly, not an easy topic! How are the essential characteristics of the thinking of thoughts and the resulting action to be understood and possibly also to be justified under the intellectual inclusion of philosophy in the course of time? Which qualitative changes, complex transformations and modulations take place under consideration and classification of development processes and their possible developmental course in thinking physical beings of the higher spiritual order in all their different forms of life? So also the human species from planet earth?

Mehr Informationen unter
BoD Verlag

Lightning Source UK Ltd.
Milton Keynes UK
UKHW040633240521
384271UK00001B/198